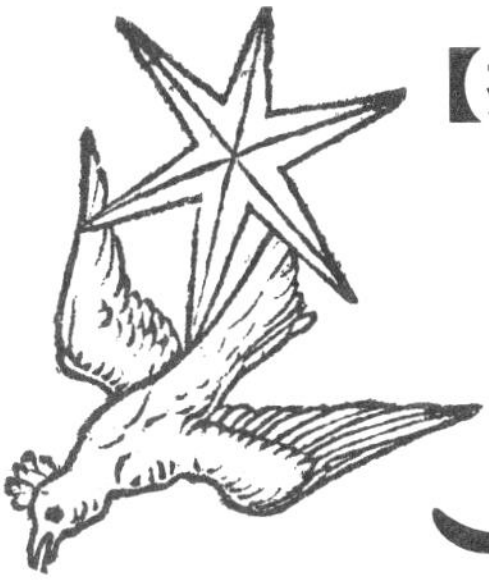

【投稿による総合文芸誌】

あとらす

ATLAS

No.43
2021

西田書店

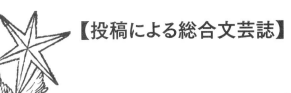

あとらす43号　目次

2021・1

デザイン◉桂川　潤

夏の幻

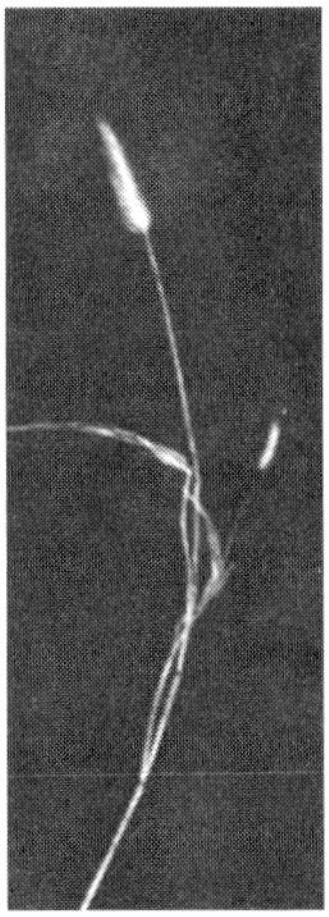

富田恵子

その日、代々木に住んでいる友達の家に招かれたS子は、住居のある西武新宿線で高田馬場駅で降り、代々木駅に行くつもりで山手線に乗り換えた。ところが、電車が新宿に着くと何故か人波に押されるようにして降りてしまい、そのまま無意識に歩き出した。

ふと気がつくと、足は小田急線の改札に向かっていた。あわてて引き返そうとしたが、ままよ、ここまで来たのだからこのまま小田急に乗って参宮橋で降りて、少し遠いけど代々木まで歩いていこうと決心した。

参宮橋は始発の新宿駅から二つ目で、明治神宮の西参道に行く為に出来た駅である。改札を出て、新宿方面に戻るように線路沿いを歩くと大通りに突き当たり、その右手がすぐ明治神宮で、左側を真っ直ぐ行くと甲州街道にぶつかる。

漸く梅雨が明けたばかりのその日は、朝から夏の太陽が照りつけ、猛暑の到来を思わせていた。彼女は、日傘を広げ、線路沿いの道を歩き出した。少し行くと、左手に曲がる小さな坂道があり、その坂を登ったところの突き当りの家、そこに彼女が生涯で一番幸せだった時代に住んでいた家があったのだった。昭和十年春から十年間暮らしたその家は、昭和二十年五月二十五日、米軍による焼夷弾で跡形もなく焼失した。数々の思い出の品とともに。あれから何年経ったのだろうか。彼女は、その坂道を見ないようにして、通りに出た。

当時朝鮮総督府の官吏だった夫の元に嫁いだのは、昭和四年満二十歳のとき。東京で生まれ育ち、兄妹達揃って学習院に通学していた一家が、陸軍軍人だった父の転任で当時の朝鮮の首都京城に引っ越したのは彼女が女学校の高学年のときだった。

当時は女学校を出た娘には、すぐに縁談が持ち込まれたようである。そして彼女に次々とおはなしのあったお相手は、京城にいたとはいえやはり同族の公卿華族の子息が多かった。その中に一人だけ異なった相手がいた。九州は熊本の出身、大変秀才で帝大を出てから高等文官試験を良い成績でパスして総督府に勤務しているという青年。今まで知っていたお公家さん達とはまるっきり違ったこの青年に、彼女は心が動いた。両親は大分躊躇したようだったが、彼女は押し切ったのだった。

京城で挙式してすぐ、夫は各道庁の学務課長、地方課長等を歴任し、その度に任務地に移っていった。どこも立派な官舎が用意され、手伝いの女中もいた。そして近くに夫の部下の年上の夫婦がいて何くれと世話を焼いてくれたので、まだ若くて世間知らずの彼女は大いに助かり、快適な生活を始めることが出来た。そして最初の子ども（女の子だった）に恵まれて四年ほど経った頃、夫は東京の本庁から視察にこられた方から彼の働きぶりを見て是非東京の内務省にきてもらいたいとの要望があり、急遽東京への転任となったのだった。元々東京育ちの彼女にとっては、大変有難いことだった。実家の父はすでに引退して、父祖の地である京都に居を定め、貴族院議員として議会が開催中は東京の息子の家へという生活をしていた。

さて東京では、参宮橋の駅近くに住んでいた夫の親代わりの実業家の叔父が自分の屋敷の中に家を建てて、そこに住まわせてくれた。渋谷区代々木山谷町がこの家の住所。ここに一家は、九年に生まれた次女と四人で移り住んだ。

参宮橋の駅はすぐ目の前、そして家を出ると左手は大通りで新宿行きのバス停があり、便利なところだった。この甲州街道から新宿に向かって右に曲がり明治神宮に行く広い通りは当時十三間道路といって、両側は桜並木で右側は土佐の大名だった山内邸の広大な屋敷があり、閑静な住宅地だった。この家での歳月、夫は本庁に引き抜かれた期待に応え、重要な仕事をこなし成果を上げ地位も順調に上がっていった。そして女の子二人のあと待望の男子三人に恵まれ、大変だったが幸せにあふれた日常だった。

しかし残念ながら時局は、国民に穏やかで平和な暮らしを送ることは許さなかったのである。満州事変、支那事変そして太平洋戦争とどんどん拡大していった戦争に、国民の生活は日増しに厳しくなっていった。最初は勢いのよかった我が軍はたちまち追いつめられ、アメリカ空軍の焼夷弾を満載したB29の凄まじい攻撃で、東京は焼き尽くされていった。新宿に近い参宮橋の家も毎日のように空襲に脅える日に、彼女は幼児を抱え庭の防空壕に飛び込んだ。

戦いが激しくなるにつれ、夫の仕事は益々大変となり、帰宅の遅い彼の身を案じながら、昭和二十年いよいよ空襲が激しくなりこのままではと子ども達とどこかへ疎開を考えていた時、夫に突然広島への転任が決まったのだった。全国を八ブロックに分け、それぞれの都市に役所を置き、それぞれに独立した権限を持たせるという戦時下の切羽詰まった政府の案で、広島には中国地方総監府として設置されることになり、彼はそこの官房主幹参事官として赴任することになった。

もうその頃は空襲は東京のみならず全国いたる所がやられていたが東京ほどではなく、一家七人に女中もきてくれて総勢八人で広島の地を踏んだのは三月の終わりだった。このような中での引っ越しだったから荷物も必要なものだけで、殆どのものは置いたまま留守番を頼んで家をあとにした。広島では幼児がいるので少しでも安全なところと郊外に家を用意してくれていた。

広島での暮らしにも大分慣れてきた五月に又東京大空襲があり、山手一帯が全滅との報を聞いた。そして案じていた通り参宮橋の家は焼夷弾の直撃を受け家財諸共焼失したとの知らせが入りショックを受けた。あゝ何もかも失ってしまった。しかし、もしまだあの家にいたらと思っただけでもぞっとした。勿論広島も決して安全ではなく、何度も空襲に脅かされていたが。

だが、それから二カ月余経ったとき、世界初の原子爆弾がこの地に落とされるなど神ならぬ身には知る由もなかった。八月六日原爆投下、朝出勤した夫は中心地近くで被爆、その後役所を案じて火災の中を駆け回り、秘書に助けられて帰ってきたのは夕方で、そのまま倒れて八日帰らぬ人となってしまった。四一歳。そうして崩壊した我が家に傷ついた五人の子どもと共に彼女は残されたのだった。

それからのことは思い出すだけでも辛い。不幸は重なるもので、今迄彼女を守ってくれた人、実家の父、夫の親代わりの叔父達がその前年に相次いで亡くなっていたのだった。そして十五日、敗戦の報を聞いたときのS子は、この先生きる勇気を失っていた。子ども達を連れて夫のもとへ旅立とう。ぼんやりとそんな事を考えていたとき、彼女の膝の上で眠っているとばかり思っていた一歳の誕生日を過ぎた末っ子が目を大きくあけて母親をじっと見つめているのに気が付き、はっとした。まるで母親の心の中を読み取ったかのように。

いけない、とんでもない事を……。赤ん坊を強く抱きしめ、それが生き残った私の使命、どんな苦労をしてもこの子達を育てて生きていこうと決心した。幸い、彼女と女中はあの凄まじい爆撃の中まったくの無傷で助かっていたのだった。まことに奇跡のようなこのことも何かの思し召しのように思われた。

こうして奮いたったその後の彼女の活躍は目覚ましかった。戦後の混乱の時代、あらゆる困難を乗り越えて五人の子ども達を育て上げ世に送り出したのだった。

〝原爆の焦土に傷つける五人の子と
　残されし母三十五歳〟

そして今老年を迎えた彼女は次女の一家と東京の郊外の細やかな家で穏やかな日を送っている。又その間息子の海外勤務先に招かれて、思いがけずニューヨークやロンドン等にも行く事が出来た。幸い健康にも恵まれ、孫も次々と生まれ曾孫も増え、楽しみも増えてきた。

西参道の通りに出ると、彼女は左手の新宿方面に向かって歩き出した。日射しは益々強くなり、彼女は裾にまつわる着物を捌きながら日影を求めて歩いて行った。

明治の末生まれの彼女は、子どもの時から着物で育った。入学した学習院ではまだ制服がなく自由だったので当時流行しだした洋服を夫々親の好みで着ていたが、高学年になると着物と袴の姿になり、以来ずっと着物姿となったのだった。

戦後あっという間に女性の着物が洋服に切り替わったのは戦時中に強制されたモンペの影響があったのではないか。又多くの戦災者や引揚者、それに疎開していた大事な着物を食料に代えた人達もいた。そんな中で女性達は、何とか知恵を絞りブラウス、ズボン、アッパッパと称するワンピースなどを身に着けるようになった。

彼女の学校時代の友達も裕福な人はしゃれた仕立てのスーツ等をしっかり着こなしていた。そんな中、彼女はあくまで着物一筋の数少ない存在だった。決してお洒落でも意固地でもなく、彼女の肌に洋服が合わなかったのである。長年絹物と綿しか身に着けたことのなかった肌は、ウールや当時出てきた化学繊維のものを受け付けず、肌が赤く腫れた。それからナイロンのストッキング、これを履いてその足を靴の中に押し込むことは苦痛そのもの。それでも夏は何とか普段はアッパッパで過ごし、仕事は洋服の方が便利なのは分かっていたが手間のかかる着物を遣り繰りして押し通したのだった。

「あなた様はお蚕ぐるみでお育ちだったから今どきのものなどお肌に合う筈がない」

これは昔S子の里で彼女と妹の世話をしてくれていたツネさんの口ぐせだった。大久保通りにある油屋の娘で、当時こうした商人の娘達は小学校高等科を出ると行儀見習いと称して近くのお屋敷に奉公に上がるのが習わしだった。

そこで彼女は、小学生の二人のお嬢様の世話係として朝から髪を結い着替えを手伝い、学校の送り迎えをしていた。やんちゃで我儘な下のお嬢様よりおとなしいS子がお気に入りで大層可愛がってくれた。

そのツネさんも嫁に行き、S子も家庭を持って東京に戻ると早速出入りし、戦争で人出が足りなくなると手伝いにとんできてくれた。そして、この大事なお嬢様が戦争でとんでもない目に遭い、苦労しているのを自分の事のように悲しみ、アメリカを憎み、被爆後の広島から夫の郷里での数年間を経て、何とか工面して東京に住む家を見つけて戻ってきてからも、何かというと苦労しているS子の身の上を気にかけてくれていた。「お蚕ぐるみ〜」の言葉も戦後の苦労しているS子に向かっての、良き昔を懐かしむ慰めの気持ちからだったのではないだろうか。

このツネさんの言葉通り、着物以外はどうしても「肌に合う筈がない」彼女は、その日は盛夏用の紗を着ていた。紗は蟬の羽のように軽い。しかしその分すっかり透けるので下着に気を使わねばならず、それほど涼しいわけではない。だが長年着慣れた着物に博多帯をさっと締めると慣れた様子で夏の草履をはいて出掛けたのだった。

西参道の通りは昔と違って車が行き交い、頭上を覆うように架けられた首都高速道路には車が絶え間なく走っていた。昔の面影を残しているのは神宮の森と下の線路を走る小田急線に架けられた橋ぐらいだった。人通りの少ない道をかなり進んだときだった。

「失礼ですが」、突然の男性の声に驚いて立ち止まると目の前にロマンスグレーの品の良い紳士が穏やかな笑みを浮かべて立っていた。

「奥さん、この真夏の最中にすっきりと着物を着こなして汗もかかずにしゃっきり歩いておられる。いやあ、女性の着物姿はいいものですね。最近は着物を着る女性がめっきり少なくなり、殊に夏などはめったにお目に掛からなくなった。しかし、矢張り日本女性の着物姿はいいなあと思って眺めているうち、思わず声を掛けてしまいました。いやどうも大変失礼しました」。

そういうと、男性は再び彼女の顔を見て、帽子を持ち上げ、軽く頭を下げるとすうっと立ち去っていった。思わぬ出来事に彼女はしばしぼんやりと立ちつくしていた。相手に何と返事したかも憶えていない。汗がどっと吹き出てきた。やっと気を取り直して足を踏み出したとき、突然ハッとしてその場に釘付けになった。身体中に戦慄が走り、くずれそうになるのを何とか堪えた。あの紳士、自分と同じ位のあの男性に突如亡き夫の面影を見たのだった。彼が存命していたら丁度あれ位の老紳士になっている筈。思わず去って行った姿を追ったが、すでに影も形も見えなかった。

あの幸せだった時代、太平洋戦争もまだ始まらず国民生活もそれほどひっ迫していなかった頃、たまに休日の夕方、幼児を女中に頼み、夫と二人新宿まで洋画を観にいった。そして帰途、若い夫婦は歩いて帰ろうよと参宮橋の我が家まで歩いたのが正にこの道だったのだ。懐かしさが込み上げ、辺りを見回すと、当時の町並みが浮かび上がってきた。

そういえば、あのとき一緒に観た映画は何だったろう。

はっきり思い出せないが、ひょっとして当時日本でも評判だったジュリアン・デビュビエ監督の『舞踏会の手帖』だったろうか。スイスのコモ湖畔の邸宅に住む三十代後半の女性が主人公。歳の離れた富裕な夫を亡くし、子供もなく独り身になった彼女は、生まれ故郷のフランスの田舎町を久しぶりに訪れる。町での華やかな舞踏会にデビューした、十八歳のときに踊った男友達と再会を果たす旅である。二十年が経って、それぞれにさまざまな人生を送る男たちがいるだろう。彼女が自らの孤独な暮らしのなかで過去を回想し、記憶を辿ることで新たな自分を取り戻そうと考える、ロマンティックなフランス映画だった。自分は優しい夫と賑やかな子ども達に囲まれて何と幸せな日々だろうと、その時は思ったものだった。

それとも、アメリカ映画『ベンガルの槍騎兵』だったかもしれない。インドを舞台にした戦争冒険映画だが、大好きだったゲイリー・クーパーとフランチョット・トーンが勇敢な英国の軍人を演じ、二人の友情が恰好良く、心に残る物語でもあった。こんな映画を作る国と数年後に戦火を交え、空襲に脅え、おまけに夫はこの国の発明になる原子爆弾で命を落すことになるとは夢にも思わず、感想を楽しく話しあったものだった。

約束の時間からかなり遅れて漸く代々木の家に辿り着くと、友達が玄関から飛び出してきた。「一体どうしたの？ あんまり遅いのでお宅に電話したらとっくに出られたと聞いて皆で心配していたのよ」。「大丈夫？ 汗びっしょりよ」、先に来ていた二人の友も気づかうように言いながら、彼女の手をとって居間まで連れてソファーに座らせてくれた。

倒れ込むようにソファーに腰を下ろした彼女は冷えたタオルで汗を拭き、冷たい水を一気に飲み干し、やっと一息ついた。「ご心配かけてごめん遊ばせ。あとでゆっくりお話しするわね」、彼女は皆の顔を見回しながら、半ば夢を見るようにうっとりしながら微笑んだ。

（注）

・モンペ　太平洋戦争が始まったころ、防火訓練や買い出しなど（当時女性は着物が普通だった）動きやすいようにと袴の形をした作業着で、それにしたがって着物も袖も丈もつめて上着のようにして身につけるように当局から指示されたもの。もっとも農村の女性は以前から仕事がしやすいように身につけていた。

・アッパッパ　夏用の衣服（簡単服）、大正の終わり頃から夏着物はあまり暑いので洋服らしきものを身につけたのが始まりで、それをこう呼んだようである。

＊タイトル装画は浜田千鈴「時の雫」（部分）より

日本建築に魅了された建築家

ノーマン・F・カーヴァのこと

ハンス・ブリンクマン
溝口広美訳

十月十日の盛大な開会式とともに、一九六四年東京オリンピック大会が始まった。大会一週間後、妻と私は、四ヶ月間にわたる一時帰国のため日本を旅立った。最初の一ヶ月間は義母を伴って三人で旅行をすることにした。義母にとっては初めての海外旅行だった。

飛行機を利用するかわりに、オランダのロイヤル・インターオーシャン・ラインが運行する「ストラートバンカ」（内燃機船）と名付けられた粋な船で、のんびりと東南アジアを巡ることにした。それは、いろいろな意味で忘れられない旅となった。今のクルーズ船とは違い「ストラートバンカ」は旅客貨物船だったので、乗客数は限られており、船長や機関長と同じテーブルで食事をする「特権」を享受できる乗客もいた。私たちは機関長のテーブルに着くことになったのだが、不幸にも、ローデシア（今のザンビア・ジンバブエ）出身の白人農民とその妻も同じテーブルに座ることになり、その夫婦は明らかに「アジア人」と一緒に食事をしなければならないことを不愉快に感じていたようだった。アパルトヘイト制度下の南アフリカでは日本人は「名誉白人」と扱われていたので、私たちはローデシアでも同じかと思っていた。会話を試みたが最初から無視され、テーブルを変えることは「原則として認めない」しきたりだったので、結局十八日間、互いに相手の存在とそうした状況をじっとこらえなければならなかった。

ストラートバンカ船上での食事の様子

それでも旅は楽しいものだった。神戸港を発ち、香港、マニラ、シンガポールの港の波止場で船は二、三日停泊し、私たちは、それぞれの土地で私の勤務していた銀行の支店長に迎えられ、観光を楽しんだ。最終的にマレーシアのポート・スウェッテナム（今のポート・クラン）で下船し、そこからペナンとバンコクへ出かけ、バンコクから飛行機でカンボジアへ移動した。実は、義母も私たちと同じように神秘的なアンコールワットに興味を抱き、そこが我々の旅の最終目的地だったのだ。世界最大の宗教遺跡と言われており、東西一・五キロ、南北一・三キロにおよぶ寺領の面積は約一・六キロ平米。ベトナム戦争が隣国カンボジアにも飛び火するのではないかという恐れや、カンボジアの不穏な国内情勢などがニュースで聞かれるようになり（実際に、翌年の一九六五年にはベトナム戦争がカンボジアに拡大）、だから、アンコールワットに出かけるのは今しかないと、私たちは考えたのだった。

もともとヒンドゥー教寺院として十二世紀前半に建てられたアンコールワットは、後に仏教寺院となり、それから長いこと放置され、建物は樹木で覆われていった。一八六三年にフランスがカンボジアを保護国とすると、フランス人によるアンコールワットの調査がはじまり、やがて保存修復作業が長期間に及び行われてゆくことになった。

私たちが訪れた時には、すでに一般公開されて久しかったが、旅行者はほとんどいなかった。カメラやホームビデオを抱えながら、私たちはいくつかの大きな遺跡を登り始めた。

木の根に覆われる寺院

高い場所に立った時、遠くに西洋人らしき写真家がひとり、三脚を立てて露光を調整していることに気がついたので、こちらから挨拶をすると、相手も挨拶を返してくれた。それからお互い、どこから来たのか、何をしているのかという話を始めた。

ミシガン州のカラマズー出身のノーマン・カーヴァは、世界中を旅行し、一九五三年にイエール大学を卒業後フルブライト奨学生として日本に留学したこともあると自己紹介した。留学の成果は、一冊の本にまとめられ、日本でも『日本建築の形と空間』（浜口隆一、彰国社）として出版された。彼の初めての著書だった。同じホテルに宿泊していたので、一緒に食事をし、私たちの会話は弾み、ついには、いつの日か再会することを願いつつ別れた。日本もしくはアメリカで……。

ところで、アンコールワットは一六世紀以後放置されてはいたが、完全に見捨てられていたわけではなかった。十七世紀には日本人の森本右近太夫《もりもとうこんだゆう》一房《かずふさ》という人物が訪れている。平戸藩士の森本は、国際的な貿易港だった平戸から、おそらく朱印船貿易でカンボジアに渡ったと言われており、アンコールワットが日本人に知られるようになったのも朱印船貿易を通してだった。当時の日本人はアンコールワット寺院を祇園精舎と思い込み、参拝していたようだった。クメール人の土地で、小規模ながらも日本人町を形成できたのは、お参りできる寺院があったからなのだろうかと、私はふと考えた。一六三二年一月にアンコールワットを参拝した森本は、回廊の柱に十二行の墨書を残している。父の菩提を弔い、未亡人となった母を慰めるため四体の仏像を奉納したことが書かれているこの墨書は、今では広く知られている。

ノーマン・F・カーヴァ
(1964年撮影)

アンコールワットで素晴らしいひとときを過ごした私たちはバンコクへ戻り、そこから義母は日本に戻り、妻と私はアムステルダムを目指した。

ノーマンと私は連絡を欠かさなかった。私が十日間のシカゴ出張をした一九六九年七月には、なんとか時間を作って、カラマズーにあった独特の素朴さを醸し出す彼の自宅に出かけ、彼と妻のジョアンに会うことができた。その二年後には二週間の予定で東京に滞在していたノーマンと再会した。彼は自分が取り掛かっている仕事のことをいろいろと話してくれた。一九八二年七月には、彼の写真集を二冊購入したことを電話で連絡した。イベリア半島の村々とそこの建物を撮影した写真集と、イタリアの丘の上に点在する集落を撮影した写真集だ。その翌月には、妻の豊子を連れて、カラマズーの彼の自宅で週末を過ごした。銀行の仕事を忘れ、旧友と、アートについて創造性について語り合い、団体旅行の時代が到来する前のカンボジアで初めて会った時の思い出などを語り合いながら、自分にはこういう時間が必要なのだと、つくづ

ノーマン・F・カーヴァ
(1979年撮影)

く感じた。

どういうわけか、その後連絡が途絶えがちになったのは、互いの人生が忙しくなったからだと思う。それでも彼の日本の民家の写真集（一九八四年出版）と、メキシコとマヤの街を撮影した写真集（一九八六年出版、邦訳は『メキシコ・マヤ芸術』吉阪隆正、彰国社）を買い求め、アンコールワットの寺院の壁画の一部を拓本した美しい作品を額装し、居間の壁に飾ったことを覚えている。

自宅の居間に飾ったアンコールワットの拓本

二〇一一年の春、ノーマンからメールが届いた。思いがけない便りだった。インターネットで検索していたら私の名前を偶然見つけたらしい。東日本大震災後の私たちのことを心配する彼に対し、私は自分が無事であること、執筆活動に勤しんでいることを伝え、また、すでに四年前に妻の豊子が亡くなったことを知らせなければならなかった。するとノーマンからお悔やみの言葉が届いた。嬉しかったのは、彼のアンコールワットの写真集が、四十年以上経ってようやく出版されるという知らせだった。私たちの親交が再開すると、ノーマンはアンコールワットで私たちが初めて出会った時のことや、宿泊先のオーベルジュ・ロワイヤル・デ・タンプルに、私たち以外誰も泊まり客がいなかったのは不思議だったことなどを思い出したと述べた。

ある時、日本経済新聞に掲載された記事の英文訳をノーマンから依頼された。日本人の友人から送られたというその記事の筆者は映画美術監督の西岡善信氏。三島由紀夫の『金閣寺』をもとに、市川崑監督が映画『炎上』を制作した時の思い出を綴っている。

「『炎上』（1958年）の撮影に入る前、市川崑監督から1冊の本を渡された。

ノーマン・F・カーヴァ著『日本建築の形と空間』という写真集だ。日本の古建築の屋根を真上から撮ったり、廊下を真正面から撮ったり、外国人写真家らしい独特の視点で切り取っている。そのモダンな感覚に市川作品のヒントがあると思った。ある寺社の廊下の写真は、炎上する寺のセットの参考にした。」（日本経済新聞夕刊文化「こころの玉手箱」4）

ノーマン自身は日本の民家に感銘をうけ、一九八四年には一冊の写真集にまとめ出版した。その新版を準備中だと彼は言っていた。また、『日本建築の形と空間』もアメリカで第四刷が出版されたばかりだった。九十年代初頭に日本を訪れたノーマンは、伝統的な田舎の文化が破壊されてしまったことを痛ましく思い深く悲しんだそうだ。彼の民家の本には、東日本大震災で最も被害を受けた被災地からそう遠くない土地の民家も、わずかながら含まれている。「一九五〇年代、六〇年代に、民家という素晴らしい建築家屋を撮影し、記録を残すことができたことを、今でも嬉しく思っている」と、彼は述べている。

ようやくアンコールワットの写真集が彼から送られてきた。二〇一三年十一月のことだった。この写真集が私の元に届くまで、二年ほどかかったのは、雑事も含めたあらゆる仕事をこなしていたアシスタントが、すでに写真集を郵送したと思っていたところ、そのアシスタントが突然どこかへ消えてしまったからだという。辞めたのではなく、ただ、蒸発してしまったという話だった。気の毒にもノーマンは、手探りで全てをこなさなければならなかった。

写真集の表紙（2011年出版）

返礼として、私は自分の詩集と短編小説集を彼に贈った。すると彼から感想が寄せられた。

「昨晩、二冊の本を抱えて早めにベッドに横になりました。すぐに寝ようと思っていたのですが、詩集を完読してしまいました。読み返した詩もありました。次に短編小説集の最初の二編を読みましたが、だんだん眠くなってきましたので、名残惜しかったのですが、読むのをやめました。

詩はあまり好きではないのですが、あなたの詩は知的で洞察にすぐれ、読んでいて楽しいです。年季の入った瞑想家の私が特に気に入ったのは、禅の難しさを詠んだ『思考ゼロの不可能性』という詩です。今日、カリフォルニアにいる瞑想家の友人に、あなたの詩を何編か読んで聞かせたら、彼女も絶賛していました。気に入った詩がたくさんありますが、とりわけ感動したのは『五代目―怠惰に対する豊子の弁明』と『どこへ』。豊子の先祖のことや、彼女自身のことを思い出しました。もっと読みたいと思い読んだのが京都を舞台にした短編小説集なのですが、懐かしさがこみ上げてきました。最初の短編小説の主人公のように、私もキャンピングカーでポルトガルからギリシャまで走り、スニオン岬にも行きました。『京のバス停』を読みながら、京都の思い出や、出会った女性たちの面影などが蘇ってきました。あなたの多才さに賞賛の拍手を送ります」

今までこれほどの賛辞を受けたことなどなかった私は、ますます執筆に励もうと心に決めた。

東日本大震災がきっかけで親交が再開し、それ以降は毎年、自分の写真を使用して作ったカレンダーをノーマンが送ってくれた。メールによる連絡もしばらく続いた。ところが二〇一四年の半ばから、返事がこなくなり、それでもカレンダーは二〇一七年まで届けられたが、依然としてノーマンからの返信はこなかった。

彼の訃報を受け取ったのは、それから間もなくのことだった。二〇一八年十一月十六日にノーマンは九十歳の生涯を閉じた。建築家としてカラマズーやその他のアメリカ国内で百五十軒もの家をデザインし、その多くが伝統的な日本建築にインスピレーションを得たものだった。

晩年のノーマン・F・カーヴァ

ノーマンのことを思うと、温かく懐かしい想い出が心に浮かんでくる。ずっと昔、まだ団体旅行が大々的に始まるよりはるか昔の一九六四年のアンコールワットで偶然出会った私たちは、手紙や電話で連絡を取り合い、実際に会いに出かけ親交を深め、ついにはかけがえのない、生涯にわたる友情を交わしたのであった。

ハンス・ブリンクマン氏は「ハブリ」サイトを公開しておりますのでご覧ください。一九六四年のアンコールワットを撮影した映像はサイトの「ハンスのビデオ集」の「動画」画面の上から四段目一番左をクリックすると視聴できます。https://habri.jp

パンデミック二〇二〇
――「ステイホーム」の中間報告

川本卓史

第一章　一月末までは

二〇二〇年は「新型コロナウイルスのパンデミック（世界的な大流行）の年」として長く記憶に残ることでしょう。本稿を書いている秋になっても収束の見通しは立たず、私のような老人はまだ人との接触をできるだけ少なく過ごしています。本誌が刊行される二一年初めにも、状況はさほど変わりないでしょうか。それとも、以前の日常に戻っているでしょうか。パンデミックを経験して人々の気持ちや暮らしは変わったでしょうか。

そんな検証をしたい気持ちもあって、これまでの自粛の日々をとりとめもなく記録させて頂きます。

一月末までは、こんな事態を想像することもなく過ごしていました。老妻と二人で、映画を観に行き、京都にも旅行しました。

映画は山田洋次監督の『男はつらいよ、お帰り寅さん』。新宿に出かけ、人混みの街を歩き、映画館も普通に混雑していました。きっかけは、友人がフェイスブックに載せた感想を読んだからです。「映画で『おじさん、人間って何のために生きているのかなあ』と高校生の満男が寅さんに語りかけます。『ああ生まれてきて良かったなと思うことがなんべんかあるじゃないか。その為に人間生きているんじゃないのか』そんな台詞が流れていました」という紹介でした。以前の「寅さん」映画からの回想場面ですが、見た覚えがない。自分でも確かめたいと思いました。

ご存知の通り「男はつらいよ」シリーズは、「『フーテンの寅』こと車寅次郎が、故郷の葛飾柴又に戻ってきては騒動を起こす人情喜劇で、旅先などで出会った「マドンナ」に惚れるが成功しない恋愛模様を、日本各地の美しい風景を背景に描く」。お寺の参道で草だんごの店を開く叔父叔母夫婦や母親違いの妹さくら一家との交流が毎回、笑いと涙を誘います。

第一作は一九六九年ですが、私が初めて観たのは七十年代半ばのニューヨークで。日本食料品店が、たぶん顧客サービスで無料だったと思いますが、日曜日に古い『男はつらいよ』を上映してくれて、何度か家族で観に行きました。海外で観ると、日本の風物も人情も何とも懐かしく、涙がでました。帰国してからは現金なものですっかり足が遠のきました。

「国民的人気」の作品となり四九作も続いたが、主演の渥美清死去によりシリーズはいったん終了した。第一作以来五十年目となる二〇一九年末に五十作目『お帰り寅さん』が公開され、日本国際映画祭のオープニング作品となりました。前作以来二十年経ち小説家になった満男（妹さくらの息子）がかっての恋人・泉と再会する物語を中心に、昔の作品からの場面も織り込み、技術的にも内容的にもよく出来た映画です。

第一作でさくらを演じた時の倍賞千恵子は二五歳、本作では七五歳になって同じ役を演じています。登場人物の誰もが歳を取るが、寅さんだけは変わらない姿で回想に登場する。そこが映像の魅力でもあり「変わらない寅さん」の存在感が観客の心を動かします。

山田監督が「満男の人生の師」と呼ぶ寅さんを、現在の満男はしばしば懐かしく思いだす。そういう回想のいちばん初めに、友人が教えてくれた場面が出てきます。

旅に出る寅さんを柴又駅まで送っていく途中での会話です。人生に、恋に悩む満男が問いかけ、立ちどまって暫く考えて寅さんが答える。監督が新作にこの場面を再録したいと思ったのは、彼自身よほど気にいった言葉だからでしょう。

「密」が懐かしい京都での「かるた会」

このあと京都に二泊で出かけたのは、一月の末。中国からのコロナウイルス発生がすでに報道されていて観光客も少なかったですが、日本ではまださほど大きな騒ぎになっていませんでした。翌二月にも予定が入っていたのですが、このときは横浜港に帰港したダイヤモンド・プリンセス号の集団感染も話題になっており、取りやめました。以来訪れる機会はありません。

目的は恒例の従妹の家での「新春かるた会」でした。あとは友人に会いました。時間がゆっくり過ぎていく気持ちになる、京都で過ごすといつもそう思います。名所旧跡を訪れたりしなくても、街を歩いたり、バスに乗って窓からみえる比叡山や鴨川を眺めるだけでほっとします。

観光客が増えたといっても、東京の雑踏や混んだ電車とは違うように思います。老人には東京の街中を歩く人々の速さになかなかついていけない。忙しそうに、不機嫌そうにしている人も多い。地方はどこもそうかもしれないが、歩くのが少し遅いし、躰が触れ合うこともない。表情も穏やかな感じがする。

そんな話を、京都に行くと必ず寄る、江戸時代から続く小さな割烹「松長」で常連さんと話していて、「京都では、街中は社会空間。みんなが仲間。外に出れば誰か知っている人が必ずいて、見ている。東京では外に出れば知らない人ばかり。その違いが大きいのではないか」という女将のコメントを面白く聞きました。「子供にも、外で知っている人に会ったら必ず挨拶するようにしつけている」と言う女性客もいました。

そういえば、出発の朝、品川駅で十一時十分の新幹線に乗るために、山手線を降りて階段を上がっていこうとした時です。若い女性が左手に赤ちゃんを抱えて右手にベビーカーを持って階段を上り始めました。誰も知らん顔をしているので、ベビーカーを私が持って一緒に上がりました。並んで上る母親から「有難うございます」と三回もお礼を言われました。むろん、礼を言われるほどのことではありません。

電車から降りたばかりの沢山の男女が階段を上がって追い抜いていきましたが、皆忙しそうで、旅行鞄を持った八一歳の老人に代わってあげると言ってくれる人は誰もいませんでした。

東京人には他人を構っている余裕はないのかもしれません。中には「エスカレーターを探せばいいじゃないか」と意見を述べる人もいるかもしれない。こういうのを、頭の良い人の「功利主義的発想」というのでしょう。しかしそういう思考で動く人ばかりではないし、そうでない人への気遣いが「仲間意識」ではないのか。

そんな話を「松長」でしたら、別の女性が「以前、東京に行ったときに、同じようなことをしてあげたら、若い母親が涙を流してくれました」と言っていました。街中も社会空間。見知らぬ人でも、以後二度と会わない人でもすべて「仲間」、そんな感覚が残る街であってほしいです。

東京もコロナのおかげで在宅勤務が増えて、あの朝、忙しく品川駅の階段を上がっていた人たちも、いまは混雑が少し減って余裕が出てきたでしょうか。周りを見て、赤ちゃん連れの母親がいたら手を伸べて「つながり」を持とうとする気持ちが出てくるといいなと思います。

その後の「松長」について補足すると、学校が一斉休校になってからの支援活動が京都新聞に報道されたと友人がメールで教えてくれました。記事には「松長は、親子向け教室の会場として使ってきた店内の一部屋で、近隣の子どもを預かる。曜日や時間、人数は事前連絡に応じて対応する。おかみの長谷川真岐さんは「共働きのママ友の間で、休校について戸惑いの声が多かった。子どもを預かるハードルは高いが、地域の助け合いが広がってほしい」と話す」とありました。

同じ時期、三月三日の東京新聞には「休校、苦しむひとり親」と「急な休校、支援の輪」という見出しの二つの記事が載りました。「足立区のNPOや企業約三十団体が、区内の事務所やカフェ計三か所を「子どもの居場所」として開放し、宅配弁当を無償提供する」、「板橋区にある「まいにち子ども食堂高島平」は年中無休で毎日三食、活動を続ける」などが報道されました。

第二章　海外のこと、二人の女性首相のこと

（一）

三月にはWHO（世界保健機関）が「パンデミック」の宣言をし、コロナの感染は欧州やアメリカなどに急激に拡がりました。その後はインド、ブラジルを始め世界中で増え続けました。「ソーシャル・ディスタンス（他人と距離を保つ）」や「ロックダウン（都市封鎖）」などの英語がメディアに登場しました。東京も四月には「外出自粛」になりました。

世界のどこを見ても逃げ場がなくなってきているようで不安な気持ちになりました。ロンドンに暮らす娘一家のことも気になりましたが、幸いに緑の多い郊外住まいでした。それと昔と違って有難いのはインターネットの存在です。

娘夫婦からは、・STAY HOME（家に居よう）、・PROTECT THE NHS（病院と医療従事者を守ろう　NHSは「国民医療サービス」）・SAVE LIVES（命と生存を救おう）の三つを政府が盛んに呼びかけていると知らせてきました。

英国の死者は増え、高齢の親や伴侶が感染して重症で病院に運ばれる際は、「自宅を出る時が、貴方が愛する人との最後のお別れの時かもしれないと覚悟してください」と言われる事態になりました。因みに同国は初期対応が遅れ、ジョンソン首相への批判も起きました。

フランスで四八歳の男性患者が最期に「これが私の死なのか。妻にも四人の子供にもひと目も会えずに死ぬのか」と激しく泣いた（そして数時間後に亡くなった）という話を読んで、「ウイルスの一番残酷な点はこれだと思う」と娘の連れ合いからメールが届きました。

英国のボランティアやチャリティについても書いてくれました。

・医療スタッフが足りず、政府が退職者などからNHSへのボランティア募集をしたところ、予定の三倍の七五万人がすぐに集まった。すでに十人以上のボランティアが亡くなった。「志の高い志願兵です」。

・一般人は、食料や物資を老人宅へ運んだり、電話で話し相手になったりする。様々な団体や有名人からの大規模な寄付も報道されている。

四月には、とうとうアメリカが感染者数で世界一になりま

した。ニューヨークのセントラル・パークに急遽こしらえたテントの仮設病院が並んでいる光景をテレビで見るのは、昔九年ほど住んだ懐かしい街だけに悲しかったです。

以下は、集中治療医としてニューヨーク市の病院に勤務する日本人医師のフェイスブックによる悲痛な叫びです。

「病院は地獄絵の様相。ここ二週間で見る間に患者が増えて、病室も人口呼吸器も足りなくなった。

自分の目の前に二人、今すぐ人工呼吸器を必要としている患者がいるとする。病院に一つだけしか人工呼吸器が残っていなかったら、どうやって最後の一人を選べというのか。十人の患者がＩＣＵ（集中治療室）のベッドが空くのを待っている状態で、一つだけ空いた時どうやってその一人を選べばいいのか。

同僚や看護師もコロナにかかった。私が担当するＩＣＵで、いまも彼らが人工呼吸器を装着されている。病院は家族との面会も許可していない。患者は孤独にこのウイルスと闘っている。

休み返上で働いても患者は増える一方で、終わりなき闘いに思えてくる。自分がかからない保証などどこにもなく、ウイルスを病院から家に持ち込んで家族にうつしてしまうことが一番怖い。

この状況になったからこそ気づかされることが沢山ある。家族や友達と会ってお喋りしたりハグしたり買い物に行ったり公園に行ったり、気軽にそうできることがどんなに幸せなことか。生きているってそれだけで本当に幸せなこと」。

この街に住む昔の職場の友人から電話があったのはやはり四月初めでした。不要不急の外出は禁止だが、今週から市が六五歳以上の高齢者には無料の食料品配達サービスをしてくれることになり、本当に有難いと言っていました。メールも来ました。「クオモ州知事の語調からも緊迫感をひしひしと感じる。知事は毎朝一時間近く州民に対するブリーフィングを行い、実況放送される。内容は検査・罹患・死者数を含めた現況報告、専門家の意見、これからの見通し、実行する施策の予告など。情報には透明性があり、確固とした自信とリーダーシップに安心感を抱く」。

その後ニューヨーク市の状況は、一時よりだいぶ良くなっているようですが、悲しい出来事も聞きました。

夏を長野県の山奥でともに過ごすご夫妻に会ったときの話題です。夫が妻のもと同級生で、私の中高の後輩でもあって、親しくしています。昼食をともにした際、その中高で一緒で親しかった友人がコロナで死去したと聞いて、驚きました。四月、しかもニューヨークでのこと。同氏はかねてこの街が大好きで退職後、東京と頻繁に往来していた、たまたま三月中旬もひとりで出掛けたところ罹患してしまい、現地の病院で死去した。東京から奥様が行くことは不可能で、家族に看取られることなく死去。遺骨もまだ日本に持ち帰れないという、まことに気の毒な話でした。

ただ、教会関係者に知り合いがいて、教会のメンバーが献身的にボランティアで面倒をみてくれたそうです。また、病院も日本との連絡手段を講じてくれて、病室と東京の自宅との交信をスカイプを使って可能にしてくれた、そのためパソコンを通してではあるものの、最期まで何とかコミュニケーションをとることができた。

他には幸いにも私の周りでコロナに感染した人は聞いたことがなかっただけに、直接の知り合いではないにせよ、いままでやや遠い出来事だと思っていたコロナ危機の残酷さを、急に身近に感じながら話を伺いました。

この時期、「外出禁止や自粛要請」が続く中で、人々はどうやって過ごしたのでしょうか？　英国の公共放送ＢＢＣの電子版は関連する短いビデオを刻々流しました。その中には「世界中の人たちがアパートのバルコニーに出て、奮闘する医療従事者を称えようと、拍手を送る場面」もあり、英国の王室の幼い子どもたちも登場しました。

「ロックダウンから学ぶこと」というビデオもありました。イタリアのローマですでに二週間以上、アパートの自宅にロックダウンされている家族（夫婦と息子の三人）を、レポーターが外から取材したものです。

夫が食糧品の買い物に二回外出した他は、家族は一度も外に出ていない。レポーターは「どういうことが大事ですか？」と尋ね、以下のような返事でした。

○毎日、その日の過ごし方を計画するようにしている。
○妻は居間に、息子は自分の部屋でオンライン授業に、といった具合に三人が別々に過ごす時間が大事。
○くたびれたら一部屋に集まって本を読んだり、ＴＶを見たり、ゲームで遊んだりする。運動もする。家族が共に過ごす時間が増えたことが唯一、良いことかもしれない。

最後に、「あなたたち勇敢ね。頑張って」とレポーターが励ましていました。私たち東京人の多くは、こんなに居住空間が広くないので、もっと厳しいかもしれないなと思いながら見ました。

（二）

話は三月に戻りますが、十八日夜、ロックダウンを実施するにあたって、ドイツのアンゲラ・メルケル首相が異例のＴＶスピーチを行い、大きな話題になりました。「第二次大戦以来の試練」に直面して、国民の連帯を呼びかけました。

「市民の皆さん～」で始まり、「皆さん自身と愛する人たちを大事に。有難う」で終わる約十五分の間に、「民主主義」という言葉を四回も使いました。「直截で、正直で、思いやりにあふれたメッセージ。まさにリーダーのあるべき姿を示した」とアメリカのメディアは評しました。

○「いまこそ開かれた民主主義とは何かが問われています。それは、政治的な決断を誰もが見える形で行い、説明することです」

○「真っ先に感謝したいのは医療従事者の献身です。皆さんは人を助けるために毎日毎日、職場に戻ってくれています。素晴らしい仕事をしているあなた方に心の底からお礼を申し上げます」

○「普段あまり光の当たらない方にもお礼を言いたいのです。スーパーマーケットのレジや棚に物品を補充している皆さん、私たちのために困難な仕事を続けていることに本当に有難う」

○「私たちの基は民主主義です。強制されるのではなく、情報を共にし、主体的に参加することが求められる社会です。いま私たちは歴史的な課題に直面しており、皆が一緒に向き合うことでしか乗り越えられません」

○「封じ込めの施策はもちろん重要で、全力を尽くしています。しかし、ウイルスとの戦いでいちばん大事なのは私たち自身です。他人は気にしなくていいのだと一瞬たりとも考えずに、誰もが大事。そのために連帯しなければなりません」

——と語る彼女は、具体的な「助け合い」のあり方にまで言及します。自らの若い時の「自由」のなかった東ドイツ時代にも触れて、共感にあふれた感動的な語りかけです。

同じ三月の二六日夜のニュージーランドのジャシンダ・アーダン首相のＴＶスピーチも高く評価されました。三九歳の女性首相です。三年前の就任後最初の国連総会に生まれたての赤ちゃんを連れて出席して話題になりました。スピーチでの、断固とした決意、飾らない温かい態度、国民の質問に丁寧に応じる寄り添う姿勢。信頼度は高く、世論調査では八

ドイツ・メルケル首相の国民向け
テレビスピーチ

タイム誌の表紙を飾った
ニュージーランドのアーダン首相

八％の支持を得た。

夜遅く自宅からの放映で緑のジャンパーの普段着姿。「いま子供を寝かせたばかりで、こんな格好で御免なさい」と謝りながら、気さくな、暖かな人柄がにじみ出る国民との対話でした。

同首相については、たまたま米タイム誌が直前の三月九日号で特集記事を組みました。

●一年前（二〇一九年三月十五日）、ニュージーランドのクライスト・チャーチでテロリストのモスク襲撃があり、イスラム系の五一人が殺害された。その時の首相の対応とリーダーシップは世界の称賛を浴びた。

●犠牲者の家族を抱きしめ、彼らの悲しみに耳を傾けた。国民に「They are us（この国に住むイスラムの人たちは私たち）」と呼びかけ、直ちに議会に諮り、銃規制を強化した。断固として犯人の名前を公表せず、ネット企業と各国に働きかけて、彼がネットに投稿した殺害動画を削除させた。

●五一人にはアフガニスタン、パキスタン、バングラデッシュ、インドなど様々な国籍の人がいた。ニュージーランドを自分たちの住む場所に選んだ人たちへの圧倒的な気持ちでした。何世代も住み着いていようが、一年前に来たばかりだろうが、ここが住み家なのです。そう思ったときに「They are us」という言葉を自然にメモに書きつけていました。

●またこうも語る。「この国は小さく、知る人も少なく、遠い国です。そういう私たちが唯一世界にリーダーシップを発信できるのは、モラル（倫理）の大切さなのです」

タイム誌は、「彼女は、親切は力であり、思いやりは実行でき、包容は可能であることを身をもって示した」と称えます。同国は、当時は英領ではありましたが一八九三年世界でいちばん最初に女性参政権を定めた国でもあります。

（三）

本章の最後はクルーズ船の報告です。と言っても、横浜に帰港したダイヤモンド・プリンセス号の集団感染の話ではなく、事情があって別のクルーズ船に関心を持たざるを得なくなりました。

フレッド・オルセンという英国の船会社の「ブレーマー号」がカリブ海を航海中、同じようにコロナウイルス感染の疑いのある乗客が見つかりました。予定の港への寄港を拒否されてキューバのハバナ沖にしばらく漂流せざるを得なくなりました。乗客は約七百人、乗員は三八〇人で乗客の多くが英国人でした。

結果的には、船会社が英国政府と連携し、キューバ政府が一時的な寄港を許可し、英国航空が飛行機を三機ハバナに飛ばして、（一）健康状態に異常のない乗客全員、（二）感染の疑いのある者は別の飛行機に乗せて、（三）船は乗員が運行し、乗客は三月十九日無事英国に帰国。このうち（一）の人たちは二週間の自宅待機ののち無事に帰宅できました。

このように、会社が英国政府と緊密かつ迅速に対応を協議し、感染の疑いのある客は直ちに隔離し、専門の医者が急遽英国から飛んできた。その上で、直ちに全員を英国に連れて帰る決定をした。

しかも、こういう状況が的確に情報発信されました。フレッド・オルセン社はホームページとフェイスブックで「ブレーマー号の現状（Braemar update）」と題して時々刻々、状況を伝えました。フェイスブックには家族や友人からのコメントや要望・質問などが載り、誰もが情報を共有することができました。

この結果、「飛行機で全員が英国に帰れます。翌々日にはヒースロー空港に到着します」と報じた際には、心配していた家族や友人からコメントが殺到しました。感謝の言葉が多かったです。

例えば――「素晴らしいニュースで、ほっとしました。献身的に働いてくれた乗員の皆さん（英雄たち）にはまだまだやるべきことがあるでしょう、ご苦労様。ジョゾ船長には、乗客全員の面倒を見て、コミュニケーションをよく取ってくれたこと（少なくとも不安を軽くしてくれたこと）に心から感謝します。あなたは力強い支え（a pillar of strength）です。寄港を許可してくれたキューバにも感謝します」。

他に、「他のクルーズ船会社の場合、ここまでの情報提供はない。貴社の対応は素晴らしい」「全員無事に帰ってきてください」「本社の社員もハードワークだったろう。帰国が決まって彼らが涙を流して喜んでいる写真をみて、家族のような雰囲気だと思った」など、さまざまなコメントがありました。

実は、このクルーズ船に日本人が一人だけ乗っていました。しかも彼は、観光ではなく仕事で、ゲスト・アーティストとしてピアノ演奏をしました。さらに言えば彼は在英国の娘の亭主で、私にとっても他人事ではなかったのです。

彼は予定のピアノ演奏を終えたあと、船内感染を知りました。「みなの気持ちが沈むのを見て、もう一度リサイタルを開き、無人のホールで演奏して船内テレビで中継してもらおう」と船長と一緒になって乗客を元気づける努力をしたそうです。

あらためて大切だと思ったのは、

・船を運行している会社が関係国と緊密な連絡を取って、責任を持って行動する。
・スタッフ（船長他乗員）と本社の心のこもった対応。
・的確かつ正確な情報発信と、インターネット技術を生かして出来る限り双方向のコミュニケーションをとる。
・それに対して「よくやってくれた」と心をこめて称賛する。

・そして最後に、危機にあたって他者に寛容であること。などの大切さでしょうか。これがメルケル首相の「誰もが大事」の精神ではないでしょうか。

第三章――自粛の中で考えたこと

（一）

二〇年の夏を過ぎ、秋になっても世界的にコロナの勢いはとまりません。自粛の中でいろいろな本や雑誌を読みました。

米国タイム誌の六月最終号に、イアン・ブレマー氏が「どの国のコロナ対応がベストだったか？（Which countries have handled Covid–19 best?）」と題して寄稿しました。同氏は政治学者で、邦訳された著書もあります。コンサルティング会社の代表でもあり、同社による世界の分析比較をもとに、あくまでこの時点での「ベスト十か国」を紹介しました。

●選ばれたのは以下の十か国です。

・アジア・オセアニア（五か国）――韓国、台湾、シンガポール、オーストラリア、ニュージーランド

・アメリカ大陸（二か国）――カナダ、アルゼンチン

・欧州（二か国）――アイスランド、ギリシャ

・中近東（一か国）――ＵＡＥ（アラブ首長国連邦）

●以上は、他の調査でも高い評価を受けている「定番」の国が多いです。地理的・社会的要因もあるでしょうが、国全体の早くて結束した連携プレー、専門家と政治家に対する市民の高い信頼、情報の透明性、の三点が評価の基本になっています。

●十か国のうち、人口五百万以下の小国が三つ（残り七つの人口はほぼ千万から五千万）、隣国と海で隔てられた国が四つ、女性が首相の国が三つです。

●そしてイアン・ブレマー氏がもっとも高く評価する「ベスト中のベスト」は、台湾です。同氏は、「台湾は中国の隣に位置するという、理想的とはとても言えない環境（かつＷＴＯへの加盟を認められない不利な立場）にありながら、真に称賛すべき対応をしている。世界ナンバーワンである」と称賛します。

具体的には、以下の諸点を指摘します。

・迅速に海外からの入国を止めた水際対策。

・完全なロックダウンや経済活動の封鎖ではなく、ＩＴ技術も駆使して、感染者を特定し、自宅隔離をし、感染経路を突き止めることを最重点にした。

・責任者の一元化、連携プレーや専門家の役割を重視し、連日国民に語り掛け、ビジネスセクターとも情報を共有し、一体感を強めた。

台湾については、ＮＨＫも六月末に特集「パンデミックが

変える世界」で「第一波の封じこみに成功した台湾」を取り上げました。道傳愛子解説委員の、前副総統でコロナ対策責任者だった陳建仁氏(ジョン・ホプキンズ大学の博士で公衆衛生のプロ)へのインタビューが中心です。

この中で陳氏から、「民主主義を守りつつ、封じ込める」という言葉が何度も出ました。ドイツのメルケル首相を思い出しました。また、「感染症対策を通して共感と感謝を学ぶ大切さ。知恵(wisdom)と共感(empathy)を両立させることがもっとも大切」といった印象に残る言葉を多く聞きました。第二波への十分な警戒と懸念・課題にも触れました。

民主主義を守る姿勢が根付いていることを痛感しました。台湾を国として取りあげるイアン・ブレマー報告は中国に対して挑戦的です。しかしいかに「一つの中国」を叫ぼうと、台湾に根付いている「民主主義」を破壊することは容易ではないのではないか、「一つ」と言うのなら中国の方こそ台湾に学んで民主化に向けた努力をしていくべきではないのか。

他方で日本の状況はというと、他のアジア・オセアニア諸国とともに、犠牲者の数は欧米やインド・ブラジルなどに比較して圧倒的に少ない。海外からは、「なぜか?」という疑問が出ました。ニュージーランドや台湾などは、上述したように「政府のリーダーシップや情報公開」など評価できる理由が明確です。ところが「日本の場合は必ずしもそうではないにも拘わらず」と受け止めたようです。

日本は上記十か国のように、政府の対応や、国民の信頼の高さといった評価基準では特筆することはない。その代り、かねて国民皆保険の制度があり、平時における医療・社会保障がしっかりしている。もともと健康志向が高く、国民の六割が毎年定期健康診断を受けるという統計もある。清潔好きであり、マスクも以前から当たり前のように多くが使用していた。握手やハグの習慣もない。それらが今回の伝染病感染の少なさにも生きている。よく分からないが、どうもそんな事情のせいではないか。

海外からの報道はこのような歯切れの悪い論調が多く、興味深く感じました。

(二)

コロナのせいで外食する機会がなくなり、私も食事は毎日自宅でが続きました(ただし我が家は何年も前から一日二食です)。友人の中には奥様を先に亡くされた方もいて、気になりました。料理をはじめ家事や育児の大変さを再認識したのは自粛生活のお陰かもしれません。

もちろん夫婦双方の責任ではありますが、どうしても日本社会は妻に負担が大きくなってしまうのではないか。そういう状況の中でも、女性が社会的にも活躍していくことがより一層重要になっているのではないか、そのためには何が大事か。今回、世界各国の女性の政治リーダーの活躍を見て、考えさせられたことです。

そんな折に、『女性のいない民主主義』(前田健太郎、岩波新書、二〇一九年)を読みました。刊行直後から話題になった本です。

著者は一九八〇年生まれの気鋭の政治学者、東大准教授です。本書は、「政治」「民主主義」「政策」「政治家」の四つのテーマを「ジェンダーの視点」で見直し、日本の政治状況が「男性優位」の構造になっている現状、その理由や問題点を鋭く指摘します。

「日本では男性の手に圧倒的に政治権力が集中している。このような国は、他にあまり見かけない。日本の民主主義は、いわば「女性のいない民主主義」である」。

このような観点に立って、著者はまずは「政治」を定義することから始めます。

・「政治とは、公共の利益を目的とする活動である」
・「政治の基礎は、政治共同体の構成員による話合いである。公共の利益は、多様な視点を持つ人々によるコミュニケーションを通じて明らかになる」。
・「政治とは、権力を握る人々が、それ以外の人々に自らの意思を強制する行動である」……と定義した上で、

いまの日本では「男性と女性とが平等に話合う政治が行われていない、その結果、女性が重要と考える争点や課題が国の政策として反映されにくいのではないか」と問いかけます。

そして、女性が発言しやすい条件を整えるには、構成員を増やすことが大事で、そうなれば女性が重要と考える課題が「政治」の世界でまともに取り上げられるようになる。男女の意見が平等に反映される体制という意味での民主主義がもたらされると述べます。

その前提として「クリティカル・マス」理論を紹介し、この理論によれば「女性議員はその数が一定の水準、例えば三〇%程度に到達して初めて、本来の力を発揮することができるようになり、男性議員と対等に意見が言えるようになる」と言います(日本の衆議院議員の女性比率は、現状約十%)。そして、選挙における候補者や議席を男性と女性とに一定の比率で割り当てるクオータ制が採用されている外国の事例を紹介します。

さらに大事なのは立候補者を増やすことだと、著者は言います。例えば、二〇一七年の総選挙でも、立候補した一一八〇人のうち女性の候補者は二〇九人にすぎない。女性が立候補しにくい社会環境に加えてここにもジェンダー規範が働いている。「女性が選挙に立候補しないことこそが、日本で女性

議員が少ない決定的な原因なのである」。

以上は、本書のほんの一部を紹介しただけですが、女性議員の少ない現状では、女性の意見が政治に反映されにくく、真の民主主義ではない。その理由として、男性高齢者を中心とするジェンダー規範が強く働いているという指摘は重要だと思いました。

日本の政治については、利権や地盤や世襲議員の問題などどろどろした側面があるのでしょう。著者の言うきれいごとだけでは解決できないという批判もありそうです。しかし、他の諸外国で実現できて、日本でできないことはないのではないか。私たち有権者の意識が少し変われば未来は変わるのではないかと思わせる良書を、自粛のおかげで読む機会がありました。

(三)

ジェンダーについて考える機会がもうひとつありました。米タイム誌三月二三日号は、過去百年間の「今年の女性百人」を選ぶ特集記事でした。

この一人に「緒方貞子さんが選ばれた」という日本の報道を記憶している方もおられるかもしれません。東京新聞の記事は、「毎年恒例の「今年の人」で知られる米誌タイムは、これまでの女性の活躍に光を当てる試みとして、過去百年分の「今年の女性」を発表した。一九九五年の代表として、昨年十月に亡くなった元国連難民高等弁務官の緒方貞子さんを選んだ」。

なぜ今回同誌がこういう企画をしたかについて、編集部は以下の説明をします。「今までの「今年の人」選出が男性に偏りすぎていたという反省がある。そこで今年は、一九二〇年にアメリカで女性参政権が認められて百周年を迎える記念すべき年であり、これ以降の「今年の女性」を選出することにした。最終リストに残った候補者は六百人である。私たちはこの作業を通して過去を振り返る機会を与えられ、歴史や社会を変える意義を再定義し、女性の果たした役割と影響力の大きさを再認識した」。因みに、同誌が毎年十二月に選ぶ「今年の人(Person of the Year)」は、一九二七年から続く同誌のいわば「ブランド」記事です。今回同誌はその女性版を補足した訳です。

そして、以下の特徴が指摘できます。

●いままでの「今年の人」の顔ぶれは圧倒的に男性で、かつ、元首を含めて統治や政治に携わる人たちや実業家がほとんど。出身国も欧米に偏っている。

●対して今回特集した「今年の女性」の総数百人では、これら政治家などの顔ぶれは二割に過ぎず、文化・芸術・スポーツや科学者など分野が幅広い。

●とくに注目されるのは、「社会活動家」と呼べる人たちが、全体の四割近くを占める。（「今年の人」ではキング牧師など一割に満たない）。例えば、一九二〇年に選ばれた、「アメリカでの女性参政権活動家」、一九五五年の人種差別に抗議したローザ・パークス（アラバマ州バーミンガムのバス・ボイコット運動の指導者）が含まれる。

●人種的にも多様であり、アジア、アフリカ等を含み、アメリカ人といっても黒人・アジア系・ヒスパニックも含まれる。

このように、タイム誌が女性だけに絞って選ぶと、分野や地域や人種がより多様化する、かつ「社会活動家」が増えるという傾向は面白いと思いました。

●さらに言えば、二割を占める「政治家や行政官や司法官」であっても、選ばれた理由は長年の人種や性差別への活動が評価されている事例が多いです。

例えば唯一の日本人として選ばれた緒方さんの選出理由は彼女の難民救済への貢献です。またアメリカ最高裁判事が二人選ばれていますが、その一人ルース・ベーダー・ギンズバーグ判事もその典型的な事例でしょう。本当はここで、筋金入りのリベラルで女性差別に長年たたかってきたギンズバーグ判事や、日本であまり知られていない他の「今年の女性百人」についても紹介したいところですが、何せ紙数がありません。実はギンズバーグ判事は本年九月十八日に八七歳で死去。主要メディアはこぞって「先駆者」「チェンジメーカー」と呼び、「アメリカのアイコン（偶像）だった」と追悼しました。

もう一つ女性の活躍に関して、面白いと思った記事を紹介します。八月十八日の英国紙「ザ・ガーディアン」は、「コロナ危機で、女性の指導者の対応の方がよりすぐれている」とする調査結果が出た、と報じました。

●すでに、ドイツのメルケル首相、ニュージーランド（NZ）のアーダン首相、台湾の蔡英文総統などはメディアの注目を集めている。しかし専門家や研究者からの反応は少なかった。

●ところがここにきて、ワシントンDC所在のシンクタンク「経済政策研究センター」と毎年ダボス会議を主催することで知られる「世界経済フォーラム」の共同研究が発表された。

●この研究は、百九十三か国のコロナ危機の対応を比較調査した。基礎データとして、各国のGDP、人口、人口密度、高齢者比率、一人当たりの健康支出、海外旅行者、男女平等の度合いなどの総合的な統計も活用した。

●その結果、「違いは明らかであり、女性指導者の国々の方がうまく対応している。その理由は、先を見越した、協調的な政策対応にあると考えられる。また、命の危険への意識の高さ、経済対策でもリスクをとることを恐れない姿勢が特徴的である、その結果、早期に断固たる対策をとることに成功している」と結論付けている。

●女性がトップ・リーダーである国は、このうち十九か国しかない。そして本調査は、メルケルやアーダンのような「特別注目されている存在」を除外して、ほかの十七の国だけを他国と比較調査しても同じようなことが言える、と指摘している。

●また、同調査は「もっとも似通った二か国の相互比較」も行った。具体的には、ドイツと英国、NZとアイルランド、バングラデッシュとパキスタンそれぞれの比較で、前者が何れも女性が、後者が男性がトップ・リーダーの国である。そして、何れも前者の方がこの危機にうまく対応している、と結論付けている。

●その上で、「この研究結果が、これからもコロナ危機が続く中で、政治のリーダーシップのあり方を議論するきっかけになればと願っている」と述べていると同紙は報じます。むろん異論もあるでしょうが、それを含めての議論を期待しているのでしょう。

調査報告の中で「女性のリーダーは、命の危険への意識が（男性より）高い」という指摘はなるほどと感じました。どうしても役割分担として、子どもを育て、他の子どもたちに接する機会も多く、病人や老人の介護に携わることも多いのは一般的に女性にならざるを得ない、それだけ「人の命」への感受性が高い、と言えるように思いました。

昔、この国で介護保険の制度が導入されて、男性議員が殆どの国会で議論が続いているときに、妻が「この人たちって、自分の親の介護をしたことがあるのかしら、苦労をどこまで知っているのかしら」と呟いていたことを思いだしました。

差別といえば、パンデミックの中で、人種差別の闇が大きな注目をあびました。とくに黒人差別の問題が、五月末アメリカ・ミズーリ州ミネアポリスで警官が無防備の容疑者を死亡させた事件を契機に世界的な抗議デモへと広がりました。

米タイム誌も英国エコノミスト誌も何度も取り上げました。後者の「抗議の力とジョージ・フロイドの遺産」と題する論説は、

・抗議のデモがアメリカ全土百五十の都市に拡がり、一九六八年のキング牧師暗殺事件以来の規模となった、

・抗議は世界大に拡がり、自国の忌まわしい「構造的な人種差別」の歴史を見直し、修正しようとする動きが欧州その他でもみられた、

と述べて、この動きが未来への改革の入り口であってほしいという希望を表明しています。

他方でタイム誌は、「遅すぎた気付き」と題して、奴隷制廃止後も、公民権法制定後も「差別」が続いているアメリカの

タイム誌「今年の女性」百年間の百人

現状への怒りと悲しみが中心になっています。

　しかし差別は黒人だけではない。同誌は、「私は黙っていない」という十人のアジア系アメリカ人がニューヨークで差別にあった体験談を紹介する長い記事も載せました。ほとんどが中国系・韓国系ですが、阪口はるかさんという写真家の日系アメリカ人もいました。被害者はすべて若い男女、加害者は中年以上の白人の男性です。コロナがらみで、罵倒されたり、脅かされたり、トイレでつばを吐かれたり、殴られたり、嫌がらせにあったりという体験です。読みながら、アメリカだけの出来事と言えるのだろうかという思いも浮かびました。

第四章　『コロナ後の世界を生きる』

（一）

　この年には、先の戦争が終わって七十五年が経ちました。広島被爆の日、八月六日は朝八時から老妻とともに、長野県茅野市で開かれた「平和祈念式」に参加しました。毎年出席しています。県外の被爆者の出席者は私ぐらいでしょう。

　今回は「密」を避けるため席の間隔もあけ、時間を短縮して、広島・長崎両市長からのメッセージの朗読、そして一分間の黙とうと献花だけで終わりました。マスク着用でした。

　例年なら広島への「平和の旅」に参加した中高校生の報告があり、最後に皆で木下航二作曲の「原爆を許すまじ」を歌うのですが、今年はありませんでした。それでも茅野市が、毎年広島の旅に学生を送り続け、とくに今年はコロナ禍のなかでも式典を実施したことに敬意を表したいと思います。

　この日、本拠地広島市での式典は、参列者を例年の一割に満たない七八五人に絞りました。毎日新聞の報道では、「八三か国やEU代表部の駐日大使らも出席した。核保有五大国からは中国を除く米露英仏が参列。松井一美市長は平和宣言で、新型コロナウイルスの感染拡大による自国第一主義の台頭に懸念を示し、国家間や人々の連携を呼びかけた。日本政府には、被爆者の思いを受け止め、三年前に国連で採択されたもの発効していない核兵器禁止条約の「締結国」になるよう求めた。安倍晋三首相は昨年に続き、条約に言及しなかった」。

　広島市で夕方には、「被爆七五年二〇二〇平和の夕べコンサート」～Music for Peace～が、八八〇人の聴衆を上限として開かれました。

　広島交響楽団（広響）が毎年催す「平和の夕べコンサート」

は節目の年であり、当初はベートーヴェンの「第九」と、アルゼンチンが生んだ世界最高のピアニストの一人、マルタ・アルゲリッチを招いて実施する予定だった。

しかもピアノ曲は、藤倉大という日本人が作曲してアルゲリッチに献呈された、「ピアノ協奏曲四番〝明子のピアノ〟」で、これを世界初演で演奏することを、彼女が応諾してくれたのだ。

ところが、コロナのため彼女の来日が叶わなくなり、急遽日本人ピアニストが演奏し、「第九」も中止となり別の曲目に変更された。コンサートは当日、インターネットで無料ライブ配信された。

ここに至るまでの経緯は以下の通りです。まず「明子のピアノ」について。

●河本明子さんは、広島からアメリカに移民した両親のもとで、一九二六年ロサンゼルスで生まれた。三三年日系移民排斥の動きが広がるアメリカから帰国し、広島に住む。アメリカで買ってもらって六歳から習い始めたピアノを持ち帰り、広島でも熱心に習った。

●一九四五年八月六日、原爆投下の朝、明子は女学校からの勤労奉仕に参加し、被爆、爆心地から約一キロの距離だった。必死で家に戻ったが翌日死去する。十九歳だった。翌日、両親は彼女の亡骸を自宅の庭で荼毘《だび》に付した。死因は急性放射線障害。

前日の朝、数日前から体調を崩していた明子に父親は「行かんでもいい！　行かんでもいい！」と繰り返し言ったという。そのため明子は、死の床で「お父さん、ごめんなさい」と謝り続けたという。そして、最期の言葉は、「お母さん、赤いトマトが食べたい」だった……。

自宅も原爆で損傷し、前日まで弾いていたピアノも傷つき、弾き手を失ったまま置かれていた。最愛の娘を失った悲しみで、両親は彼女の遺品をすべてそのままにしていた。

●一九八〇年ごろ偶然ピアノの存在を知った友人知人が、これを引き取り、調律師（彼は一目見て、「これは捨ててはいけないピアノです」と進言した）の協力を得て時間をかけて修復し、二〇〇五年八月の「平和の夕べ」コンサートで蘇った。

広島のコンサートで弾かれた「明子のピアノ」

そしてアルゲリッチです。

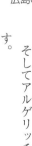

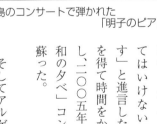

●彼女は、すでに二〇一五年広島市での被爆七十年の節目のコンサートに、初めて出演している。彼女自身の強い希望で、すでに内定していたザルツブルグ音楽祭など、八月のヨーロッパでの仕事を全て断っての来日だった。
●しかも、「明子のピアノ」の存在を聞いた彼女はコンサートの二日後に、自ら試し弾きをしてくれた。「明子さんはショパンが好きだったのですね。不思議なことに、弾いてみるとそれを感じます。ピアノがそれを記憶しているみたい。私はそれを信じます」と語った。
●同じく世界的なピアニスト、ピーター・ゼルキンもコンサートに出演するため来日したときに、このピアノでバッハなどを弾き、録音の申し出にも快諾した。
●アルゲリッチはコンサート初出演のあとでこんなメッセージを残した。――「私が日本国内で演奏を続けてきたのは、音楽には人を愛することを助け、人を殺める気持ちを萎えさせる力が宿っている、という信念からです。第二次世界大戦でのもっとも恐ろしい犯罪は、広島と長崎への原爆投下とナチス・ドイツによるホロコースト（ユダヤ人の大量虐殺）だと思います。このような犯罪は、二度と起こってはなりません。私は、そのために、広島が今まで以上に重要な役割を果たすものと信じます」。
彼女はこのコンサート後、広響からの「平和音楽大使」の称号も快く受け入れた。
●このような経緯があって、今年の節目の、自身二回目になる演奏も快諾した彼女だったが、思いもかけぬコロナ禍で不可能になったのである。
最後に、コンサートのインターネットでのライブ放映を見ての感想です。
●アルゲリッチに献呈されて、本来この日に彼女が演奏する筈だったピアノ曲は、「協奏曲四番“Akiko's Piano”と名付けられた約二十分の作品で、末尾のカデンツァのみ、実際に「明子のピアノ」が使われる。
●コロナのため来日ができなくなったアルゲリッチはヴィデオ・メッセージを寄せた。
「今回演奏出来ないことにとても悲しい気持ちです。平和のための音楽会だから参加してきたのに、ごめんなさい」「私たちは、この曲を聞くことで、悲劇的な状況下で亡くなった明子さんのことを、はっきりと記憶するでしょう」。
●当日は、代わりに萩原麻未さんという広島出身のピアニストが演奏した。会場にはスタインウェイの他に、アップライトのピアノがもう一台置かれた。彼女は終末部に入ってグランドピアノから席を立ち、もう一台の「明子のピアノ」に向かい、四分ほど弾いて、曲を終えた。

●なお、同年七月には『明子のピアノ、被爆をこえて奏で継ぐ』(中野真人著、岩波ブックレット)が出版された。帯には、「河本明子さんが愛奏していたピアノは、その響きを取り戻し、「音楽で平和を」の輪を世界に広げていく」とあります。

（二）

パンデミックが終息した後の社会はどのような姿になるのでしょう。感染が拡大する中で、ある友人からのメールに「始まりがあれば　きっと終わりもあることでしょう」とありました。その通りでしょう。別の友人から「しかし、太平洋戦争は終わったが、死んだ人は帰ってこない」とあり、本当にそうだなとも思いました。

マルタ・アルゲリッチのビデオ・メッセージ

『コロナ後の世界を生きる――私たちの提言』(村上陽一郎編、岩波新書)が七月十七日に刊行されました。「私たちを待ち受けているのは、いかなる世界なのか。コロナ後の世界を生き抜くための指針を、各界の一人者二四人が提言する緊急出版」と謳っています。

まず直面するのは格差の拡大であり、課題は弱者の救済だと指摘する意見が多いのは当然でしょう。冒頭の藤原辰史京大准教授は、「日本は、七人に一人の子どもが貧困状態にある国である。経済状態の差をここまで広げた政策のつけは、こういう危機の時代に回ってくる」と述べます。その上で、中国の武漢で封鎖の日々を日記に綴って公開した作家、方々の言葉を引用します。「一つの国が文明国家であるかどうか(の)基準は(略)、ただ一つしかない、それは弱者に接する態度である」。

地域エコノミストの藻谷浩介氏は、「日本が変わる」というのが〝世間で共有されるイメージ〟になっているようだが、「コロナでは日本は変わらない」と悲観的です。しかし、明るい展望も示します。「これからの日本は(略)地方の自然の中で育った若者が、そのまま世界と日本を往復しながら活躍していく時代になるだろう。(略)自分だけのかけがえのない人生を目指す若者は(略)津々浦々で静かに増えていくだろう」

他方で根本美作子明治大学教授(フランス文学)によれば、「新型コロナウイルスは、自分もまた一人の人にすぎないという原則をつきつけてくる」。そして同教授は、哲学者シモーヌ・ヴェイユの言葉を引用して「自分が世界の中心であることを諦め、世界のすべての点を中心として見極めること」の

新型コロナウイルス関連の二冊の本

大切さを訴えます。もっとも自分に近い「自分」を遠くのものとして据え置き、遠いひとを近くに感じる、パンデミックはこの不可能な精神訓練を私たちに突き付けるのではないか、とも。

「ああ生まれてきて良かったなと思うことがなんべんかあるじゃないか。その為に人間生きているんじゃないのか」と言う寅さんの言葉を世界の誰もが言える、そんな未来になってほしいと語りかけているように感じました。

その願いは、廣田尚久氏が提言する「共存主義」にも通じるかもしれません。同氏は、私の中高・大学を通じての友人で、本職は弁護士ですが、著作も数多くあり、核戦争やベーシック・インカムを取り上げた小説ものしています。今回八月末に緊急出版した『ポスト・コロナ　資本主義から共存主義へという未来』(河出書房新社)は、「ポスト・コロナの人類と世界の在り方に何らかの示唆を与え」たいとして書いた提言です。

彼はまず、四月十七日に発表された、一人当たり十万円一律支給の施策に注目します。そして、政府自身にはそんな意識も意図もなかったろうが、実はこれは「人がそこにいるから、存在の価値に対して支給される」ものであり、資本主義の超克につながる、「共存主義への未来」を開くものになりうるのではないかと考察します。

その鍵となるのが「ベーシック・インカム」すなわち「国がすべての国民に対して最低限の生活をするために必要な現金を定期的に支給する最低所得保障」です。

著者は最後に、「搾取や格差や侵略によって人々や国々が先走って火事場泥棒のようなことをするか、あるいは助け合って互恵主義の世界を築こうとするかの選択の問題である」という言葉で結びます。理想論だと言う人は多いでしょうが、私は大事な問題提起だなと思いながら読み終えました。

最後にやはり『ペスト』という小説に触れておきましょう。このパンデミックの時期、日本を含む各国で大いに売れたと報道されました。著者アルベール・カミュは当時のフランス領アルジェリアで生まれた作家で、一九五七年四四歳の若さでノーベル文学賞を受賞しました。

刊行されたのは一九四七年三四歳のとき。第二次世界大戦でドイツに占領されたパリの市民に寓して書いたといわれます。ペストと戦う人々の姿がレジスタンス（ナチスへの抵抗運動）を象徴するとして、広く読まれました。反抗と連帯、そしてヒューマニズムを訴える小説としての評価が定着していると思います。カミュを「いまも、私たちの良心であり続ける」と呼ぶ人もいます。

そもそも、「ペスト」に表象されるのは「悪」一般であり、人間存在そのものであろうとはよく言われることです。本書の中でも登場人物の「ペストは人生そのものだ」や「われわれはみんなペストの中にいるのだ」という言葉が紹介されます。

そのように理解すれば、ペストで街が閉鎖され、市民が監禁状態に置かれるという想定は、「そういう人間の条件（カミュは、それが「不条理」であり、普段は意識されないだけで死に向かう人間の実存だと考えます）の中でひとはどのように生きるか」という問いを引きだす舞台なのだと考えられます。

小説には、喘息病みの爺さんという、脇役ですがちょっと忘れられない人物が登場します。ペストの終息宣言がついに出て、市門が解放されて町中がお祝いムードにある中で、彼は医師リウーに向かって皮肉を込めて話しかけます。

「ねえ、先生、ほんとですかい、ペストの死亡者のために記念碑を建てるっていうのは？」……「きっとそう来ると思ってたよ。そこでまた、演説があるってわけだ」。

「こうしてでもその声が聞こえるようだね――《我らの犠牲者は……》なんてね。それから、みんなでぱくつくってわけでさ」

シニカルな爺さんに別れてひとりになったリウーは、この悲劇に唯一意味があったとすれば「（ボランティアに参加し、自らも罹患して死去した）タルーとの友情を知ったこと、そしてそれを思い出すということ」だと自らに言い聞かせます。「ペストと生とのかけにおいて、およそ人間がかちうるものは、それは知識と記憶であった。おそらくはこれが、勝負に勝つとタルーの呼んでいたところのものなのだ」。

そして、解放された市民は祝祭の気分に溢れ、賑やかに花火が上げられるが、リウーはこれが一時的な勝利にすぎないこと、ペストは再び人間を襲うだろうこと、だからこそ、戦った人々の記録を残しておこうと心に決めます。

それは「ペストに襲われた人々に有利な証言を行うために、彼らに対して行われた非道と暴虐の、せめて思い出だけでも残しておくために、そして天災のさなかで教えられること、すなわち人間のなかには軽蔑すべきものよりも賛美すべきもののほうが多くあるということを、ただそうであるとだけいうために」（訳文は新潮文庫の宮崎嶺雄訳による）。

南イタリア【シチリア・ナポリ】を訪ねて

岩井希文

二〇一八年（平成三〇）の七月に妻と、南イタリアのシチリアとナポリを訪ねる、九日間のツアーに参加した。シチリアの七月は地中海気候の初夏で、陽光は燦々と輝くが、雨はほとんどなく湿気は低く、日陰にはいれば涼しく心地よい旅であった。

一、シチリアの州都、パレルモへ

〈七月一〇日（火）・一一日（水）〉

一〇日（火）の一一時に関西国際空港発、ルフトハンザドイツ航空に乗り、ヨーロッパ有数のハブ空港である、フランクフルトに一五時に着、時差八時間を含め、搭乗時間は一二時間である。一七時にフランクフルト発、ローマには一九時に着き、この日はローマに宿泊した。

翌一一日（水）は一〇時に、アリタリア航空でローマ発、一一時に目的地シチリアのパレルモに着いた。この稿を始めるにあたり、シチリアについて簡単に紹介しておきたい。『広辞苑』には次のとおりある。

イタリア半島南端にある地中海最大の島。古代にはフェニキア・ギリシア・カルタゴ・ローマに占領され、中世にはヴァンダル・ビザンチン・サラセン・ノルマンに征服され、一二世紀に両シチリア王国が成立。一八六一年にイタリアに帰属、一九四八年自治州。面積二万六千平方キロメートル。中心都市はパレルモ。英語名シシリー。

もう一つ『シチリア、神々とマフィアの島』（竹山博英著）の序文から紹介したい。

シチリア島はその名が知られている割には、実像が知られていない。シチリア島の名を聞いて、ある人は悠久の昔から噴煙を大空に噴き上げているエトナ山を思い浮かべるかもしれない。あるいは金色に輝くレモンや、鮮やかな夕焼け色に実るオレンジを頭に思い描くかもしれない。考古学に詳しい人なら、古代ギリシアの神殿や劇場に思いが導かれるかもしれない。また悪名高きマフィアを思い出す人もいることだろう。だがそれ以上のことを問われると、困惑する人が多いはずだ。地中海の真中にぽっかりと浮かんだこの島は、われわれにはまだ未知の土地である。

ここにあるとおり、シチリアがイタリアに帰属したのは、一八六一年の近世になってからである。シチリアは地中海の中央にあり、ヨーロッパ大陸とアフリカ大陸、さらにユーラシア大陸の西岸を結ぶ、地政学上重要な位置を占めている。古代から中世そして近世に至るまで、入れ代わり立ち代わり、多くの民族の侵攻を受けた。その詳細については、この稿で逐次記したい。

パレルモはシチリアの北西海岸に位置し、シチリア最大の都市で州都である。このシチリアには当然のこととして、有史以前から原住民が住んでいたが、紀元前八世紀にフェニキア人が、この島の西部に移住し、また同じ世紀にギリシア人が、島の東部に移住し、次々と植民都市を築いた。このパレルモは、フェニキア人が建設した都市である。

フェニキア人は、謎の多い古代民族の一つである。地中海東岸の小アジアと称される地、現在のシリア・レバノン辺りを本拠地とし、航海に長じた海洋民族であった。現在広く使われている、表音文字のアルファベットは、フェニキアが発祥で、ギリシア・ローマを経て、ヨーロッパ世界に普及したと伝わる。地中海を隔ててシチリアの対岸にあるアフリカ北部、今のチュニジアの地に栄えたカルタゴも、フェニキアの建てた都市国家である。

フェニキアとギリシアは、シチリアの覇権をめぐって幾度も戦った。フェニキアの有力都市がパレルモとすると、ギリシアが拠点とした都市が、後に訪れる予定の、島の東岸にあるシラクサである。ギリシアのコリントが建てた植民都市で、紀元前八世紀の頃は、アテネよりもコリントが、商業でも海軍力でも実力が上で栄えた。

紀元前五世紀に、西アジアを制覇した巨大帝国ペルシアが、服属しないギリシアを征服するため起こした、ペルシア戦争があった。「歴史の父」と称され、古代ギリシア最大の歴史家ヘロドトスが、ペルシア戦争を自ら見聞し描き残した。第一次ペルシア戦争では、マラソンの語源となったマラトンの戦いで、ペルシアはギリシアに敗れ征服は頓挫した。

続いて起きた第二次ペルシア戦争では、満を持してペルシア軍の総勢は三〇万、クセルクセス王が自ら統率して、ギリシア征服をめざした。アテネはこの時、勝ち目のない陸戦は放棄して、老人・婦女子はアテネから他国へ避難させ、海戦に戦力のすべてを投入した。この時ペルシア軍の侵攻により、アテネはアクロポリス初めすべてが灰燼に帰した。

一大決戦となった、エーゲ海でのサラミスの海戦では、陸軍国のペルシアにあって、フェニキアがペルシア海軍の中核をなした。フェニキア三〇〇隻、アテネ二〇〇隻の、三段層ガレー船が、サラミスの海で激突した。

三段層ガレー船には、両舷に上下三段、櫂の漕ぎ手が配置され、操船要員、戦闘要員を含めると、一隻で二〇〇人を要した。ガレー船は帆船と異なり、戦場で自由自在に操船でき、機動力があった。砲弾のない時代であるから、船を近づけ漕ぎ手も櫂を捨て、投槍や弓での戦闘になる。

奴隷が漕ぐフェニキアに対し、アテネは最下層とはいえ、訓練された市民が漕いだ。地の利と操船技術に優れたアテネ海軍が勝利した。この時敗れはしたが、フェニキアがペルシア海軍を担った。ペルシアと陸続きにある、フェニキア等東地中海の都市国家は、望みはしなかったが、ペルシアに服属せざるをえなかった。強大なペルシア陸軍も、制海権を失っては本国に帰還できず、早々の撤退となった。

紀元前三世紀には、新興勢力のローマが台頭し、カルタゴと地中海の覇権をかけて戦った、ポエニ戦争は三回にわたった。ちなみにポエニとは、ローマ人がカルタゴ人を呼んだ名称である。先述したとおりカルタゴも、フェニキアの建てた植民国家である。

第一回（紀元前二六四～二四一）は、シチリアを戦場とし、ローマの勝利により、シチリアはローマの属領となった。シチリアはローマの最初の属州である。第二回ポエニ戦争（前二一八～二〇一）は、カルタゴのハンニバルが、アルプス越えをして、ローマを攻めたので有名であるが、最後はローマの勝利となる。第三回（前一四九～一四六）は、ローマがカルタゴを攻め、二度と立ち直れないように、その都市を跡形もなく、壊滅したことで知られる。

このローマのシチリア支配は、四七六年の西ローマ帝国滅亡まで約七百年間続いた。そして今では信じられないが、当時のシチリアは、ローマの台所を支える、小麦の主要生産地であった。ローマ人による大土地所有と、現地の農奴による小作の体制は、その後支配者が変わっても連綿と続いた。

このパレルモが最も栄えたのは、一一世紀にノルマン人がこのシチリアを征服し、このパレルモを首都とした、両シチリア王国の時代である。両シチリア王国の名は、このシチリア王国が、南イタリアのナポリ王国を服属させ、両国からなっていたことによる。

ノルマンの名は北方の民の意で、ゲルマン民族の内でも、北方を拠点とした一派で、スカンディナヴィア半島やユトランド半島（デンマーク地方）を本拠とした。このノルマン人が南下して、フランス北西部のイギリス海峡を望む地に、ノルマンディー公国を建てた。第二次世界大戦の末期に、連合軍が上陸した地である。このノルマンディー公国出身の、ルッジェーロ一世が一〇七一年に、シチリアのアラブ人支配を征し、新しくシチリア王国を築いた。

このシチリアに侵攻したノルマン人は、あまり多くない軍勢だったため、武力による征圧よりも、時間をかけた政治的に巧妙な懐柔策を優先した。ノルマンが征する前の支配者のイスラム、そしてイスラムが征する前の支配者であった、ビザンチン等の文化を受容し、彼らと共生しながら王国を統治した。アラブ・ノルマン時代と称され、シチリアの歴史の中で、最大の繁栄を実現した。この繁栄した時代に、首都だったパレルモには、その時代の遺産が多く残る。

次は塩野七生著『皇帝フリードリッヒ二世の生涯』からの引用である。

行政や技術や学問の分野では、この三民族の共生は、北ヨーロッパから来て聖地に向う巡礼たちの眼には、醜聞と映るくらいに、非キリスト教的だった。パレルモの王宮にはターバンと長衣姿のアラブ人が自由に出入りしていたし、フリードリッヒの側近の中にも、名だけでアラブとわかる人が少なくなかった。モスクからは祈りのときを告げるモアヅィンが朗々と流れ、教会の鐘楼からは、こちらも祈りの時間になると鐘の音が鳴り響く。ノルマン王朝の共生路線を継承するフリードリッヒが支配するシチリアでは、学識や技能に長じたイスラム教徒にとって、キリスト教徒の王なり皇帝なりの支配下で生きる不都合はまったくなかったのである。

フリードリッヒ二世は、シチリアが一番繁栄した、一三世紀前半のシチリア王で、かつ神聖ローマ帝国の皇帝でもあった。フリードリッヒの母が、ノルマン王朝最後の血脈であったため、シチリア王国を世襲し、ドイツ人だった父ハインリヒ六世の死に続いて、神聖ローマ帝国の皇帝に推戴された。

この頃の北ヨーロッパからイェルサレムへの巡礼は、イタリア半島の南端にあるブリンディシまで陸行し、ここから地中海を航行したので、シチリアを見聞する機会もあった。巡礼するキリスト教徒たちは、シチリア王の宮廷内で、イスラム教徒が、枢要な地位を占めているのに驚いた。

なお著者の塩野七生氏によると、フリードリッヒ二世は、二〇〇年程早く生きた、ルネッサンス人であったと記す。キリストの言葉、「神のものは神に、皇帝のものは皇帝に」、今の言葉で言えば、政教分離が信念であった。「法王は太陽、皇帝は月」を信念とする、時のローマ法王、グレゴリウス九世と衝突し、三度破門され、破門が効果なしと見るや、皇位剥奪のため異端裁判にもかけられた。

しかしフリードリッヒ二世は、神聖ローマ帝国の皇帝として、第六次十字軍を指揮し、イスラムに占拠されていた、聖地イェルサレムを解放している。ただしこれをフリードリッヒ流に、イスラム国のトップであるスルタンと、交渉により実現し、武力を使わず一滴の血も流さなかった。スルタンはフリードリッヒの領国に於いて、イスラム教徒が差別なく、厚遇されているのに報いたのであろうか。これがグレゴリウス法王は気にいらない。

法王は異教徒で敵であるイスラムと、交渉するなどもってのほかである。聖地イェルサレムの解放は、キリスト教徒の血の犠牲でもって、奪回するのが十字軍の崇高な使命である。これでまた破門され、終生破門は解けなかった。

私達は最初にパレルモ大聖堂を訪れた。もともとは四世紀に建てられたキリスト教の教会が、九世紀にはアラブ人モスクとして改修、一一世紀にノルマン人によって教会として再建、一一六九年に地震で崩壊、その後一一八四年に現存するように再建された。

写真に見るように、南面にノルマン時代の、ファサード全容が望まれるが、その後のドイツ（ホーエンシュタウフェン家）、フランス（アンジュー家）、スペイン（アラゴン家・ブルボン家）等、六〇〇年にわたる支配を受けて、様々な建築様式が複合している。印象的な中央の丸屋根は一八世紀後半に、スペインにより増築されたものである。

パレルモ大聖堂（南面）

一一三〇年に、ここでルッジェーロ二世が、教皇アナクレトウス二世から王冠を授けられ、シチリア王国（ノルマン王朝）が正式に承認された。父のルッジェーロ一世が、この島を征服してシチリア王を称してから、六〇年後のことである。内部にある礼拝堂は、後世の皇帝や王の霊廟となっており、ルッジェーロ二世、フリードリッヒ二世もここに眠る。
次にマッシモ劇場を訪ねた。

マッシモ劇場

パリのオペラ座に次ぐ大きさを誇る劇場である。ただしパリのオペラ座は、社交場としての回廊の面積が大きく、舞台や客席数三二〇〇の、劇場としての規模では、ここがヨーロッパ最大とされる。マッシモはイタリア語で「最大」の意である。新古典様式により、二二年の歳月をかけて完成され、初演は一八九七年、ヴェルディのオペラ「ファルスタッフ」の上演によったとされる。
新古典様式と言われても、私のような者は当惑するのみである。それ以前に流行した、バロックやロココ様式が、装飾過多で華美な装いであったのに対し、古典時代のギリシア・ローマの機能本位の素朴な様式に、復古しようという趣旨かと勝手に想像する。そういえばこの劇場は、木材を多用して荘重な装いである。

初演されたヴェルディと言えば、イタリアを代表する歌劇作曲家として知られる。最新の『文藝春秋』一月号（二〇二〇年）には、作家の塩野七生氏と、オックスフォード大学医学博士の新見正則氏との対談の掲載がある。新見氏は二〇一三年に、ハーバード大学が主催する、「イグノーベル賞」（まず人々を笑わせ、それから考えさせる研究に贈られる賞）を受賞している。

新見氏の受賞した研究内容は、心臓移植したマウスは、免疫の拒絶反応によって、平均して七日間しか生きられない。これらのマウスに音楽を聞かせると、どれだけ延命できるかという実験である。一番効果があったのが、ヴェルディ作曲のオペラ『椿姫』で、生存期間が平均で四〇日間まで伸び、一〇〇日以上生きたマウスもいた。

『椿姫』は、青年と娼婦の悲恋を描いた、フランスの小デュマの小説を、ヴェルディが作曲した歌劇である。小デュマは、『三銃士』や『モンテクリスト伯』等の作品で有名な、大デュマの息子である。なお「イグノーベル賞」は、多くの日本人研究者が受賞していて、私の記憶に残っているのは、「バナナの皮はなぜ滑るのか、滑る成分があるとすればそれを抽出して利用できないか」、という研究テーマである。

シチリアと言えば私たちの世代は、映画「ゴッド・ファーザー」を懐かしく思い浮かべる。『中世シチリア王国』（高山博著）によると、この三部作映画のラストシーンが、ここマッシモ劇場の正面の階段で撮影された。あの印象的なテーマソングが流れる中、アル・パチーノが演じる、主人公マイケルの愛娘《まなむすめ》が、銃弾に倒れる印象的なシーンがあったと。私は一九七二年の、マーロン・ブランドが演じる、最初の作品しか見ていない。

今でも覚えているのは、冒頭の娘の華やかな結婚披露宴、ゴッド・ファーザーを継ぐ立場にあった長男の謀殺死、マイケルの恋人のシチリアでの爆殺死、ゴッド・ファーザーを継いだマイケルの、周到で残虐な復讐で終るシーンである。

マフィアは、都市に住み現地に不在の封建大地主にかわり、小作農民を支配し、小作人からはできるだけ多く収奪し、地主にはできるだけ少なく収納する、武装した現地の支配者層が発祥とされる。日本の武家の発祥を思わせる。

ところがムッソリーニの、ファッショ・独裁政権が誕生すると弾圧され、多くのマフィアがアメリカに逃亡し、結束の強いファミリーを作り、闇社会に暗躍した。ゴッド・ファーザーは、ファミリーを徹底して守り、その代りファミリーは絶対服従、裏切りがあれば即座に殺された。

「ゴッド・ファーザー」の他に、シチリアを舞台にした映画に、「ニュー・シネマ・パラダイス」（一九八八年、ジュゼッペ・トルトナーレ監督）がある。私も大好きで三度程見ている。主人公の少年は、街の映画館の撮影技師を慕い、身寄りのない彼に可愛がられる。

小さい頃から劇場に出入りするのを許され、多くの映画を見る機会に恵まれる。その後成長して街を出て、高名な映画監督となる。世話になった撮影技師の死亡の電報を受け、初めて故郷に帰り、葬儀に参列しながら、昔の少年の頃を懐かしく思い出す。流れる主題曲が素晴らしい。

もう一つのシチリアを舞台にした映画は、巨匠ヴィスコンティ監督の「山猫」で、これは一九六三年カンヌ映画祭のグランプリ受賞作品である。私はこの映画は見てないが、映画の原作となった、シチリア出身の貴族、ジュゼッペ・トマージ・ディ・ランペドゥーサの描いた、小説『山猫』を読んだ。

物語は近代イタリア統一（一八六一年）の一年前から、約二〇年後（一八八三年）の主人公の死を経て一九一〇年五月まで、半世紀という長い期間にわたるシチリア最高の名門貴族サリーナ家の有為転変を描いたものである。というよりむしろ端的に、その「滅亡」に至る過程を克明に辿った小説といったほうがいいのかもしれない。

主人公の公爵のモデルは、作者の曾祖父といわれているが、シチリアきっての由緒ある家系にふさわしく、イタリア統一前の両シチリア王国（ナポリを含む南イタリアと、シチリア島を支配領域とするスペイン系ブルボン王朝）で、代々宰相の役を勤めた家柄であった、イタリア国家統一運動の担い手の一人ガリバルディ将軍の率いる義勇兵「千人隊（通称赤シャツ隊）」の、シチリア西端マルサーラへの上陸（一八六〇年五月一一日）の報道が飛び交う中、不安に慄く首都パレルモの街の状況を背景に、侯爵邸では毎日の慣例に従ってロザリオの儀式が執り行われている。この場面に続いて、シチリア島での両シチリア王国の敗退の様子と王国の滅亡、新イタリア王国の誕生、旧勢力と新勢力の交代の経過が語られてゆく。

（『山猫』訳者（小林惺）『あとがき』より）

題名となっている山猫は、名門貴族サリーナ家の家紋である。時代設定はあくまで物語の外枠に過ぎず、主題は主人公である公爵の、運命をそのまま受け入れる、悠揚迫らぬ生きざま、そして死に至る半生を中核に、国家と家の滅亡を描いている。今でもイタリアでは最も人気があり、多くの人に読まれている小説である。

次に訪れたのがノルマン宮殿である。一階は現在シチリア州議会堂となっていて入れないが、二階が宮廷付属のパラティーナ礼拝堂となっている。ここの内壁、天井、床一面に描かれた、モザイク画が見る者を圧倒し、私達はただ立ちすくむのみである。モザイクとは、ガラス・貝殻・エナメル・石等を材料として、描かれた絵画である。

最後にパレルモのへそと称される、クアットロ・カンティを訪ねた。十字路の意で、大通りが交差し街の中心をなす。そこにある広場に面して、東西南北に、統一された意匠の三階の建物が立ち、壁面には彫像による装飾がなされている。一階には四季を表現した噴水、二階には歴代のスペイン総督、三階にはそれぞれの町の守護聖女の像がある。

シチリアは一三世紀末から一九世紀に至るまで、およそ六〇〇年間、ドイツ・フランス・スペインの支配を受けたことは先述した。が、そのほとんどはスペインの支配で、スペインから派遣された総督に統治された。何度も反乱を試みるが、内通や裏切りがあって成功しない。緻密な計画的な組織だった行動ができなく、散発的な反乱に終わる。

しかし一度だけ叛乱が成功したことがある。一二八二年に、復活祭の晩鐘を合図に、人民が一斉に蜂起した時である。ナポリに宮廷を置き、シチリアを苛烈な収奪の対象のみと考えた、フランスのアンジュー家の支配を、パレルモに在住するフランス人を皆殺しにして倒した。

ただしこの叛乱には、フリードリッヒ二世の孫で、スペインのアラゴン家に嫁いでいた王妃が、綿密な計画を作り、スペインの軍勢を派遣して、共同作戦をとって成功した。そのためそれ以降シチリアは、フランスに代わって、スペインの支配を受けることとなる。この時の蜂起は六〇〇年後に、ヴェルディーによってオペラ化され、「シチリアの晩鐘」と題された。

もう一つあげると一八六〇年に、イタリア建国の英雄、ガリバルディ率いる、義勇軍千人隊が、イタリア本土のジェノバから、シチリアに上陸した叛乱である。スペインブルボン軍に勝利し、パレルモに入城した。この千人隊が義勇兵も加え、ナポリまで攻めあがり、スペインブルボン家の支配に終止符をうった。

一八六一年に、サルデーニャ王国と両シチリア王国が合併し、サルデーニャ国王のエマヌエーレ二世を王として、イタリア王国が成立する。シチリア人の率直な気持ちとすれば、スペインに代わって、イタリア人に征服されたとの思いが強い。

ガリバルディはイタリア建国の英雄であるが、その性格に起因するか、波乱万丈の生涯であった。海軍に所属していた若い時に、人民の蜂起に加担し死刑判決を受け、一四年間南アメリカに逃亡していたこともある。

しかしこういう性格であるから、彼が義勇軍を募ると多くが志願した。寛容な人格者のエマヌエーレ国王、深慮遠謀のカヴール宰相、猪突猛進のガリバルディ将軍、このコンビでイタリア建国はできた。カヴールとガリバルディは衝突を繰り返すが、国王がうまく仲裁した。『ガリバルディ―イタリア建国の英雄―』（藤澤房俊著）は、ガリバルディについて次のとおり紹介している。これは最大の賛辞なのである。

心が熱く、邪気がない、単純で一面的な考え方しかできない、直感が熟慮をはるかに上回り、直情怪行で、熱情にかられて行動に走る、向こう見ずで、意味もなく勇敢で、無謀な行動主義者で、非常時型の人間であった。また、私利私欲や地位声望を求めず、清廉潔白で、天真爛漫《てんしんらんまん》な、大きな駄々《だだ》っ子《こ》的特質は、民衆を惹きつけてやまない魅力となった。それだけに、かれは、理論家や政治家にはできなかった、困難な時代を切り開くこともできたのも事実である。

二、アグリジェント、カルタジローネへ

〈七月一二日（木）〉

八時にホテルを出発し、バスで二時間三〇分程、アーモンドとオリーブの木々の多い島を縦断し、シチリアの南岸にあるアグリジェントに着いた。アグリジェントは、紀元前六世紀頃に築かれたギリシアの植民都市で、ギリシア時代の遺跡、神殿群が残る町として知られ、世界文化遺産となっている。ここからは北アフリカ、チュニジアのボン岬までは、地中海を隔てて二〇〇キロメートル程である。

紀元前五世紀に、シラクサと同盟しカルタゴ軍を破り、この地からカルタゴを一掃し、黄金時代を築いた。ここに残る神殿群はその時代のものである。ただし紀元前四〇六年には、力を回復したカルタゴの逆襲にあい、八か月間包囲された後に街は破壊された。

コンコルディア神殿

遠くに地中海を望み、深い緑に囲まれた丘陵地に、五つのギリシアの神殿跡が残る。他の神殿が地震やカルタゴとの戦いで、大きく破壊されたのに対し、コンコルディア神殿は保存状態がよく、前面六柱、側面一三柱が、ほぼ完全な姿で残る。この神殿はドリア式と呼ばれ、アテネのアクロポリスの丘に残る、パルテノン神殿と同じ形式である。

ちなみにドリアの名は紀元前一三世紀頃、ギリシアの西北部に住んでいた人々の名で、北方から移動してきた民族に押されて、ギリシアのペロポネソス半島に侵攻した。ギリシア古来のイオニア式が、優美軽快なのに対して、ドリア式は柱が太く短く、雄勁簡素な様式とされる。

アグリジェントからバスで二時間程、北西に内陸部に入った所に、カルタジローネの街がある。ここは陶器の街と称され、イスラム支配の時代からの、陶器作りが受け継がれている。中世にはヨーロッパよりも、イスラム世界の方が、科

学・芸術・文化すべてが優れていた。圧巻は市庁舎広場から、サンタ・マリア・デル・モンテ教会に上がる、一段一段ちがった模様の陶器で装飾された、一四二段の階段である。

　ここからさらに二時間ほどバスに乗り、島の東岸にあるタオルミーナに宿泊した。ここからはイタリア本国が、イオニア海を隔てて指呼の間である。

三、タオルミーナ、シラクサへ〈七月一三日（金）〉

　タオルミーナは、イオニア海とエトナ山を一望できる、イタリアきっての高級リゾート地である。晴れた日にはイタリア本土の山々を望むことができる。エトナ山は標高三三二三メートルで、ここから見るエトナ山は、美しい円錐形をしていて、日本の富士山を思わせる。世界でも有数の活火山で、ここからは見えないが、頂上の河口から常時、噴煙を昇らせているそうである。最近では二〇一三年に、大規模な噴火があり、真っ赤な溶岩が麓に流れ出した。

　私達は古代のギリシア劇場を訪れた。紀元前三世紀に建造され、はるか先にイオニア海やエトナ山を、眺めることができる。自然を上手に借景として、取り込んでいるのが、ギリシア劇場の特徴である。劇場は直径一一五メートルあり、階段状に観客席が巡り、現在も夏には、演劇、バレエ、コンサート等が行われる。

　市庁舎や大聖堂のある街の中心に、ウンベルト通りがある。この狭い路地を歩くと、中ほどにテラスが広がり、海岸線を一望することができる。二つの岬に囲まれた、美しい静かな入江に、小さな島が浮かび、イソラ・ベッラと称される名勝である。度々映画のロケに使われるそうで、見事な眺望である。

　南に海岸線を一時間ほどバスで移動し、午後シラクサに到着した。シラクサでの午後半日は自由行動であった。既述したように、シラクサは紀元前八世紀に、コリントにより開かれた植民都市である。東にイオニア海に面し、後背地に広大な耕作地に恵まれ、ギリシア本国にはない豊かな地である。

　紀元前四一六年に、このシラクサとアテネの間に戦争が起きた。事の起こりは、シチリアの西方にある、ギリシアの植民都市のセジェスタと、隣国のセリヌンテの間に、長い間領地争いがあった。セジェスタもセリヌンテも、当時は有力なギリシアの植民都市で、今も当時の神殿や劇場の遺跡が残る。抗争が長引いているのは、セリヌンテの背後に、シラクサの援護があるからとして、アテネにシラクサを攻

エトナ山

撃して欲しいと、セジェスタから要請があった。
ギリシアには、一〇〇以上の都市国家が分立していて、山地など荒廃地が多く、耕作地が少ないせいもあって、常時抗争を繰り返していたが、ギリシアの植民都市間でも同じであった。また都市国家内部でも、貴族派と民衆派が対立し、抗争を繰り返していた。争いのたえない国柄なのである。

オリンピックはこの期間だけでも、争いをやめようとして生まれたものである。戦争の起こった紀元前四一六年は、アテネにとって二八年間続くこととなる、スパルタ相手のペロポネソス戦争の真最中であった。毎日新聞（二〇二〇年三月二七日）の余禄欄には、古代ギリシアのオリンピックについて、次のとおり記事がある。

思えばオリンピックはすごいイベントである。いや、ここでいうのは古代ギリシアのそれのことだ。紀元前8世紀から紀元後4世紀までの実に１２００年近くの間、４年ごとに２９３回も開催されてきた▲その間、聖なる休戦が破られて祭典の開催地で戦闘が起きたこともあったが、一度として中止されたことはなかった。ただ「延期」は、一度ある。紀元65年に開催されるはずの第２１１回の祭典が２年後の67年に繰り延べされたのだ▲延期させた張本人はローマ帝国の暴君ネロだった。ネロは自身が馬車競争などに出場、落車したのに審判に優勝と判定させるなどまさに「自分ファースト」のオリンピックに仕立てたのだ。主催のギリシア人には屈辱の歴史である▲まだ1世紀余の近代五輪は戦争による中止を夏冬計5度も経験した。しかし「延期」はこれが史上初という。東京五輪・パラリンピックを来年に繰り延べさせたのは、暴君よりたちの悪い新型コロナウィルスだった。（後略）

ついでに言えば感染の疑いのある者を、船で待機させる検疫期間は、イタリア語で「40日間」の意で、検疫の最初はシチリアだとある。

イタリアが都市国家だった16～17世紀、アフリカから奴隷を運んできた帆船にベネチア共和国はすぐには上陸を許さず、沖に40日間停泊させた。40日あれば、たとえ伝染病の保菌者がいても顕在化する日数として十分との考えでとられた措置である。

もっとも最初は40日ではなくて30日だった。14世紀、中東、アフリカの黒死病（ペスト）感染地域からやってくる船に対して、シチリア島が30日間の上陸を禁じたのが始まりという。シチリアは目と鼻の先が中東、アフリカで、欧州大陸との交易の中継地だった。（後略）

（毎日新聞、金言〈西川恵記事〉２０２０・２・７）

アテネの決定は、市民による民会で決められるが、スパルタとの戦況の膠着状態に倦む空気が、新しくシチリアへの西方進出を支持する決定がなされた。当時アテネの海軍力は、周辺の都市国家と比較し群を抜いていて、シラクサ程度なら、制覇できると楽観したのであろうか。アテネ栄光のペリクレス時代を終え、衆愚政治が始まろうとしていたのか。戦況不利のため派遣された、第二次の増援軍を含めると、兵は総計五万人、三段層ガレー船は二〇〇隻を超えた。

シラクサの後背地は、ギリシアと異なり、広大な耕地が広がっており、シラクサの主な戦力は騎兵である。戦いの経過は省略するが、四回の海戦でアテネのガレー船は、湾に閉じこめられ、脱出不可能となる。陸上を経て脱出を試みるが、参加兵五万のうち四万三千が戦死、捕虜となったのが残り七千、その捕虜のうちアテネの同盟国の兵は、奴隷として売り払われた。アテネ兵は地下の石切り場で、生涯強制労働させられ、一兵たりともアテネに帰還できなかった。

スパルタもコリントも、また他のシチリアの都市も、シラクサに味方し、この戦いの敗北が、アテネ衰退の端緒となった。そしてその後のペロポネソス戦争の敗北が、決定的な衰亡の要因となり、またギリシア世界の凋落につながる。ペルシア戦争を描いたのがヘロドトスとすれば、ペロポネソス戦争を描いて、後世に伝えたのは、歴史家ツキディデスである。

最近刊行された『知の旅は終らない―僕が3万冊を読み1００冊を書いて考えてきたこと―』（立花隆著）に、都市国家シラクサとプラトンの話がある。

シラクサはその昔シチリア島最大の都市国家で、長年にわたってカルタゴと古代地中海世界の覇権を競った強国です。当時のシラクサの支配者（僭主）ディオニシオス二世がプラトンの崇拝者で、プラトンが対話編『国家論』で示した哲人王による理想政治というアイデアを現実政治の上で試してみようと、プラトンその人をアテネから呼んで政治の相当部分をまかせるという政治史上珍しい試みが行われました。

プラトンはシラクサを三度にわたって訪問したのですが、三度ともプラトンの理想は現実政治に裏切られ、理想国家はまるでできませんでした。僭主の機嫌を損ねたプラトンは、僭主の命令で奴隷市場に売られるというとんでもないことまで起きました。（友人に買い戻してもらって助かった）プラトンは失意のうちにあらゆる現実政治から離れて、ギリシア本土のアテネに戻って、文筆と教育一本槍の生活に戻るのです。僕は、プラトンと因縁浅からぬ古代地中海世界最大の都市国家を見たいと思ったのです。

僭主とは正当性をもたない、実力によりなった独裁者である。ディオニシオス二世のように、立派な政治を行い、繁栄をもたらした僭主もいた。ここに「シラクサはその昔シチリア島最大の都市国家で、長年にわたってカルタゴと古代地中海世界の覇権を競った強国です」とある。新しいコロナウィルスの流行が懸念され、免疫の言葉が紙面をにぎわせている。毎日新聞の「余禄」欄に次のとおりある。

人類が初めて「免疫」という現象を史書にとどめたのは紀元前5世紀、シラクサ（シチリア）に侵攻したカルタゴとギリシアとの戦争の故事である。戦争中に疫病が発生、カルタゴが撤退した8年後のことだった▲新鋭の傭兵《ようへい》で再来寇したカルタゴを迎撃したシラクサ防衛軍は前の戦役を戦った老兵であった。そこに同じ疫病が発生、カルタゴ軍は壊滅したが、ギリシア側は病気にならなかった。「二度なし」が免疫に与えられた最初の名前であった。

（後略）

ギリシア劇場

またこのシラクサには紀元前三世紀に、アルキメデスが住んでいた。ローマの侵攻を受けた頃で、投石器などローマと戦う武器を考案し、ローマ軍を悩ませたと、プルタルコスの『英雄伝』は伝える。アルキメデスというと、小学校の教科書にあっただろうか、浴槽に身を沈めた時あふれ出る湯を見て、浴場から裸で飛び出し、「エウレーカ、エウレーカ（わかったぞ、わかったぞ）」と叫びながら、家まで帰ったとの話を思い出す。

この時浮力の原理を発見したと伝わる。ローマ兵が踏み込んできた時も、幾何学の証明に夢中になっていて、これが解けるまで待ってくれと言って、腰をあげようとしなかったので、その場で殺されたと伝わる。

自由行動とはいえ希望すれば、添乗員さんが案内してくれる。私たちは当然のごとくこれに加わった。最初に訪れたのが、シチリアで一番大きいギリシア劇場である。紀元前三世紀に、岩山の斜面を掘って座席が作られ、半円形で直径は一三八メートル、一万五千人が収容できる。観客席からははるか正面に、エトナ山を眺望できる。毎年夏に古代劇やコンサートが今も開かれ、世界中から観客が集まるそう

ドゥオーモ（大聖堂）

である。

　南にオルディージャ島が、岬のようにイオニア海に突出し、旧市街はここにある。昔は島だったが今は二本の橋でつながっている。私たちはこの島の中心にあるドゥオーモ（大聖堂）を訪ねた。紀元前五世紀に建てられたギリシア神殿が、七世紀に教会となり、ここの特徴は教会内部に入ると、神殿の列柱がそのまま、外壁等に利用されているのが見える。この日はタオルミーナに帰り宿泊した。

四、メッシーナ、ヴィラ・サン・ジョバンニ、アルベロベッロへ〈七月一四日（土）〉

　バスで一時間程してメッシーナに到着した。このメッシーナからは、船に二〇分程乗って、メッシーナ海峡を渡り、イタリア本土のカーブリア州ヴィラ・サン・ジョバンニに至る。海峡に橋を架ける計画はあるようだが、いまだ実現していないとのこと。

　北へバスで約五時間三〇分、プーリア州のアルベロベッロへ着く。四〇〇メートル程の丘の上に、トゥルッリという真っ白な壁に、灰色の円錐形のとんがり屋根をもつ建物が、街中にびっしり詰まっている。有史以前からの建築技法を受け継ぐと伝わり、世界遺産の街である。日本で例えれば、岐阜県飛騨の白川郷のような、異郷に迷い込んだ思いである。

　トゥルッリは約一四〇〇あり、多くがこの地方の特産品の店や、おみやげ屋、レストラン等になっているが、今もここに住んでいる人も多い。壁が二重構造となっていて、冬は暖かく、夏は涼しく住みやすい。屋根は平らな石を積み上げただけ、その昔は税の徴収人が来ると、屋根を取り外して、住宅ではないとして税を逃れたと教えられた。

アルベロベッロ

　私達はこのアルベロベッロの街を散策し、日本人女性が経営しているおみやげ屋、「Ｙｏｋｏ Ｓｈｏｐ」を訪ね、建物内を丁寧に案内してもらった。この日はこの街のホテルに宿泊した。

五、マテーラ、ポンペイ、カプリ島、ソレント、ナポリ、大阪へ〈七月一五日（日）、一六日（月）、一七日（火）一八日（水）〉

　予定した稿を過ぎたので、以後は饒舌をやめ簡潔に記したい。アルベロベッロから車で一時間半程してマテーラへ。この街はサッシと呼ばれる、渓谷や岩山を掘りぬいて作られた、昔ながらの洞窟住宅で知られ、世界遺産に登録されている。二〇世紀半ばまで農民たちが住んでいた。

私達はその一軒（グロッタの家）を見学した。水は雨水を室内の井戸に集め利用し、トイレはなく夜間は壺で処理する。鶏、馬、豚など家畜類も、洞窟内に一緒に生活した。二〇世紀になって人口増加に伴い、住環境が劣化し、一九五二年に法制定により強制移住となった。

トルコのカッパドキアに旅をしたことがあるが、洞窟どころか深さ一〇〇メートル、地下一二階もある地下都市を築いて、キリスト教徒がイスラム勢の迫害を逃れた。礼拝堂からワインの醸造場、お墓まであって二万人程が収容できた。それを想いだした。

バスで三時間半程西行してカンパニア州へ。有名なポンペイの遺跡を訪ねる。西暦七九年八月二四日に、ヴェスヴィオ火山が大爆発し、火山灰の下にポンペイは埋もれてしまった。一八世紀に発掘され、当時の生活様式や美術工芸がそのまま残る、貴重な史跡となっている。

ヴェスヴィオが噴火するとは、誰一人予測していなかった。九百年以上も噴火していなかったので、死火山と思いこんでいたのである。山頂にいたるまでの稜線は樹木で埋まり、休火山や活火山特有の荒れた山肌の露出はどこにも見られなかった。これが、死者の増大につながった。

（中略）

避難する人々の息の根をとめたのは、その後で音もなく襲ってきた、火山灰を多量に含んだ雲状の低い流れであった。不運にも風下に避難した人は、どこまで逃げようと、後世がサージと呼ぶことになるこのガス雲から逃れることはできなかった。（中略）

ポンペイもエルコラーノも、火砕石と火山灰がつみ重なって出来た四メートルの底に埋没していた。それも最後のほうでは灰まじりの雨が降ったのでこの四メートルはセメントのように固形化してしまったのだ。

犠牲者の総数は、二千とする人もいれば五千とする人もいる。ポンペイの人口ならば、一万五千から二万の間であったらしい。海ぎわの避寒地エルコラーノでは、住民の多くは海辺に逃れたが、地震によって海も荒れ船の着岸も不可能という状態。火山灰の雲流は、この人々も包みこんでいった。

（『ローマ人の物語Ⅷ危機と克服』（塩野七生著））

一つの街がすべて埋もれたわけだから、ここには神殿、フォロ（広場）、バジリカ（裁判所）、劇場、闘技場、浴場、穀物倉庫、羊毛商会館、投票所、洗濯屋、居酒屋、売春宿等々、この他にも多くの個人住宅がある。この遺跡から、ヴェスヴィオ火山の威容を眺めて、この地を後にしてナポリに宿泊した。

高速船で一時間程して、青の洞窟として知られるカプリ島を訪れる。ボートに四人乗って体を伏して、水面から高さ一メートル程しかない入口から、洞窟内に入る。洞窟内の水の色が、不思議にも真っ青である。入口を透して入る太陽光線が、水面の下から照らす現象らしい。神秘的な色で感動するが、洞窟に出入りする時が恐い。船でソレントへ。

ソレントからバスで、イタリア屈指のリゾート地、ポジターノとアマルフィへ。海岸線をバスで走り、美しい町並みと海を観光した。ナポリは治安が悪いので、バスからの下車が許されていないとのことで、バスの中から観光しホテルに入った。これでは「ナポリを見てから死ね」の、資格を得たことにならないだろうか。

ホテルでは本場のナポリタン、ピッツァ・マルゲリータを食べた。ナポリから空路フランクフルトを経て、七月一八日（水）の朝に帰阪した。

何でも検索で答えが出る時代

茅野太郎

友人の講話を聴く機会があった。本論の前に、「私は、生まれてから京都を出たことがない。『井の中の蛙大海を知らず』というのは私のためにあるような成句です。ところで、このあとに続く言葉をご存知ですか？」と枕を振られた。誰からも答えがないのを待って、「『されど空の色を知る』という言葉が続くようです」と言われた。井の中の蛙は広い世間のことは分かっていないが、井戸の底から見える空はいつも見ているから、「京都については多少お話しできるでしょう」という趣旨だろう。巧い話の出だしである。

帰宅してから、広辞苑を広げてみた。「井」でひくと、この成句は中国の古典『荘子』が出典とある。ところが続く言葉の説明はない。そこでパソコンで検索すると、ちゃんと出てくる。誰が付け加えたかは分からないが、「されど空の青さを知る」「深さを知る」などいろいろに続く言い方があるとのこと。

今の時代、まず何を措いてもスマホやパソコンをいじって、「ここに出ています」と答えてしまう人が多いだろう。便利になったと言えばそれまでだが、味気ないという気持も拭えない。何事でもすぐに検索すれば、答えが出てしまう。

その前に一瞬でも自分で考えてみる。答えが見つからなければ、質問をした講師の答えを待つ、疑問が湧いたらそのあとで書物でも辞書でも探してみる、こういう時間に意味があるように感じるのだが、いまは、何でもすぐに機械に頼って検索する時代になったと改めて感じた。しかし、そういう自分だってお世話になったのだ。

鰯の葬式カーニバル

――スペイン・カナリア諸島のお祭り

隠岐都万

一、はじめに

アフリカ北西の海岸から約百キロメートル沖に「カナリア諸島」と呼ばれる七つの島が浮かんでいる。総面積は七千五百平方キロメートルでほぼ宮城県に、また、人口は約百六十万人で、長崎県に相当する。緯度は奄美大島とほぼ同じである。昔も今も、この諸島近辺で獲れるマグロやタコの輸入を通じて、日本との関係が深い。島の住民は親切で、ここに住む日本人は幸福な生活に恵まれている。

かつては過酷な自然条件のため「飢餓の島」と呼ばれたが、今では観光ブームで潤っており、「大西洋のハワイ」と称されている。実はかのコロンブスゆかりの島で、小島の「カナリア」こそはここが原産地で、今でもあの美声で囀っている。また、楽しいお祭りも沢山ある。また、知られざる秘境があり、他方、ゴルフやマリーン・スポーツのメッカと言ってもよい。最近は、海外旅行好きの日本人観光客も押し寄せている。

私はラッキーにも現職時代の頃、この諸島の州都ラスパルマスに一九九八年から約二年間滞在したが、色々な思い出が記憶の中に鮮明に刻まれており、とても懐かしい。中でも、カナリア島民にとってもハイライトと言ってもよい「鰯の葬式カーニバル」について紹介してみたい。

なお、スペインの自治州であるカナリア諸島では、州都が七つの島のうち、知事が大きな二つの島、すなわちグランカナリア島とテネリフェ島のラスパルマス市とテネリフェ市の間で四年ごとに交代する制度となっている。つまり、四年ごとに州知事が選手交代するのである。

二、スペイン人のお祭り

おそらくお祭りの多いこと、そしてお祭りそのものが大好きな点で、スペインに優る国はないであろう。お祭りが日常生活の一部を成していると言ってよい。勿論、地球上で、お祭りが嫌いな民族はいない。しかし、スペインのお祭りは徹底しているのだ。一週間以上続くのはザラで、一カ月続くこともある。連日連夜、飲めや歌えや踊れやのどんちゃん騒ぎなのである。日本の昔の、懐かしき「村祭り」と同じだ。

そう言えば祇園祭も一カ月続くので、対等だが、何せ京都の方はおとなしい。強いて言えばブラジルのカーニバルに匹敵するのであろう。

スペインではどんちゃん騒ぎと同時に宗教的な行事も真面目に行うので感心する。お祭りについて面白い数字がある。スペインの人口は日本の三分の一であるが、面積は五十万平方キロで日本の一・三倍ある。スペインで毎年行われるお祭りの数は同国の全市町村数より遥かに多い。何と年間二・五万回にも達するというのだ。これは二十分毎にスペインのどこかでお祭りが行われる勘定となる。これは日本の市町村数が三千三百だから、日本に当てはめると、毎年八回ものお祭りをすることに匹敵する。やはり、相当な回数と言ってよいだろう。

お祭りは地方色豊かな民族衣装や郷土舞踊や地酒ワインがつきものだ。スペインのお祭りは明るく、華やいでいて、実に楽しい。ウキウキするのだ。日本のような孤独な酔いどれ天使は見かけない。町や部落のプラザ（広場）に集まった数千、いや数万の村民や市民が一体となって踊り狂い、ワインを飲み比べ、誰とでも抱擁し、陽気に騒ぐ。徹底的に人生を楽しむのだ。

スペインを訪れる観光客はお祭りと聞くと、先ず、スペインの三大祭りを思い浮かべるだろう。この三大祭とは、三月末の「バレンシアの火祭り（ファリア）」、四月末の「セビリアの火祭り（フェリア）」、そして、七月の「パンプローナの牛追い祭り（サンフェルミン）」である。

全国各地でほぼ同時期に行われるお祭りがある。キリスト教関係のものが多い。すなわち、一月六日の「主顕節（キリスト生誕の際の東方三賢人を称え、レイエス・マゴスと呼ぶ）」、二月から三月にかけて行う「謝肉祭（カーニバル）」、三月末から四月上旬に行われる「復活祭（セマナ・サンタまたはイースター）」、十二月二十五日の「クリスマス（ナビダド）」などである。

さらに、公式行事とお祭りが一緒になっている場合がある。例えば十月十二日の「スペインの日（新大陸発見の日）」で、軍隊が王様の前で、勇壮なパレードを行う。この日は市民もお祭り気分ではしゃぐのである。最も最近では「新大陸発見」との表現は慎んで、「両大陸遭遇の日」とよぶことに変更したようである。

三、カナリア諸島のお祭り

スペイン特有のお祭りの伝統はカナリア諸島でも同じである。カナリア諸島は全部で七島あるが、それぞれの市町村が競争気分を出して、お祭りの演出をする。一年中どこかでお祭りがある。どれも特徴があって、面白いし、楽しい。花火もしょっちゅう打ち上げる。何故か真夜中から花火のドンパチが始まるのだ。最初のうちは、第一発のドカーンという音が聞こえると、私は妻と共にベランダに飛び出して鑑賞し、堪能した。そのうち余りにも多いので辟易し、慣れてくると、もはやベランダには出なくなった。

さて、カナリア諸島独特のお祭りに焦点をあてて、私の話を展開したい。カナリア諸島の市町村八十五カ所のうち、その規模と知名度において、ラスパルマスとテネリフェ両市の「鰯のお葬式」が特筆に値する。これは独特のもので、お祭りの横綱格である。漁師の市民にとっては一年で最も楽しい行事である。両市とも、毎年一月末から二月末までの約一カ月もの長さで、延々と繰り広げられる。ブラジルのカーニバルが精々一、二週間であることを思えば、随分と長い。

両市のカーニバルには盛り沢山なプログラムがある。歌があり、パレードがあり、展示会があり、美人コンテストがある。更に、花火大会があり、レーザー光線のショウまである。この時期はサーカス団もスペイン本土から来て、派手な公演をする。

特に有名な「鰯のお葬式」のカーニバルは両市の間で、微妙な違いがある。同時にお互いに工夫をこらして競い合っている。主役となる「鰯」に違いがあるのだ。ラスパルマス市の方はほんものの「鰯」にソックリだが、テネリフェ市の方は、「鰯」を戯画化したような姿なので、むしろ「鯉」に似ている。この「鯉」の方は口を尖らせているので、コミカルな感じがする。

両市とも、この「鰯のお葬式」がカーニバルの最後を飾るプログラムなので、重要視している。従って、この日はお祭りが最高潮に達する。

まず、日没前に、市民が「お通夜」を済ませると、次に巨大な「張り子の鰯」が黒の喪服姿の遺族や親戚に囲まれて、トレーラーに乗せられて、市内を引き回される。これは一種のカーニバル風のパレードと言ってよい。

それが終わると、海岸に運ばれて、告別式があり、荼毘に付され、そして埋葬されるのである。埋葬は海中に投じられる形で演じられる。これが公式の筋書きである。

しかし、実際の演出は少し異なる。実際には「張り子の鰯」を海岸の仮設舞台の上に置き、深夜ごろに、点火して燃やして終りとなるのであるが、点火の瞬間まで、市中の電灯は消され、暗黒の状態となる。この時点で、異様な雰囲気が漂い、海岸に集まった観衆は興奮し、騒ぎまくる。

ここにはスペイン特有の「光と影」が象徴されている。歓喜と悲哀、笑いと涙、生と死、白装束と黒の喪服が演出されているように感じる。なお、白装束はカーニバル初日に晴れ姿として女性が着用し、黒の喪服は男女ともに、最終日に着用する習わしである。

四、ラスパルマスの「鰯のお葬式」

私が実際に目撃したのはラスパルマスのカーニバルの方である。では世界でもまれな「鰯のお葬式」を詳細にご紹介してみよう。

一九九九年のプログラムでは一月二十七日から二月二〇日までとなっている。パンフレットの謳い文句が傑作である。「一年のうち、一カ月がカーニバルのお祭りで、残りの十一カ月が次の準備のために充てられている……」。同じような言葉はリオデジャネイロでも耳にした。

要するに毎日の生きがいが、明年のカーニバルの準備のためにあり、この目標に向かって、全精力と全財産を捧げ、費消してしまうのだと言っても過言ではないのだろう。こんな生活態度や思考形式がラテン民族の特徴と言われているが、日本人にはなかなか理解できない。しかし、そう思い切れるのが羨ましいとも思える。本来、人間の心理の奥底にはそうした願望が潜んでいるのかもしれない。

さて、「鰯のお葬式」に登場する「鰯」とはどんな大きさなのであろうか。「張り子の鰯」は長さが八メートル、高さ三メートル、重さ二百キロもある。トレーラーの高さを考慮すると、全体の高さは十メートルにもなる。

当日、「鰯」は死体安置所がある地点から華やかなトレーラーの台上に恭しく乗せられて、市内で六キロの距離のパレードを行う。「鰯」はパレードの最後尾に置かれているが、その前方には様々なグループが延々と露払いを行う。各市町村や団体や会社の山車が夫々の名誉をかけて、きらびやかな満艦飾にして、美女を侍らせ、音楽を奏でながら練り歩く。

勿論、警官が総動員され、交通整理が厳しく行われる。沿道は市民や観光客で黒山となる。鰓や鱗や尻尾も見事な出来栄えである。目玉も精巧に作られ、銀色に光っている。「鰯」の口元は半開き状態で、グイと頸の部分を持ち上げ、尾もピンと撥ねた姿を見せている。威風堂々として迫力があり、なかなかの傑作だと思った。製作者のベニテス氏の弁が面白い。「鰯は雌にしましたよ。その方がカーニバルでは誰からも愛されるからです……」

では、そもそも島民は何故「鰯のお葬式」を祝うのだろうか？ こんな疑問が当然生じる。この疑問に対しては「要するに島の伝統なのだ」としか答えようがない。故事来歴は不明なのである。ただし、一つの説がある。それはこうだ。

昔からカナリア諸島は人間が楽に住めるところではなかった。雨が降らす、干ばつが続き、禿山だらけで、資源が皆無に近かった。その状態は今でも変りがない。資源と言えば、島々の周囲を巡る海の幸が唯一の頼りだった。つまり、漁業しかなかった。とりわけ、「鰯」が豊富に獲れ、島民にとって大事な収入源となり、かつ、食生活上の貴重な蛋白源だった。

例えば、グランカナリア島の西北地区をドライブすると、その事情がよく分かる。「鰯」に因む地名などがふんだんに目に留まるからだ。例えば、鰯町、鰯海岸、鰯岬、鰯灯台、鰯レストランなどなどである。何れも鰯漁の最盛期当時の名残であることは明らかである。

男達は「鰯」を求めて沖に出漁し、女達は獲れた「鰯」をカゴに入れて、そのカゴを頭上に載せて、町に繰り出して、行商をして回った。古老は今でも彼女達の朗々とした呼びかけの声音を思い出すと言う。

「鰯いらんかえー！　鰯いらんかえー！」

こうして、伝統的に島民の記憶に「鰯」に対する親しみと感謝の念が植え付けられているうちに、これをパロディ化して、大事な「鰯」が死んだら困る、しかし、もし「鰯」が死んだら、感謝の念を込めて、その「鰯」を弔おう、ということになり、これが「鰯のお葬式」に結晶したのであろう。

五、「鰯のお葬式」のエピソード（その一）

ところで、「鰯のお葬式」のあらすじは以上に述べたとおりだが、これと同時に奇妙な悪ふざけの光景も展開されるから面白い。

「鰯のお葬式」のカーニバルが進行し、後半のプログラムの終盤にさしかかると、何と「鰯の不慮の死因」のニュースが島民の間に飛び交うのである。正確に言うと、市民が「自発的に」死因についての噂話を流す役柄を演じるのだ。例えば、次のような噂話がお祭り気分をそそるのである。幾つかの噂話の実例を挙げてみよう。

「死因は、鰯の持ち主が軽率で、鰯の面倒をよくみなかったためらしい……」

「鰯が暴飲暴食して、下痢をしたのに、誰も気が付かなかったからだろう……」

「鰯が衰弱していたので医師が鎮痛剤を打ったが手遅れで無駄だったらしい……」

「鰯が脳死直前なのに、早くもお通夜に出し、しかも親戚一同がガヤガヤとくだらないお悔やみを言うのは怪しからん……」

「お気の毒な鰯のためにせめて喪に服して霊を慰めてあげよう……」

そこで、誰もが頷き合い、全員が黒の喪服姿で、この大事な「お葬式」に粛々参加するのである。お祭りとしては一見奇妙な、否、異様な光景という他ない。しかし、島民は内心ではそれを楽しんでいるのだ。よく見ると、「鰯の遺体」を載せたトレーラー型山車には十数人の自称遺族や親戚一同が派手な黒の喪服姿で、乗り込んでいる。

そして、トレーラー型の山車の後から、黒の喪服のいでたちで、市民の行列が長々と続く。特筆すべきはこの行列にはにわか仕立ての「泣き女」が登場するのである。

「泣き女」はアフリカのお葬式では珍しくない。これはカナリア諸島がアフリカ大陸に近いこともあり、その風習の影響を受けたのかもしれない。

「泣き女」はわざと泣きわめいたり、大げさに悲しんで見せたり、派手派手しく気絶したり、それぞれ思い思いのパフォーマンスを演じる。その間、別の山車に載ったバンドがカナリア式葬送行進曲を騒々しく奏でてくれる。

六、「鰯のお葬式」のエピソード（その二）

この誠にお行儀の悪い「鰯のお葬式」の行列は実に延々と続き、六キロの目抜き通りをゆっくりと練りあるく。行列が目指すのは市の北側の仮埋葬地となる「ラス・カンテーラス海岸」である。ここでも、島民の誰もが悲しみの表情を浮かべ、涙を滂沱と流している。しかし、その実、ホンネでは楽しんでいる。

悪童の中には泣きながら、同時に笑っているものもいた。要するに凝りに凝ったお祭りの「お遊び」なのであろう。

私はカーニバル最終日の当夜に、この「ラス・カンテーラス海岸」に行ってみた。海岸の「鰯」の埋葬地は既に黒山の人だかりだった。薪が高く積み上げられ、やがて、点火され、公開の荼毘が厳粛に行われた。暗い夜空と暗い海辺に赤々と薪の火が燃え盛る。それは一瞬、京都の平安神宮で見た「薪能」の光景を彷彿とさせる。不思議な厳粛さがある。やがて、荼毘が終わると、今年の「鰯のお葬式」葬儀委員長が海岸に集う島民に向かって、マイクを使って、厳かに宣言した。

「亡くなった鰯は享年二十六歳でした……」

実はこの寿命には深い意味が隠されていたのだ。これは「鰯のお葬式」を含むカーニバルが再開された後の年数を現しているのだ。スペインの長年の独裁者のフランコ将軍の命令により、一九七五年に亡くなるまでの四十年間はカーニバルの挙行は御法度だったのである。

一九三六年一月十五日にスペインに人民戦線内閣が成立し、これに反対するフランコ将軍が、同年七月十七日にカナリア諸島テネリフェでクーデターを決行し、これがスペイン内乱となり、一九三九年三月に集結したのである（フランコ将軍の勝利）。フランコ将軍がカーニバル行事のどさくさに紛れて、反体制派（フランコ将軍派に反対する旧人民戦線グループ）が武装蜂起を起こすことを警戒したからに他ならない。

七、「鰯のお葬式」のエピソード（その三）

この前代未聞の「鰯のお葬式」には更に念が入っている。荼毘の翌日の新聞は一斉に「鰯の死亡」を悼む弔電が堂々と掲載されるのである。

ソラノEU外交安全保障上級代表（当時のEU外相に相当）やオルブライト米国務長官（当時）など世界各地の要人からのうやうやしい弔電が掲載される。これは恐らく島の観光協会職員か市民の投稿に違いない。このうち、オルブライト女史の弔電が面白いから次に引用してみよう。内容はかなりの悪ふざけである。

「決して、クリントン大統領（当時）やモニカ・レベンスキー嬢や私が鰯の死を見逃すなどと考えないでください。鰯の持ち主の不能率と無謀さに鑑みて、ホワイトハウスは四十八時間以内に当事者を処罰する覚悟です。そして、わが政府の外交手段が無駄だと判明次第、ペンタゴン当局は軍事手段に訴えることでしょう」

残念ながら、日本のマスコミは妙に真面目だ。カナリア諸島の新聞のように、祭りに浮かれて、大人のジョークを提供して、読者を楽しませるようなことは期待できない。ユーモア小国の日本では大人のジョークは通用しない。駄洒落がせいぜいだろう。所詮、お国柄が違うのだ。

実は驚いたことがまだある。このカーニバル行事の総責任者が三十代後半のチャーミングな女性だということである。中肉中背、丸顔、金髪の島育ちである。名前はホセファ・ルサルド・ロマノ嬢で、ラスパルマス市文化局長の地位にある。

一見すると華奢なので、島のＶＩＰの秘書かな？　と思わせるタイプなのだが、なかなかの仕事師で、どの企画でもエネルギッシュに陣頭指揮をする。彼女のユニークな企画と実行力はお見事という他はない。

この「鰯のお葬式」が無事に閉幕した夜、彼女は記者会見の席上、次のような宣言をした。

「明年のカーニバルは二月十八日から三月十日までです。今回の行事の予算は三億ペセタ（当時の邦貨二億五千万円相当）でした。次のテーマは〝やもめの鰯王子〟です」

何となくふざけた宣言だが、彼女は真面目な表情で淡々と語った。もしかして、彼女は来年の〝やもめの鰯王子〟に恋をしているのかもしれない、と私は思った。

八、テネリフェ市の「鰯のお葬式」

ところで、カナリア諸島でラスパルマスと双璧を成すテネリフェ市の「鰯のお葬式」のカーニバルはどんなものであろうか？

言わずと知れたラスパルマス市の好敵手であるから、市民は一丸となって真剣勝負に挑む心意気で準備をする。そのせいでテネリフェ市のカーニバルも内外に定評がある。外国の観光客の間にもなかなかの人気がある。

テネリフェのカーニバルは簡単に言うと、家族全員が楽しむ行事だと言うのが特徴であろう。まるで、一家総出で楽しむピクニック気分にさせてくれるのだ。

ただ、全体に衣装が仰々しく、ど派手で趣味が悪い。ただし、この年のテーマが「色彩とマンガ」に置かれたせいで、ケバケバ趣味が露出したのかもしれない。従って、やむを得ない演出だったのかもしれない。

たしかに、テネリフェ市の「鰯」はコミックっぽい。こちらの「張り子の鰯」は長さ五メートル、高さ三・五メートルである。ラスパルマスの「鰯」と比べると、やや小ぶりである。

この年のテネリフェ市の「鰯のお葬式」への葬儀参加者は全期間を通じて、二十万人を記録したと土地の新聞が報じていた。しかも、「お葬式」の最終日がカトリック教の「灰の水曜日」にあたるので、この日付けとの関係を真面目に考慮したのであろう。この日はカトリック教の戒律で、肉食が許される最後の日である。よく知られているように、この日の翌日以降はキリスト復活まで四十日間を断食期間（四旬節）とし、信者はキリストと同じように節制し、苦しみを分かち合うのである。

しかし、同じカトリック教徒の多いラスパルマス市と何故異なるのだろうか。この疑問が私には残る。何時か解明したいと思う。

さらに、テネリフェの「鰯のお葬式」の特徴に触れてみよう。日中の市内でのパレードが終り、日没後になると、ここでは「鰯の遺体」の夜のパレードが行われる。約六キロの道のりで、市内目抜き通りを経て、海岸近くのプラザまで運び、ここで荼毘に付されるのである。

ここまではラスパルマスの場合とほぼ同じである。ただ、テネリフェでは山車の上に喪服姿の遺族や親戚一同の姿は見られない。その代わりに、「人間と猫」を巡るキャラクターが登場して、滑稽なパフォーマンスを演じるのである。

例えば「鰯を盗もうとする猫の姿」や「猫を追い払おうとする人間」の情景を表現しているのだ。実に微笑ましい演出である。見ていて日本人とも同じ生活感情が読み取れて、誠に愉快だった。

この他にも特徴がある。「鰯の遺体」を載せた山車は周囲を黒色の僧服づくめで、かつ黒色の僧帽を被る信徒団に囲まれながら、しずしずと荼毘を行うプラザに向かう。信徒団の行列をよく観察すると、僧服には「鰯」の図柄があり、僧帽には「鰯」の模型がロゴ風に取り付けられてある。

こうして葬式の行列は遺族と親戚一同を先頭にして、信徒団や市民がゾロゾロとついて行く。翌日の新聞には信徒団の総数は五万人と報じていた。

やがて、真夜中になる頃を見計らって、「鰯のお葬式」の行列がプラザ（広場）の臨時火葬場に到着する。ここでもラスパルマスと同じく、薪の山の上に「鰯の遺体」がうやうやしく置かれ、火が放たれる。火炎と黒煙が立ち上る中で、泣き女が活躍する。悲痛な涙声と奇妙な歓喜の声が沸き上がる。ここでも独特の、かつ異様な雰囲気が立ち込めるのである。こうして、テネリフェの「鰯の遺体」の荼毘が終り、同時にカーニバルの終焉となるのである。

九、「鰯のお葬式」への「御神輿」と「ネブタ」の参加

それにしても、スペイン人、そして、カナリア諸島の島民は遊びの天才と言ってもよかろう、と思う。「鰯のお葬式」のカーニバルを見て、私はほとほと感心した。

しかも、大真面目な顔をして、かつ、必死になって遊びに興じるところが面白い。

何だか日本人に似ているような気もする。日本人のお祭り好きもなかなかのものだと思う。ただ、カナリア諸島の場合は日本のとは一味違う。これは文化や伝統が違うから当然のことだろう。

ところで、カナリア諸島の在留邦人は十年から十五年前頃までは今よりももっと多かった。その頃は在留邦人の中の有志が団結して、カーニバルに参加したこともあったらしい。しかも、何と優勝もしたこともあったということである。在留邦人の中の古老が、私に当時の逸話を披露してくれた。

「昔は日本人会が積極的にカーニバル・パレードに参加していましてね、市民から大事にされていましたよ。特に、御神輿の人気はたいしたものでしたね。当時は日本の船乗りさんの中で元気な人が沢山いましたからね。

ワッショイ、ワッショイと騒ぎながら、パレード・コースを練り歩いていくと、お祭り好きの島民が沿道から飛び入りして、御神輿を担いでくれたものですよ。

そりゃあ、面白かったですな。微笑ましい光景を至る所で見かけましたよ。太鼓の音もなかなかよく受けていましたよ。

それにまた、あのネブタの大きな人形まで手製で作って、パレードに出してみると地元の住民はびっくり仰天していましたなあ。実は、日本人の船乗りさんの中に、器用な人がいましてな。素人なのに、漁の合間の暇をみつけてね。コツコツと立派なネブタづくりをしていたんですな。多分故郷を偲びながらやったのでしょう。

ほんとうに立派なものを造り上げたものだから、地元の人をアッと言わせたのは勿論のこと、我々邦人も仰天しましたよ。我々も鼻が高かったですな。とにかく、昔は愉快でしたなあ……」

十、むすび

私は帰国してから、カナリア諸島の思い出を拙書「ＶＩＶＡ！　カナリア―大西洋に浮かぶ楽園」（創土社・二〇〇五年）にまとめて出版した。その中でも「鰯のお葬式のカーニバル」の部分が特に懐かしく感じられる。

しかし、最近、薄幸の女流詩人金子みすゞの詩「大漁」（大正文学全集第十三巻・大正十三年）を読み直してみると、何やら複雑な気持ちになった。その詩の最後の部分の次の「鰯の弔い」という詩句に衝撃を受けたのだ。

「朝焼け小焼けだ
大漁だ
大羽鰯の大漁だ
浜は祭りのようだけど
海の中では何万の
鰯の弔いするだろう」

それでも、私は何だか急に鰯が食べたくなってしまう。

英兵捕虜　ドイツ兵俘虜　ハーグ条約・戦陣訓 ―― 熊谷文雄

「捕虜収容所事典」

２０２０年十月五日の朝日新聞夕刊のトップタイトルは「収容所で何が　事典出版計画」である。

太平洋戦争中、日本国内に約百三十の捕虜収容所があり、敵国の英、米、オランダなどの捕虜３万５千人が収容され、工場や炭鉱などに送られて、過酷な労働を強いられ、約一割が死亡したといわれ、その事実を調査した「捕虜収容所事典」（仮称）の出版が市民団体によって計画されているという。

市民団体の名前は「ＰＯＷ研究会」（ＰＯＷ＝戦争捕虜、Prisoner of war）で、２００２年から戦争捕虜の調査を続けていて、戦後七十五年を機に、捕虜収容所をはじめ、民間の英米系外国人を抑留した二十数カ所の抑留所ごとに、開設から閉鎖に至る経緯や捕虜の生活、労働の様子、戦犯裁判の結果などを調べて「事典」に掲載するという。

「ＰＯＷ研究会」では、国会図書館に足を運んで連合国軍総司令部（ＧＨＱ）の資料を調査。元捕虜の回顧録を収集するほか実際に海外に訪ねたり、収容所関係者にインタビューするなどして収容所の実態を調べ、また、死亡者リストなどから、その全体像が明らかになった。

２００４年に収容所ごとのリストを同会ホームページで公開すると、海外から多数のメールの問い合わせがあり、また、来日した元捕虜や家族への情報提供、収容所跡への案内なども行ってきた。

同会では二十数人が分担して執筆を続けているが、職業は元教師、元銀行員、元新聞記者、大学院生などで、執筆にはそれぞれの思いが込められている、という。

何故今ごろ、捕虜の調査か？　とも思うが、私にしては「あとらす」前号（42号）に掲載された松田祥吾さんの「会津の人　松江豊寿　板東俘虜収容所」を興味深く読み、また、私自身も「あとらす」前々号（41号）に英捕虜について書いているので、朝日の記事は注目を引いた。

さらに言えば、太平洋戦争以前の日清、日露、第一次世界大戦、日中戦争といった対外戦争での捕虜の扱いについての実態を知りたいし、日本と世界各国での捕虜の扱いの比較も知りたいものである。

太平洋戦争中の昭和十八年末頃、中学生の私は名古屋で英兵捕虜の行進を何度か見ていて、本誌前々号（41号）に寄稿した『「わが徴用」記』の中で、英兵捕虜の見聞を書いているが、再度、その記憶をたどる。

労働力不足を補う捕虜の行進

昭和十七年二月、シンガポール攻防戦で英軍8万人が日本軍の捕虜になり、日本の各地に連行され、その一部が名古屋の捕虜収容所に収容されて、日本の労働力不足を補うために軍需工場で働かされていた。

シンガポールの捕虜は現地の収容所に収容しておけばよいではないか。高いお金をかけて、わざわざ遠い日本へ船で運んで、工場で働かせるのは何故だろう。

日本の軍需工場では捕虜の母国を攻撃する兵器を製造しているのかもしれない。そこで働く捕虜の気持ちはどうなんだろう、そんな疑問、関心が中学生の私にあった。

カーキ色の英軍制服を着た数百人の英軍捕虜は隊列を組んで行進し、収容所と軍需工場の間を往復するが、途中の一般市街地の道路では、日本人の野次馬の群集に取り巻かれる。

当時の日本では白人を見ることが少なく、しかも何百人の白人の集団は珍しく、大変な人だかりである。

見知らぬ国に連行され、工場で働かされ、見世物になり、待遇も良くなかったのだろう。全員一様に暗い顔をして、目を伏せて、足取り重く、黙々と行進する。

小さな子供が竹の棒で捕虜になぐりかかったことがあった。子供の親があいつらは敵だ、やっつけろ、とそそのかしたのだろうか。

捕虜はそれを手でさえぎって苦笑する。初めて見る捕虜の笑顔である。

取り巻いて見物する日本人は「ざまあ見ろ」「日本軍は捕虜なんかにならないぞ」と言わんばかりであるが、他方で「可哀想に」といった同情の気持ちも入り交じって、複雑な表情である。

この捕虜の行進を見ただけでは、収容所内での処遇や工場での労働の実態を推し量ることはできないが、彼らのやつれた表情から、決して厚遇とは言えず、きびしい処遇を受けているに違いないと思われる。日本人自身が戦争のため、食料難など苦しい生活の時代である。

昭和二十年八月十五日、日本は敗戦、米軍は日本の各地の捕虜収容所に救援物資を落下傘で投下し始めたが、名古屋の収容所では、その落下傘の下敷きになって捕虜が死亡した。

解放直前を前にして痛ましい事故である。

総じて、太平洋戦争中の敵国捕虜に対しての日本の処遇は高圧的、侮蔑的だったようで、「鬼畜米英撃滅」などという言葉で国民の戦意を高揚させ、財政の苦しい当時の日本で、敵国の捕虜を厚遇するといったことは考えられない。

昭和十七年に、「お可哀想に」という事件があった。

東京の港の波止場で土木作業に従事させられていた米軍捕虜を見たある日本の上流婦人が同情して「お可哀想に」と言ったそうである。

それを陸軍の報道部長がとがめて「残虐な英米人に同情することはない。心を正せ」といった談話を発表し、これが新聞の話題になった。

板東俘虜収容所　松江所長

舞台は太平洋戦争の三十年近く前にさかのぼる1914年（大正三年）、第一次世界大戦に日本は参戦、当時の敵国ドイツ兵の俘虜が日本の収容所に収容される。なお、俘虜、捕虜は同義語だが、「俘虜」は古い用語である。

ドイツ兵俘虜の処遇の状況は、前述の太平洋戦争中の英兵捕虜の扱いとくらべて、寛容な扱いであった。

それは時代が違い、戦争の規模も小さいから、違うのは当然ではあるが、何よりも捕虜収容所所長の人格、考え方が捕虜の処遇に大きな影響を与えている。

前述したように、本誌前号（42号）に、松田祥吾さんの「会津の人 松江豊寿─板東俘虜収容所［一九一七─一九二〇］」が掲載され、当時の日本でのドイツ兵俘虜の状況が綿密、詳細に描かれていて、以下はその抜粋である。

第一次世界大戦では日本はドイツを敵にして、中国、遼東半島のドイツの租借地、青島を攻撃して占領し、ドイツ兵の俘虜四千六百名余が日本各地に送られ、徳島県板東村（現・鳴門市）の板東俘虜収容所には約千人のドイツ兵の俘虜が収容された。

松田さんは板東俘虜収容所の松江所長に焦点を当てて、ドイツ兵俘虜の処遇や日本人との交流など、当時の状況をくわしく論考していて、興味深く、教えられることが多かった。

松江所長は当時陸軍中佐で、会津（福島県）の出身であり、父は会津藩士である。

会津藩は明治維新の際の戊辰戦争では、幕府方の朝敵、賊軍として敗北の悲哀を味わい、さらに、藩自体が青森の寒冷不毛の僻地に転封され、塗炭の苦しみをなめた。

松江所長は、その会津藩士の長男として苦しい体験を身近に経験し、弱者の立場から育まれた松江所長の人道的、良心的な人格が形成され、そして「敵を敬え」という寛容、仁慈の武士道精神が収容所の運営に大きく影響したといわれる。

また、松江所長の考え方は、1899年（明治三十二年）のハーグ陸戦条約「元来俘虜将卒は祖国のため戦闘に従い、ついに俘虜になりたる者にて、その境遇諒察すべきものあり……」の精神にも沿ったものであった。

近代国際法が確立されるにつれ、捕虜は保護されるべきものであると考えられるようになり、近代的軍隊においては、任務を果たすための努力を尽くし、万策尽きた際に捕虜になることは違法な行為ではないとされ、封建時代とは違って、個人の権利保護が重視される時代になった。

ベートーベン「第九」初演

松江所長は俘虜に人道的な待遇で接し、俘虜の自主性を重んじ、俘虜と地元民との交流など、ドイツの進んだ技術を活用し、あるいは可能な限りスポーツ、音楽などの活動を許した。

その結果の一つとして、青島から楽器を持ち込んできたドイツ兵捕虜の軍楽団が基になった「徳島オーケストラ」などによって、ベートーベンの交響曲第九番ニ短調作品125『合唱』が日本で初めて演奏されたが、ドイツ兵俘虜百人を超える楽団と百二十名の合唱団による演奏は、本格的なものであった。

1824年にウィーンで初演された「第九」が、日本いやアジアで初めて1918年（大正七年）六月一日、徳島県の板東俘虜収容所で鳴り響いたのであり、日本の「第九」の原点である。

日本の年末の風物詩、ベートーベンの「第九」は各地で演奏され、たとえば、大阪では「一万人の第九」という大規模な演奏会が毎年開催されるが、「第九」を聴かないと年が明けない、といった風潮の由来については、特に二つの説が挙げられる。

1943年（昭和十八年）十二月に旧東京音楽学校の上野奏楽堂で行われた学徒出陣壮行音楽会で「第九」が演奏されたことに由来するという説。

戦後の貧しかった各オーケストラが年末のボーナス獲得のために「第九」を演奏したことに由来するという説。

とにかく「第九」が醸し出す崇高で華麗な雰囲気が、師走の日本人の感情にマッチして「年末=第九」が定着したのだろう。

音楽や合唱の経験のない人などが、「第九」に惹かれて合唱団に初めて加わり、ドイツ語での歌唱を勉強したという例を多く聞く。

1977年（昭和五十二年）に創設された「鳴門市ドイツ館」は、それら板東俘虜収容所の史料が集められたドイツ風な建物であり、日本の「第九」の演奏者、合唱団の人たちをはじめとして多くが見学に訪れる。

ただし、当時のドイツ兵の俘虜収容所は日本全国に東京、静岡、名古屋、大阪など十二カ所にあり、すべてが板東の例のように模範的に運営されたとは言えず、いくつかの収容所では、各所長の考えで俘虜を侮蔑し、高圧的に扱ったためいろんな事件が起きているのも事実であり、板東の例は所長、松江豊寿中佐の人間性、考え方によるところが大きい。

筆者の松田さんは地元徳島県の出身で、板東俘虜収容所のことは小さい時から聞いていて、家の近くに「ドイツ軒」というパン屋があり、そこはドイツ兵俘虜から製造技術を伝受された大きな店だったそうである。また、家が代々のクリスチャンであり、武士道の「敵を敬え」という寛容、仁慈の精神はキリスト教の教えである「汝の敵を愛せよ」に通じている、と松田さんは言う。

上記のような第一次世界大戦のドイツ兵俘虜の板東における明るい話題から約三十年後の太平洋戦争、そこでの米英軍の捕虜の暗い話題、時代も背景も違うものの、両者の扱いは天と地ほどの違いがある。

板東収容所では、日曜日には礼拝が行われ、ドイツ兵捕虜が讃美歌を歌い、また捕虜の軍楽団がドイツの愛国歌などを演奏するが、三十年後の英軍捕虜収容所では、捕虜たちが英国国歌や英国の民謡などを収容所で歌う、そんな光景はあり得なかった。

戦陣訓

第一次世界大戦以後、日本は満州事変、日中戦争、太平洋戦争へと戦争の拡大に向かう。

昭和十六年十二月八日、太平洋戦争の発端となる真珠湾奇襲攻撃が行われるのだが、その前の同年一月に、当時の陸軍大臣・東条英機の名前で戦時下における将兵の心得「戦陣訓」が全陸軍に下された。

それは「日本は皇国なり」から始まり、万世一系の天皇の軍隊である日本軍人の心得についての二十数章から成る訓戒である。

その中に「生きて虜囚《りょしゅう》の辱《はずかしめ》を受けず」という個所があり、天皇の軍隊が敵国の捕虜になるなどもってのほか、死ぬまで戦え、と言っているわけで、だから日本軍は強いのだとも言われた。

戦争拡大の中での軍隊への叱咤激励として、捕虜を否定する強い言葉は当然だとも言えるが、前述の国際的なハーグ陸戦条約での捕虜の生命、人権確保の考え方には「戦陣訓」は逆行する。

シンガポールでの戦いで、英軍は早々に白旗を上げて降伏し、八万人が捕虜になった。

軍国少年だった私は、日本軍なら最後まで戦う、と言ったら、叔父が英軍は早く降伏して戦死者は少なくてすみ、それに市街地が戦場にならず、破壊されずにすんだ、と言った。私はそれに対しむきになって反論したことを思い出す。

「生きて虜囚の辱を受けず」という自国の軍人の捕虜の否定は敵国の捕虜に対しても同じ態度になり、捕虜は囚人だと見下す考え方が強くなったのではないか。第一次世界大戦の後、軍国主義が強まり、米英という強国を前にして「戦陣訓」が公布され、捕虜を否定する傾向が強くなってきたと思われる。

太平洋戦争の初期では日本軍は連戦連勝だったから、日本軍が捕虜になることはまれな例だったが、米軍が反攻に転ずると、敗北が始まる。

しかし、軍部は「敗北」「降伏」「全滅」という言葉は使わなかった。特に「敗北」「降伏」と言えば、日本軍が捕虜になったことにつながり、戦陣訓に反する。「全滅」は印象がよくないから「玉砕《ぎょくさい》」が使われた。

玉が砕けるように全員が皇国の大義に殉じて壮烈な戦死を遂げた、という意味である。全員戦死、捕虜はいない。

昭和十八年五月、アリューシャン列島のアッツ島が米軍により奪い返され日本軍は全滅したが、「玉砕」と発表され、「玉砕」第一号であるが、実際にはアッツ島の戦いで二十七名の捕虜が出ているが、その事実は無視、隠ぺいされた。

さらに、戦後の公表であるが、昭和十六年十二月八日の真珠湾攻撃で、坂巻中尉が特殊潜航艇の座礁で捕虜になり、日本軍の捕虜第一号だったことが戦後に公表された。

戦陣訓を公布した、東条英機元陸軍大臣、元首相は、戦後、米軍から逮捕される前に拳銃自殺をはかった。「生きて虜囚の辱を受けず」である。

米軍の処置で一命を取り止め、巣鴨刑務所に入り、極東国際軍事裁判で絞首刑が言い渡され、昭和二十三年十二月二十三日、巣鴨拘置所内において死刑が執行された。享年六十四歳だった。

戦陣訓の名誉のために、戦陣訓の中の、次のような人道精神に基づいた、美しい言葉を紹介する。

「敵及住民を軽侮するを止めよ」

「敵産、敵資の保護に留意するを要す。徴発、押収、物資の燼滅等は総て規定に従ひ、必ず指揮官の命に依るべし」

「皇軍の本義に鑑み、仁恕の心能く無事（無辜）の住民を愛護すべし」

漢詩の世界

——李白・杜甫・良寛を読む

桑名靖生

はじめに

私の住む茨城県鹿嶋市のコミュニティセンター「かしま灘楽習塾」では、種々の講座が開かれている。楽習塾塾長が言われるのに、「がくが、学でなく楽になっているように、お互い気楽に楽しく様々な話題を話し合うのがこの楽習塾の主旨」という話を伺い、思い切って講座「漢詩の世界李白・杜甫・良寛を読む」を開設させていただくことになった。

本稿は、この講座のための資料として受講生に配布したものを基に、書き改めたものである。

そして、私が中学生の時の漢文の授業で、先生が白楽天の「長恨歌《ちょうごんか》」の講義（百二十行もある古詩なので、当然抜粋されたと思う）の中で、玄宗皇帝が楊貴妃の容色色香に迷い、国を傾けるという漢詩であるが、彼女を皇帝の傍に召し出すのに、温泉で湯浴みをするという場面の描写。《春寒《はるさむ》くして浴《よく》を賜《たま》う華清《かせい》の池《ち》　温泉水滑《おんせんみずなめ》らかにして凝脂《ぎょうし》を洗《あら》う：春まだ寒く、皇帝は彼女に華清宮の温泉に湯浴みをするよう特別に仰せられた。温泉の湯は滑らかで、白くむっちりとした肌を流れるように伝う。》先生はこれを朗詠され、「これは君らにはまだ少し早いか⁉」と言われたことを、六十年以上も前のことであるのに、はっきりと覚えている。また父が詩吟の会を主宰しており、私も高校生の頃から稽古を受け、漢詩を朗詠する楽しさを教わった。これらのことが、私をして漢詩の世界に興味を抱かせる端緒となったのかもしれない。

ときには花鳥風月をうたい、ときには社会風刺を突きつけ、酒を愛する心を、春の青葉、秋の紅葉、四季の移り変わりを、七夕伝説を、望郷の念を、五言・七言四句あるいは八句という限られた文字に刻む。

漢詩人たちが、詩に託した想いを、中国・日本の古代から現代にいたるまで、時空を超えて、ともに、漢詩の世界へ。逍遥の旅を……。

一、漢詩概説

今から三千六百年前の紀元前千六百年、古代中国の殷《いん》王朝の時代に、漢字の最古の形態として、「甲骨文字《こうこつもじ》」が表語文字として生まれた。占いや祭祀に用いられ、亀の甲羅や牛や鹿の骨などに刻まれている。

古代中国で生まれ、発達して来た文字（漢字）は、以後五百年を経て西周の時代（紀元前一〇五〇年）表意文字としての機能を備え、改善発達してきた。

書体も、秦の時代に篆書《てんしょ》、漢の時代に隷書《れいしょ》と草書《そうしょ》、魏・呉・蜀の三国、そして五胡十六国の時代に楷書《かいしょ》が作られ、文字としての漢字の書体が確立され、現在にまで至っている。

漢字の誕生は、漢詩の誕生でもあり、今から三千二百年前、中国最古の漢詩『詩経』の歌声が起こる。それは一滴の源流からやがて大河の流れる如く絶えることなく流れ続き、その間二千年を経て五言（一句の字数が五字）、七言（次数が七字）の絶句（四句の詩）律詩（八句）、古詩（句数自由）と形式も整い、押韻《おういん》や平仄《ひょうそく》といった規則も定まり、七世紀初頭（西暦六一八年）唐の時代に至って究極の発展を遂げ、李白、杜甫を始めとする詩人が多数綺羅星の如く現れ、最盛期の花を咲かせた。

古代から文字を持たなかった我が国は、中国からの漢字を借りて、自国の文字とした。ついでに言えば、平安時代になって漢字の草書体から「ひらがな」が生まれ、「漢字かな交じり文」が我が国の言語となり、現代にまで至っている。

随が滅び、唐が成立し「遣唐使」（舒明天皇二年、西暦六三〇年第一回、八九四年第二十回にて菅原道真の献策を受けて廃止）の往来による中国の文物が我が国にもたらされ、中でも漢詩は当時の貴族、知識人たちの魅了するものと積極的に取り入れられた。その成果は、七五一年我が国最古の漢詩集『懐風藻《かいふうそう》』となって現れたが、その水準は当時の唐の詩と比べれば大きな隔たりがあった。外国語であった「漢字」を自国の文字とし、しかも唐代最盛期の詩歌を学ぶのであるから、それは当然のことであった。が日本の漢詩人たちは以後たゆまず真剣に学び、特に江戸時代に至り、遣唐使以来、千年を経て、力量水準は日本独自の詩風を形成し、幾多の中国本場に劣らぬ漢詩人が輩出することになる。

江戸から明治へと、漢詩はもはや外国の詩歌ではなく、和歌や俳句と並ぶ日本の詩歌の一つとなったが、やがて西洋式学校教育制度と、役に立たないものを切り捨てる富国強兵的思想の台頭とによって、漢詩文の比重は次第に下がり続け、今に至っている。

戦後の漢字制限、漢文教育の軽視は「漢詩文」に壊滅的打撃を与えた。

私たちは、今もなお「漢字かな交じり文」を母国語として使用している。漢字の「表意文字」の利便性は言うまでもなく他国語の追随を許さない。

『書道』『茶道』など、日本古来の文明・文化である伝統芸術、民衆芸能の分野において、またそれ以外のジャンルにおいても、漢字・漢詩の必然性、重要さは言うまでもないことと思う。

自国語に誇りを持たず、大切にしないことは、自国の文化の劣化をもたらすことになると思う。

二、中国文学史（漢詩）年表

時代	帝王	西暦	文学史 詩人
西周	武王	前一〇五〇	「詩経」の一部が作られる。
春秋	帝王	前六〇〇	「詩経」の完成。 孔子（前五五二～前四七九） 詩経を編纂。
戦国	顕王	前二〇二	項羽《こうう》と劉邦《りゅうほう》（漢の高祖）
			武帝
三国	献帝	一九二	曹操《そうそう》 曹植《そうち》（曹操の第三子）
東晋	哀帝	三六五	陶潜《とうせん》（淵明《えんめい》）
唐	武徳元	六一八	唐の時代（六一八～九〇四） 漢詩百花繚乱。多数の詩人を輩出。名詩数を知らず。
			初唐：劉希夷《りゅうきい》 張九齢《ちょうきゅうれい》
	則天武后	六八七	盛唐：崔顥《さいこう》 孟浩然《もうこうねん》 王翰《おうかん》
	玄宗	七一二	王維《おうい》 李白《りはく》 高適《こうせき》 杜甫《とほ》、岑参《しんじん》 王之渙《おうしかん》
			中唐：張継《ちょうけい》 柳宗元《りゅうそうげん》 劉禹錫《りゅううしゃく》 白居易《はっきょい》（楽天）
			晩唐：杜牧《とぼく》 高駢《こうべん》 曹松《そうしょう》
北宋	仁宗	一〇三一	邵雍《しょうよう》 蘇軾《そしょく》
南宋	高宗	一一二七	朱熹《しゅき》
	理宗	一二二六	方岳《ほうがく》 真山民《しんさんみん》 文天祥《ぶんてんしょう》
明	洪武帝	一三六八	高啓《こうけい》
清	徳宗	一八七七	黄遵憲《こうじゅんけん》 魯迅《ろじん》

三、日本文学史 年表

時代	天皇	西暦	文学史 漢詩集 詩人
奈良	元明	七一二	「古事記」 太安万呂《おおのやすまろ》
奈良	元正	七二〇	「日本書紀」 舎人親王《とねりのしんのう》
	孝謙	七五一	「懐風藻《かいふうそう》」 淡海三船《おうみのみふね》・石上宅嗣《いそのかみのやかつぐ》
	称徳	七五九	「萬葉集」 大伴家持
			安倍仲麻呂（中国名 晁衡《ちょうこう》） 唐で死去。
平安	醍醐	九〇三	菅原道真（八四五～九〇三）
			「竹取物語」「伊勢物語」
			「古今和歌集」 紀貫之
	一条	一〇〇〇	「枕草子」 清少納言
		一〇〇八	「源氏物語」 紫式部

	三条	一〇一二	「和漢朗詠集」 藤原公任《ふじわらのきんとう》
鎌倉	土御門	一二〇五	「新古今和歌集」 藤原定家
	順徳	一二一二	「方丈記」 鴨長明
	亀山	一二六四	「歎異抄」 親鸞
戦国	正親町	一五六〇	上杉謙信 武田信玄
安土桃山	陽成	一五九〇	伊達政宗
江戸	東山	一六八九	「奥の細道」 松尾芭蕉
			新井白石 服部南郭《はっとりなんかく》
	光格	一八一〇	良寛 菅茶山《かんちゃざん》
	仁孝	一八二五	頼山陽
	孝明	一八五〇	広瀬淡窓《ひろせたんそう》 梁川星巌《やながわせいがん》
		一八六八	木戸孝允《きどたかよし》 西郷隆盛（南洲）
	明治	一九〇五	乃木希典《のぎまれすけ》
			福沢諭吉 新島襄 夏目漱石

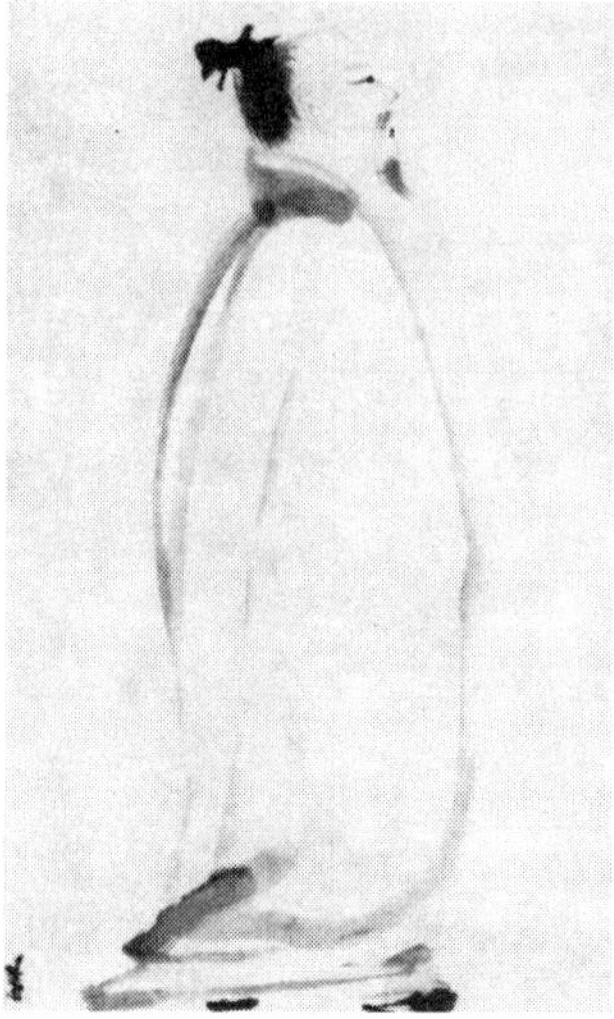

李白墨筆画
（ウィキペディアより）

四、詩　経——中国最古の漢詩集

『詩経』は、周の初めの紀元前十二世紀から春秋時代に入った紀元前六世紀頃まで黄河流域の諸国でうたわれた歌である。

孔子（前五五二〜四七九）のころには全部で三百五編、古典として固定し、ほとんど増減なく今日に伝わっている。

内容は、「風《ふう》：国風《こくふう》」国の民謡の意味で恋の歌が過半数を占め、農作業や結婚などを歌い、農民の生活の苦しさをも歌っているのが一六〇編。「雅《が》」周王朝の宮廷の宴会で演奏された楽章が一〇五編。「頌《しょう》」先祖の祭りの時の楽章。歌と音楽には舞踊が伴っていた。これが四〇編、となっている。

基本的な形は、一句（一行）が四字、一章が四句、一編が三章で成り立っている。素朴な民謡風な表現、単純な繰り返しが多いが、古代民衆の飾らぬ感情を素直に表している。

黄河流域の黄土の広がる地帯、厳しい気候風土の中で、人々はしっかり大地を踏みしめて生きていくという古代社会の民衆の哀感が素朴な歌を生み、うたわれるうちに、当時の知識人によって整えられ、朝廷や公式の場で演奏されるようにもなったのであろう。

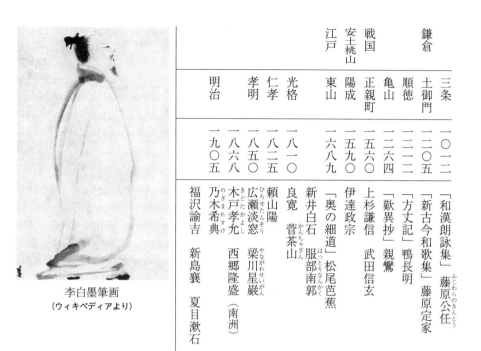

桃　夭　　桃《とう》夭《よう》（抄）三章十二行

桃之夭夭　　桃《もも》の夭夭《ようよう》たる　　桃の木は若々しく明るく
灼灼其華　　灼灼《しゃくしゃく》たる其《そ》の華《はな》　　咲き乱れるその花よ。
之子干帰　　之《こ》の子《こ》干《ゆ》き帰《とつ》がば　　この子がお嫁に行ったなら。
宜其室家　　其《そ》の室家《しつか》に宜《よろ》しからん　　明るい家庭に似合うだろう。

《語釈》夭夭：若々しい様　灼灼：明るい様子
之子：この子　娘　帰：嫁の古語　室家：先方の家庭

子　衿　子　　衿（抄）三章十二行

青青子衿　　青青《せいせい》たる　子《し》が衿《えり》　　青い青いあなたの衿。
悠悠我心　　悠悠《ゆうゆう》たる我《わ》が心《こころ》　　私の恋心は果てしなく広がる。
縦我不往　　縦《たと》い我《わ》れ往《ゆ》けざるも　　たとえ私が訪ねられなくても
子寧不嗣音　子寧《しなん》ぞ音《たより》を嗣《おく》らざる　　何故手紙をくださらないの。

《語釈》子衿：春の神に扮している青い衿の若者
嗣音：便りをよこす

以上、現在にまで伝わる詩経の、全くほんの一部を紹介した。これで詩経を理解して欲しいということは、土台無理な話である。以前から私自身、『詩経』という表面の言語から、敬遠していたことを白状しなければならない。しかし僅か二詩を紹介したに過ぎないが、詠まれている内容は、我が「万葉集」の庶民の詠んだ東歌や防人歌のような素朴な心情と相通じるものがあり、決して難しいものでないことを理解いただけると思う。

五、項羽と劉邦

秦の始皇帝の死去（前二一〇）に伴い秦は衰微し、戦国時代、天下の覇権を項羽と争い、ついに漢帝国を樹立し漢の高祖となった劉邦（前二五六～前一九五）は農民の子として生まれた。が人の心を掌握することがうまく、戦乱の世に乗じて次第に頭角を現していく。

対して、代々楚の将軍を務めていたという名門に生まれた項羽は秦との戦いで秦討伐の総帥となり、秦を倒す。弱冠二十七歳にして、「西楚の覇王」として諸国に君臨する。

そして「英雄並び立たず」の通り、劉邦と天下をかけた熾烈な戦いを繰り広げる。軍事的優位、幾度かの圧倒的な勝利にもかかわらず、劉邦の巧みな計略に落ちて、壮烈な最期を遂げる。三十一歳であった。垓下《がいか》（現在の安徽省）の戦いにて楚軍は漢連合軍の勢力に包囲され、四方から、自分の故郷の楚の歌が聞こえ、楚の民衆は既に漢に下ったのかと嘆き、敗北を喫す。「四面楚歌《しめんそか》」の故事（史記）が語っている。

何とか血路を開き故郷の江南を目指すが漢軍に追いつか

れ、長江北岸の烏口《うこう》で、次の詩を残し、自殺する。

結句の『虞《ぐ》や虞《ぐ》や若《なんじ》を奈何《いかん》せん』は特に印象に残り、後世に語り継がれている。ある人は、英雄豪傑の項羽らしくない女々しい歌と言うが、武人項羽の死の間際の、哀切極まりない心を吐露したものとして、切切と私の心をうつ。

垓下歌　項羽

力抜山兮気蓋世
時不利兮騅不逝
騅不逝兮可奈何
虞兮虞兮奈若何

力《ちから》山《やま》を抜《ぬ》き　気世《きよ》を蓋《おお》う
時《とき》に利《り》あらず　騅逝《すいゆ》かず
騅《すい》の逝《ゆ》かざる　奈何《いかん》すべき
虞《ぐ》や虞《ぐ》や　若《なんじ》を奈何《いかん》せん

《語釈》
垓下：安徽省霊壁県の東南。山抜：山を引き抜く程の強大な力。蓋世：世間をすっぽり蓋うこと。意気の高いこと。
騅：葦毛の馬。逝く：往く。虞：項羽の愛妾、「史記」には虞美人《ぐびじん》と記されている。兮《けい》：漢詩など韻文の中間または末尾につけて調子を整えるもので、特に意味はなく、詩文中に息の上がる時など使用する。訓読みでは詠まない。

大風歌　高祖（劉邦）

大風起兮雲飛揚
威加海内兮帰故郷
安得猛士兮守四方

大風《たいふう》起《おこ》りて　雲《くも》飛揚《ひよう》す
威《い》　海内《かいだい》に加《くわ》わりて　故郷《こきょう》に帰《かえ》る
安《いず》くにか猛士《もうし》を得《え》て四方《しほう》を守《まも》らん

《語釈》
雲飛揚：雲が舞い上げられる。威：高祖の威光を指す。
海内：天下。故郷：高祖の故郷。安：場所を表す疑問詞「何処《いずく》にか」の意。猛士：勇猛な兵士。

大風を劉邦自身に、雲を群雄になぞらえて、劉邦が群雄を平定し、天下を掌中におさめて故郷に凱旋した得意（一、二句）と、これからの守勢における不安（三句）を詠っている。

劉邦が勝利して都の長安へ帰る途中、故郷の沛に立ち寄って作ったもので、酒席の宴で昔馴染みの友人や、土地の長老、若者などを招き、無礼講の大宴会を開いた。若者百二十人を集めてこの歌を習わせ、彼らが歌うのに合わせて自ら筑（琴の一種）を弾じ、舞っていると、史記は伝えている。

第三句は、これら若者たちを激励するだけでなく、劉邦を決して裏切らない忠誠なる猛士、それをお前たちから得たいのだとの思いがこめられているように思われる。

六、武帝（漢）（前一五六〜前八七）

漢王朝（前漢）七代目の天子。在位五十五年の長きにわたった。

朝鮮・南越（広東・広西）を降し、宿敵の匈奴を破り長城外に朔方郡を立てるなど、領土の拡張を図り、内においては、秦の始皇帝にならって泰山《たいざん》で封禅《ほうぜん》（天の神を祭る）をし、数々の壮麗な宮殿を建て、皇帝の権力を誇示した。

知識人を登用し、儒教の國教化と、楽府《がふ》（音楽を司る役所）を興して音楽を盛んにした。

秋　風　辞
秋風の辞《じ》

秋風　起兮　白雲飛
秋風《しゅうふう》起《お》こりて白雲《はくうん》飛《と》び
草木　黄落兮　雁南帰
草木《そうもく》黄《き》ばみ落《お》ちて雁《かり》南《みなみ》に帰《かえ》る
蘭　有秀兮　菊有芳
蘭《らん》に秀《はな》有《あ》り菊《きく》に芳《かお》り有《あ》り
懐　佳人兮　不能忘
佳人《かじん》を懐《おも》いて忘《わす》るる能《あた》わず
汎　楼船兮　済汾河
楼船《ろうせん》を汎《うか》べて汾河《ふんが》を済《わた》り
横　中流兮　揚素波
中流《ちゅうりゅう》に横《よこ》たわりて素波《そは》を揚《あ》ぐ
簫鼓　鳴兮　發棹歌
簫鼓《しょうこ》鳴《な》りて棹歌《とうか》を発《はっ》す
歓楽　極兮　哀情多
歓楽《かんらく》極《きわ》まりて哀情《あいじょう》多《おお》し
少壮幾時兮　奈老何
少壮《しょうそう》幾時《いくとき》ぞ老《お》いを奈何《いかん》せん

《語釈》

蘭：フジバカマ。我が国では秋の七草の一つ。秀：華やかなこと。秀麗。佳人：神女、または後宮の美女たち。楼船：やぐらを組んだ二階造りの船。汾河：山西省を流れ、黄河に入る。素波：白い波。簫：管楽器。棹歌：船頭が歌う舟歌。

武帝が四十四歳の時、山西省に行幸した折に詠んだ詩。きらびやかに飾り、音楽を奏でながら豪華二階建ての船で汾河を下る。高揚した得意絶頂の何という楽しさ、何という喜び……。と、思いは最後の二行で突然心の中に悲しみが芽生え、瞬く間に広がっていく。この世の権力を欲しいままにした英雄でも、老いという人生の秋の訪れを如何ともし難いのであった。

七、三国・六朝時代　曹操《そうそう》・曹植《そうち》

後漢末の献帝の代（二一〇）には、既に国力衰え、実質は魏・呉・蜀三国の覇権争いの時代に入ろうとしていた。

魏の曹操、蜀の劉備、呉の孫権の争いを描いた吉川英治著『三国志』を若い頃私は、その面白さに文字通り「血沸き肉躍る」思いで読んだ。そして、魏の曹操は悪玉、蜀の劉備、呉の孫権は善玉であると思っていた。

元の末、明の初めに出版された『三国志演義』が、正史を脚色し、誇大に曲げて大衆小説として書かれ、広く読まれたため、曹操は悪玉、劉備、孫権は善玉という説が定着し、それが後代まで尾を引いてきていた。吉川三国志もその影響を多分に受けているように思われる。

魏の建国の礎を築いた曹操（一五五〜二二〇）は、単なる戦国の権力者だけでなく、「建安文学」と呼ばれる一九六年から二二〇年代に起った「五言詩」「楽府」を歌謡から第一級の文学へと替えた活動家たちを擁護し、自らも詩人として活躍した文武兼備の人物であった。

短歌行　曹操

對酒當歌　酒《さけ》に対《たい》して 當《まさ》に歌《うた》うべし
人生幾何　人生《じんせい》 幾《いく》ばくぞ
譬如朝露　例《たと》えば朝露《あさつゆ》の如《ごと》し
去日苦多　去《さ》る日《ひ》は苦《はなは》だ 多《おお》し
慨當以慷　慨《がい》して當《まさ》に以《もっ》て 慷《こう》すべし
幽思難忘　幽思《ゆうし》 忘《わす》れ難《がた》し
何以解憂　何《なに》を以《もっ》てか憂《うれ》いを解《と》かむ
惟有杜康　惟《た》だ杜康《とこう》有《あ》るのみ　（杜康：酒のこと）

《大意》

酒をまえにしたら大いに詠うべきだ。人生がどれほどのものというのか。例えば朝露のように儚い。過ぎ去っていく日々は余りに多い。気分は高ぶり、憤り嘆く。沈んだ思いは忘れる事ができない。如何に憂いを消すか、ただ酒を飲むしかないではないか。

七歩詩　七歩《しちほ》の詩《し》　曹植《そうち》

煮豆豆萁燃　豆《まめ》を煮《に》るに 豆《まめ》の萁《まめがら》を 燃《や》く
豆在釜中泣　豆《まめ》は釜中《ふちゅう》に在《あ》って 泣《な》く
本是生同根　本是《もとこれ》同根《どうこん》より生《しょう》ず
相煮何太急　相煮《あいに》る 何《なん》ぞ太《はなは》だ 急《きゅう》なる

曹操には二人の息子が居た。曹操は弟の曹植を寵愛し、彼を太子にと考えたことから、跡目をめぐって兄曹丕と対立した。曹操の死後、曹丕が魏の初代皇帝の文帝に即位するに至り、圧迫は更に強まり、兄文帝に「七歩歩く間に詩を作れなければ死刑にする」と言われ、最も一般的な穀物の豆を題材として忽ち作詩したのがこの「七歩の詩」である。弟をいじめる兄に対し、その愚を批判して詠んだもので、この詩を聞いて、文帝も深く恥じ顔を赤らめたという。

「三国志」の、魏の曹操、蜀の劉備、関羽・張飛・諸葛孔明、呉の孫権等戦国武将の活躍、エピソードは例えば「三顧の礼」、「天下三分の計」、「泣いて馬謖《ばしょく》を斬る」、「秋風五丈原」、「死せる孔明生ける仲達を走らす」など、歴史書でありながらドラマを見るか、小説を読むように面白い。中でも特に有名なのは「赤壁《せきへき》の戦い」であろう。

この戦いからちょうど六百年後、晩唐の杜牧（八〇三～八五二）は、赤壁の古戦場（現在の湖北省蒲圻県《こほくしょうほきけん》の長江の南岸）を訪ね、いにしえを偲び次のような漢詩を詠んでいる。

赤壁

折戟　沈沙　鐵未銷　折戟《せつげき》 沙《すな》に沈《しず》んで 鉄未《てついま》だ銷《しょう》せず
自　将磨洗　認前朝　自《おのず》から磨洗《ません》を将《も》って前朝《ぜんちょう》を認《みと》む
東風　不興　周郎便　東風《とうふう》 興《おこ》り 周郎《しゅうろう》に便《べん》ならずんば
銅雀　春深　銷二喬　銅雀《どうじゃく》 春深《はるふこ》うして二喬《にきょう》を銷《とざ》さん

《語釈》

折戟：折れた矛。銷：削られてすり減る。将：手で持つ。前朝：ここでは三国・六朝時代を指す。周郎：周瑜のこと。赤壁の戦いで呉の大将。銅雀：曹操の館の名前。屋根に銅製の孔雀が乗せられてあったことから名付けられた。
二喬：絶世の美女姉妹。姉を孫策（孫権の兄）が妹を周瑜が側室とした。

（大意）

砂の中に折れた矛が埋もれていた。掘り出してみると、鉄はまだすりへっていない。水洗いし磨いてみると、それはまさしくあの三国時代のものであった。もし東風が呉のために吹いてくれなかったならば、絶世の美女の喬姉妹は捕らえられて、曹操に手籠めにされていたであろう。

《余　談》
石川啄木の詩集「一握の砂」に

いたく錆びしピストル出でぬ　砂山の
砂を指もて　掘りてありしに

という短歌がある。啄木は「新唐詩選」を二度購入しているという。杜牧のこの「赤壁」の漢詩を読んでいたのではないだろうか。また石原裕次郎が「錆びたナイフ」という歌謡曲を歌っている。

♪砂山の砂を指で掘ってたら
まっかに錆びたジャックナイフが出て来たよ
どこのどいつが埋めたのか
胸にじんとくる小島の秋だ

この歌謡曲の作詞者萩原四朗は、杜牧のこの漢詩を知っていたのではないだろうか？。

私の想像は拡がって、勝手な夢を「三国志」の時代へと誘ってくれる。

八、陶　潜（三六五～四二七）　東晋

陶潜《とうせん》。字《あざな》は淵明《えんめい》。東晋の末期に潯陽《じんよう》（江西省九江）の中流貴族の家に生まれる。二十九歳で初めて任官し、以後役人生活を続けるが、三流貴族のために昇進出世も思うにまかせず、望郷の思いが増していく。

彭澤県《ほうたくけん》の県令であった四十一歳の時「査察官が来るので正装して迎えよ」との指示がでる。その査察官は陶潜の同郷の若造であったため、陶潜の屈辱感は頂点に達し「われ五斗米《ごとべい》（県令の俸給）の為に膝を屈して郷里の小人に向かう能わず」と言ってその場で官を辞し、故郷の田園に帰った。

ここで私は、かつて読んだ中島敦の「山月記」を思い浮かべた。若くして亡くなった中島敦は、題材を古代中国に取りその文章は恰も漢文を読むが如く、が決して難解でなく日本語の持つ美しさを充分に表した文体であった。その彼の代表作の一つ「山月記」は、性狷介《けんかい》で、自尊心の高い男が官吏としても登用されず、官を退いた後、ひたすら詩作に耽ったが、文名も揚がらずに生活に困窮の果て、急に何事か叫び声をあげ、家を飛び出し突然人喰い虎になった男の物語である。身

分や階級によって世に受け入れられなかったその後の人生。陶潜は自己の欲する通りの道を歩み、その名を後世に残した。

故郷の田園に帰ったこの時の心境を綴ったのが、《帰去来兮　田園将蕪胡不帰……帰去来兮《かえりなんいざ》田園《でんえん》将《まさ》に蕪《あ》れなんとす胡《なん》ぞ帰《かえ》らざる……》『帰去来《ききょらい》の辞《じ》』である。

陶潜はその後二十年余りの生涯を故郷の潯陽に過ごし、田園生活を詩に詠み、「田園詩人」「隠遁詩人」として活躍する。素朴で地味な作風は、当時よりは唐代に入ってから評価が高まった。

因みに、陶潜は西暦三六五年生まれ、李白は七〇一年で、唐代より三五〇年も前の人である。私は、この「帰去来の辞」および「桃花源記《とうかげんのき》」を高校の時教わり、身近に感じていたせいか、陶潜と李白、ほぼ同年代の人かと錯覚をしていた。

飲　酒

結 盧 在 人 境　　盧《いおり》を結《むす》んで　人境《じんきょう》に在《あ》り
而 無 車 馬 喧　　而《しか》も車馬《しゃば》の喧《かまび》すしき無《な》し
問 君 何 能 爾　　君《きみ》に問《と》う　何《なん》ぞ能《よ》く爾《しか》るやと
心 遠 地 自 偏　　心《こころ》遠《とお》ければ　地《ち》自《おのず》から偏《へん》なり
采 菊 東 籬 下　　菊《きく》を采《と》る　東籬《とうり》の下《もと》
悠 然 見 南 山　　悠然《ゆうぜん》として　南山《なんざん》を見《み》る
山 気 日 夕 佳　　山気《さんき》　日夕《にっせき》に佳《よ》く
飛 鳥 相 與 還　　飛鳥《ひちょう》　相《あい》与《とも》に還《かえ》る
此 中 有 真 意　　此《こ》の中《うち》に　真意《しんい》有《あ》り
欲 辨 已 忘 言　　弁《べん》ぜんと欲《ほっ》すれば　已《すで》に言《げん》を忘《わす》る

「飲酒」と題して、二十首の連作があり、これはその五首目の詩である。その「序」に《自分は閑居していて歓びが少なく、秋の夜長にうまい酒を飲み、自分の影を振り返っては一人で壺を傾け尽くして酔う。酔えば何句か作って楽しみとする。友人にこれを書き写させては一時の歓びとするばかりである。》と思いを述べている。

夏目漱石が『草枕』の中で、東洋人の代表的境地として、陶潜の「飲酒」と王維《おうい》（盛唐）の「竹里館《ちくりかん》」をあげている。《うれしい事に東洋の詩歌はそこを解脱《げだつ》したものがある。采菊東籬下悠然見南山《きくをとるとうりのもとゆうぜんとしてなんざんをみる》。只それぎりの裏《うち》に暑苦しい世の中をまるで忘れた光景が出てくる。垣の向こうに隣の娘が覗いている訳でもなければ、南山に親友が奉職している次第でもない。超然と出世間的に利害損得の汗を流し去った心持ちになれる。……只二十字のうちに優に別乾坤《べつけんこん》を建立して居る。此の乾坤の功徳は「不如帰《ほととぎす》」や「金色夜叉《こんじきやしゃ》」の功徳ではない。汽船、汽車、権利、義務、道徳、礼儀で疲れ果てた後、凡てを忘却してぐっすりと寝込む様な功徳である。》と、世俗を越えた非人情の世界を、「飲酒」「竹里館」の中に見出し」、見事に作中に描き出している。

諸人共游周家墓柏下　諸人と共に周家の墓の柏の下に游ぶ

今日天気佳　今日《こんにち》 天気《てんき》 佳《よ》し
清吹興鳴弾　清吹《せいすい》と 鳴弾《めいだん》と
感彼柏下人　彼《か》の柏下《はくか》の人《ひと》に感《かん》じては
安得不為歓　安《いず》くんぞ歓《かん》為《な》さざるを得《え》んや
清歌散新聲　清歌《せいか》に 新声《しんせい》を散《さん》じ
緑酒開芳顔　緑酒《りょくしゅ》に 芳顔《ほうがん》を開《ひら》く
未知明日事　未《いま》だ知《し》らず 明日《みょうにち》の事《こと》
余襟良以殫　余《よ》が襟《むね》は 良《まこと》に 以《も》って殫《つ》きたり

《語釈》
柏：ヒノキの一種。墓に植える樹。弾：琴のこと。柏下の人：死んだ人。新声：作られたばかりの曲。緑酒：美酒。襟：心の中。殫く：尽きる。

《大意》
今日は天気も良いし、清々しい笛と美しい琴の音が演奏されている。あの柏の木の下に眠る人々の事を思えば何故今生きているこの瞬間を楽しまぬのだろうか。緑酒に晴れればれと顔をほころばす。明日の事など分からないが、私の胸の内はすっきり、何も思い煩う事はない。

　故郷の田園に帰って、隠遁生活をしている陶潜の生活のひとつのエピソードを詠っているが、この詩は墓地へ行った時の作であるだけに、限りある生命、人間の持ち得る短い一生、はかない時間、その束の間のいとおしさというものを強く感じさせる。陶潜の「人生無常」の感慨のより深いことを知る。

　ここまで、詩経から数えて千四百年、陶潜に至るまでの漢詩の世界を訪ねてきた。

　これから以後は「唐の時代」に入る。約二百九十年間、此処は百花繚乱、漢詩の花開く最盛期の花苑であり、同時に我が国日本の漢詩の黎明を告げる時代でもあった。

　奈良時代の漢詩集「懐風藻」から始まり、平安時代に至って、白楽天が特に好まれたようで、清少納言、紫式部ら女流文学にも幾つかの漢詩が引用されている。戦国の武将、上杉謙信・武田信玄・伊達政宗も心沁み入る詩を詠う。江戸期の良寛ほかの漢詩人、幕末から明治への漢詩の流れ、そして福沢諭吉、夏目漱石……。「早く日本の漢詩も話をしてみたい」の思いが尽きないが、そうなると「紙数、数限りを知らず」となり際限がなくなり、また紙幅にも制限がある。

　そこで、此処は区切りも良く、次回に続けられることを願いつつ、以上で本稿を結ぶこととしたい。

渡来者と先住者

浅川泰一

朝からどんよりとした、いつ雨が降ってもおかしくない日だった。見慣れた庭に目をやったが、いつもとかわり映えしない。居間の硝子戸をあけると、真正面に、この家に来た時と比べてぐっと大きくなった金木犀の木が一本でんと控えている。十月のシーズンになると、独特の強烈な香りが辺り一面に立ち込める。樹木自体は各別目立つ木でもないし黄色の小さな花が咲くだけだが、この木が一本あることは我が家にとって大きなアクセントになっている。

細かく枝分かれして葉に覆われた樹間に毎日のようにすずめ、ひよどり、メジロなどいろいろな鳥がやってくる。ここ数年妻が居間に続くコンクリートのたたきの部分に毎日パン粉をまいてやるが、しばらくするときれいに無くなっている。鳥たちにとっては大切な餌場が出来たようだ。

金木犀の後ろは高さ一メートルくらいのコンクリートの塀になっており、そのすぐ後ろに接続して木造二階建ての家が建っている。我が家がここに引っ越してきたのは昭和四十九年のことだから、ちょうど四十年を少しオーバーしたところだ。このあたりは我が家が引っ越してくる頃はまだ田んぼがいたるところに残っていたが、殖産住宅が住宅団地として開発してからは、びっしりと戸建ての住宅で埋まってしまった。

塀の後ろのお宅は我々が来てからもう三代目になる。最初は塀の後ろ側はまだ空き地で雑草がぼうぼうと生えていた。毎日のように小学生の息子や娘と一緒に、我が家で飼っていたレトリーバを小型にしたような雑種の子犬を連れて行って放していたが、愛犬の恰好な遊び場になっていた。その空地の後ろ、我が家からは真南になるところはまだ田んぼで、夜になるとやかましく蛙が鳴いていた。

道路を隔ててさらにその南五百メートルくらいの所に、うっそうと茂った森が見える。四年ほど前の夏休みに久しぶりに帰って来た孫娘の早菜が、阪急電車の小林駅に行く途中に横切る川の名前が御所川とよばれているのに気が付き、「おじいちゃん、御所もないのに、この川なんで御所川なんて言う名前なの?」と聞かれてはたと困った。

早速家内に「おい、このあたりの地名の由来について、早菜に聞かれて困ったよ。あんたわかっていた?」と聞いてみた。

「そんなことわかるわけないでしょう。あなた、町内会の福祉委員をしているんだから、誰か年配のメンバーの方に聞いてみたらどうなの？」

これがきっかけで、我々が来るずっと前からこの地に住んでいる旧住民の人や、図書館、教育委員会などに聞いて回った結果、思いもかけないことが分かった。このあたりには今から千五百年も昔の聖徳太子の時代に、孝徳天皇が仮御所を設けられて滞在された後、当時もう開かれていた有馬温泉に行幸されたらしいということが分かった。その時の仮御所の跡に、今は素佐嗚神社と言う神社が置かれている真正面に見える、うっそうと茂った神社のあたりではないかという言い伝えがあると教えてくれた古老がいた。このあたりの地名に、御所の前とか、美幸町（行幸町）とか、御所川とか、高司（鷹司）とか天皇家との繋がりを思わせる地名が沢山あるが、遅ればせながらその由来が分かったような気がした。

「こんなところ、昔から畑や田んぼだけしかないままに長いこと続いてきたつまらないところだと思っていたけど、案外古い歴史を持った由緒のある地域かもしれないわね」

「本当にそうだな、俺も今度時間をかけていろいろ調べた結果、思いもかけないことが分かったよ。いずれ将来この家を売らなければならなくなったら、この家の敷地は天皇家の御所の一部だったと言って高く売れないかな？」

「ばかばかしい、誰がそんなこと信じるものですか。欲の張りすぎよ」

孫娘との話がきっかけで、このあたりの古老に尋ねたり、図書館や教育委員会にも出向いて調べた結果、地名の由来が分かったのは大きな収穫だった。

「だけど、俺の不満はそういう歴史の言い伝えだけが地名に残って、その存在を推測させる古い石碑とか、建物の遺跡とか、昔の墳墓などが全く残っていないことだ。俺も途中でそのことに気が付いていろいろ調べてみたが、そういうものは全く残っていないんだ。横を流れている武庫川が近世までものすごい暴れ川で、何回も大洪水があって古いものを皆流してしまったようだね」

「そうなの……残念ね。それよりどうして昔の御所の跡地に素佐嗚神社ができたのかしら」

「あんた、天照大神とその弟の素佐嗚命のことは知ってるよね」

「日本の国つくりの神話として子供の時から何回も聞いてきたわ」

「素佐嗚命は天照大神に従って九州の高天原に降臨されたことになっているけど、それとは別に、そうではなくてお隣の朝鮮半島の春川と言うところに降りられたという話もある。今の韓国のある朝鮮半島の中央部だ。そして素佐嗚命は朝鮮半島の住民、当時の百済とか新羅の人たちを引き連れて出雲に移住してきた。大国主命よりはるか昔の時代だ。その子孫の人たちが西日本にどんどん広がった。もちろんその後に移住してきた人たちもあったろう。今関西には素佐鳴命を祭っている素佐鳴神社が各所にあるが、素佐鳴命と一緒に移住してきた古代朝鮮の人たちが、西日本一円に広がって行って、自分たちの故郷の神を祭って神社を作ったのではなかろうか」

「推測の部分が沢山あるんでしょうが、でも面白いお話ね。このあたりにも沢山朝鮮の人たちが移り住んだんでしょうけど、その人たちはどうなったのかしら？」

「二千年も前の話だから、その当時の先住民だった日本人と同化して、その子孫がこのあたりにも沢山いるんだろうね。今は完全に名前も現代の名前になっているから、その人たちの中から、二千年も前に朝鮮半島から移住してきた人たちの子孫を探すなんてことは全く不可能だ」

「それはそうね」

のんびりとこんな話を家内と交わしていた。

「そうそう、健一から電話があって来週帰ってくるそうよ」

「久しぶりだな、帰ってくるのは何時以来かしら。今度はどんな用事で帰ってくるの？」

「京大で仕事があって、前夜遅くこちらに来て泊まった後、朝早く京都に行き、そのまま東京に帰るらしいわ」

「あそうか、ゆっくりできないんだね。ゆっくりできれば素佐鳴神社とか、御所川とか昔あいつらがよく遊びに行ったところに行ってみるといいんだけどな。健一も今度俺が調べた地名の由来を聞いてびっくりするだろうよ」

次の週に息子が東京から帰って来た。中学生の時にここを離れて以来、中学、高校は四国の松山で過ごし、その後は東京の大学に入って卒業後もそのまま東京に住み着いてしまい、それ以来一度もここに住んだことはない。でも親の住んでいるところを故郷と思って、正月とかお盆とか休みが取れる時には帰ってくる。

「明日は京大に行くんだって？」

「うん、京大のｉＰＳ研究所に行って、いろいろ教えてもらおうと思って」

「ひょっとして山中先生には会えるの？」

息子は遺伝子工学が専門で、魚の遺伝子の研究をしている。

「いや、研究所の誰かだ。夕方にはまた東京に戻らなければならないんだ」

「そうか。もう少しゆっくりできるといいんだけどな。実は地名を手掛かりにこのあたりのことを調べているうちに面白いことが分かったんだ。お前と一緒にそこに行ってみたいと思っていた」

「どんなことが分かったの？」

「実はこのあたりはずいぶん古い歴史を持った地域であることが分かったんだ」

そのあと、このあたりの地名、御所川、御所の前、鷹司、美幸町、などなどこの地域に残る名前の由来を調べて、孝徳天皇にまでたどり着いたこのあたりの歴史と素佐鳴神社の話をした。

「面白い話だね。またゆっくりと聞かせてよ。いまの親父さんの先住民の話とおおいに関係があるけど、親父さん達に一つ相談があるんで、少し早めに東京を出てこっちに寄ったんだ」

「相談ってどういうこと?」

「この前休みの時に、パソコンでいろいろと北海道新冠《ニイカップ》町の先祖のことを調べてみた。そしたら偶然、大正時代に当時の新冠の村長宛に出された、アイヌ人の嘆願書なるものが出てきたんだ」

「どういう嘆願書なの?」

「当時新冠に住んでいたアイヌ人約80家族、人数にして数百人のアイヌ人たちが、日高山脈のふもと、平取《ピラトリ》村の奥地に強制移住させられたんだ。その人たちが当時、大正時代だが新冠の村長さんあてに、元々自分たちが住んでいた新冠村に戻してほしいと言う嘆願書を書いている。その嘆願書が見つかったんだ。その中に井上義一、健二郎という亡くなったおじいちゃんのお兄さんたちも告発されているんだ」

「どういう形で出てきているの?」

「おじいちゃんのお兄さんと言えば、親父さんから見れば伯父さん達にあたるわけだが、アイヌの人たちの移住について当時の政府の委託を受けて、御料牧場でアイヌの開墾地の管理人をやっていた伯父さん達がいろいろと働いたらしい。伯父さん達は御料牧場の委託をうけてやったことだが、結果的に移住させられたアイヌの人たちに大変過酷な運命を強いたことになり、大きな恨みを買ってるようなんだ」

「なるほどなあ、想像はできるね。お前たちにもこれまでにもたびたび話したことはあったが、我々井上一族の祖先は明治の初め明治維新のころ徳島藩の紛争があった時に、淡路島から徳島藩の支藩の稲田藩の殿様以下一族郎党何百人かが北海道の日高地方に土地をもらって移住したんだ。俺のおじいさん、お前からすれば曾《ひい》おじいさんの井上繁おじいさんが、移住者のリーダーとして稲田藩の人たちを引率して日高支庁の静内《シズナイ》や新冠に入植した。その後、静内にできた宮内庁の御料牧場の前身の新冠牧馬場に勤めたのだが、場長と意見が合わず引退して、義一伯父さんに家督を譲ったそうだ。お前が嘆願書でその名前を見た義一伯父さんや健二郎伯父さん、そして俺の父つまり、お前の四郎おじいさんも十人兄弟の九番目としてそこで生まれている。淡路から移住した時のことは昭和三十年代だったと思うが、船山薫という小説家が、「お登勢」という小説に書いている。たしか毎日新聞の連載小説だったと思う。お登勢と言うのは架空の人物で、淡路で人形遣いをしていた女性だけど、一緒に北海道に渡っている。またこの小説の中に繁おじいさんが実名で出て来ている」

「その土地には先住者としてのアイヌ人たちが大勢暮らしていたんだろうね」

「もちろんだ。政府の委託を受けてその人たちをまとめて日高山脈のふもとに移住させ、彼らが残していった土地や畑にプラスして未開の原野を開いて御料牧場にし、また本州からの移住者たちが土地を分け合ってそこに入植して農業を営んだ」

「暖かい太平洋沿いの土地から引きはがされ、海から離れた自然の厳しい日高山脈のふもとに移住させられたアイヌ人たちが、伯父さん達やそのほかにも何人か本州から来た和人の名前が出て来るが、その人たちを恨んで嘆願書を出したのも無理ないんだろうね」

「そんな文書を見た以上、俺も井上一族の末裔としてとてもほって置く気持ちにならない。俺はまず、伯父さんたちが、本当にそんな非難されるようなことをやったのかきちんと調べなくてはならないと思ってる。そしていずれにせよ、アイヌに恨みをかったことは間違いないのだから、親父さんにも応援してもらって、そのアイヌ人たちの末裔の人たちに少しでも償いをしなければいけないと思うんだ」

「だけどなあ、もうかれこれ百年以上も前の話だぜ。その後和人との同化がすすんでいるから、おそらく移住させられた昔のアイヌ人の子孫だけが分離して、そのままかたまって現在も平取町の奥地に暮らしているということはないんではないだろうか。償いをすると言っても、代も変わりちりぢりになってしまっている。一体誰に対して償いをするんだ。また現在の金に直せば、おそらく何億円、何十億円と言う金額になるだろうから、とてもわが一族やそのほかの僅かな和人の子孫で負担できるような金額ではないよ」

「私は反対だわ。なんで我々が償いをしなければならないの？ 国の政策として行われたことでしょう。個人ですることでもないと思うし、仮になにがしか償いをすると言っても、うちの四郎おじいちゃんなんか高等小学校を出るとすぐ新冠を離れて上京し、小笠原侯爵の家に書生として入って、そのまま書生をつづけながら早稲田大学の夜間に行ったのよ。直接的な恩恵なんか全く受けていないわよ」

「お袋さんはそういうけど、でもはっきりと井上一族やそのほか数人の和人を告発し名前の出ているこういう嘆願書が残っている以上、井上一族の末裔としてほって置けないんではないかと思うんだ」

「そうか。俺はお前よりワンジェネレイション伯父さん達に近いし、お前がそれだけ責任を感じているのに、俺が他人事のような顔をしているのはおかしいと思う。俺と母は終戦後裸一貫で満州から引き揚げてきて、新冠の義一伯父さんの家で何年か世話になった。当時義一伯父さんの所は、アイヌ人たちが移住した後の新冠村で、サラブレッドの牧場を経営していた。ということは俺たちも間接的にせよアイヌの人たちとの関係はあったと言えるだろう」

「でも、あんたそういうけど、それよりアイヌ人の移住に直接的な関係があり、その土地を受け継いだと思われている伯父さんの子孫の人たちの責任はどうなるの？　私はもう、国の同化政策を通じてアイヌ人に対する補償は十分ではないかもしれないけど、ある程度なされているんじゃないかと思うけど。それに伯父さんやその子孫の人たちは、少なくとも私達よりもアイヌ人との直接的な関係はずっと深いわけでしょう」

「それはそうだ。でも仮にその人たちが責任を感じてなにがしか償いをすると言っても、もう義一伯父さんの所は、俺の従兄になる跡取りの淳さんがサラブレッドの牧場経営に失敗して、牧場は手放してしまった。今はその子供の一家が細々と生きていくだけで精一杯の生活だ。健二郎伯父さんの所も伯父さんも伯母さんもとっくに亡くなり、跡取りは戦死して、戦後伯母さんが生きているときにもらった養子の子孫が細々と牛や豚や鶏などを飼って生活している状況だ。両方とも自分たちが生きていくだけで精一杯の生活で、とても百年以上も前のアイヌ人の補償などできる状況では全くない」

「それはわかってる。最初はうちの親族が進んで強制移住をやったのかと早合点したけど、よくよく考えてみたら、だまし取ったとか、強制移住を決定したとか、そんなことをやったわけではない。あくまで御料牧場の上からの命令をアイヌに伝えて、説得して、移住してもらうため矢面に立たされて、一番辛くてしんどい役を担わされただけだ。だから、何か悪いことをやったわけではないし、金銭的に補償云々という話ではないと思ってる。しかし、そうだったとしても結局、義一伯父さんは新冠に残って、強制移住させられたアイヌらが開墾した土地とは別の場所だそうだが、広大な土地を最終的に貸与された。アイヌの人たちにしてみれば、自分たちを追い出した手先が広い土地を手に入れやがって、と当然思うだろう。そして、この強制移住を決めたお偉いさんではなく、伯父さんたちが恨みの矢面にたってるだろう。だから、俺としてはどうしてもほって置けないんだ。でも、どこのだれを訪ねてどうするか、今のところ全然わからない。やはり当時の移住者の末裔とかを見つけないと話にならないし」

「そうだな。ほとんどの日本人はアイヌなんて言っても全く身近には感じられないだろうが、俺なんか新冠で小学校生の時代を送っていたときには、クラスに何人もアイヌの子供がいた。伯父さん達の時代、明治の末か大正の初め頃にアイヌの移住政策が行われ、過酷な運命をたどらされたアイヌ人が沢山いて、伯父さん達が国の政策の先手としてそれになにがしかかかわっていた。だから俺も井上一族の末裔としてお前の言うことを全く無視することはできないよ」

「だけど、いま新冠にいる親類にそんなこと言ったって困惑することだろう。お前らはこの件から最も遠くにいるから、そんなことを簡単に言えるんだろうって。だから俺は誰にも声をかけず、俺個人としてやろうと思ってる。だけど親父さんだけは、協力してほしいと思ってたんだ。だから理解してくれてよかったよ」

「分かった。じゃあ、また何かわかったら連絡してきなさい」

息子からこうした提案があった以上何とかしなければならないと思った。

まず百年以上も前に移住させられたアイヌ人の現状はどうなっているのか、そのために北海道まで調べに行くことはむつかしいが、新冠に残っている親戚とか、北海道庁や平取町役場に電話してアイヌ政策を担当している部署があれば話を聞いてみようと思った。

亡父は十人兄姉弟だったが、女の姉妹つまり伯母の子供で私の従妹にあたる愛子が、新冠で伯母の代から何十年も雑貨店をやっている。これに息子が言ってきたアイヌ人移住の償いの話をして、その意見を聞いてみようと思って電話してみた。

「そんな話、伯父さんや伯母さん達が生きている時代にも私たち聞いたこともなかったわ。国の委託を受けて伯父さん達がアイヌを移住させる手伝いはしたかもしれないけど、義一伯父さんと言う人は立派な人で、農業組合長をしたり日高のサラブレッド生産組合の会長をしたりして人格者として世の中の評価の高い人だった。晩年には村のために青少年会館を建てるため、多額のお金を村に寄付もした。あの伯父さんならアイヌ人に温情をもって接し、アイヌを虐待したり、アイヌから不当な利益を取るような人では絶対にない。個人的に補償する必要なんかまったくないと私は思うわ」

大体予想した通りの返事だった。おそらく他の当時の和人の子孫の人たちも、同じような見方をする人がほとんどだろう。

「愛子さん、僕も義一伯父さんの人柄はよく知っているし、あなたの言うことに同感だ。ただここで考えなければいけないのは、当時は明治の末か大正の初めの時代で、人権とか少数民族の保護と言うようなことについての考え方が、我々の生きている現代とは全く違っていたということも考えなければいけないと思っているよ。義一伯父さんがいくら温情をもってアイヌに接したとしても、現代の価値観から見れば、やはり、もっとアイヌのために闘えなかったのかとか、人権無視の相当過酷なことになったんではないかと思う。息子はそのことを言っているんだと思うよ。とにかく忙しい時に意見を聞かせてくれてどうも有り難う」

次は北海道におけるアイヌ人の現状がどうなっているのか、北海道庁や平取町に聞いてみようと思った。ただもう二十一世紀に入ってからでも十年以上もたっている現在、北海道庁の中にアイヌのことを扱う組織なんかあるだろうかと思って恐る恐る電話してみると、「アイヌ政策推進室」と言う立派な組織があることが分かった。

そこにつないでもらって、アイヌ政策推進室が現在アイヌに対してどのような政策を行っているのか聞いてみると、1、アイヌ文化の保存と、2、アイヌ人の生活の向上の二つが主な政策だということだった。その後同じく平取町にも電話してアイヌ生活推進課で聞いてみると、同じような返答だった。若い人はどんどん都会に出てしまい、平取町に残って細々と農業を続けている年配のアイヌ人の移住者の子孫については、町としても和人と違ってこの人たちの仕事や生活の面倒を見ているということだった。また大正の初めに新冠から移ってきたアイヌ人の子孫も、同じで和人と混合してしまい、あまりまとまって残っていないということだった。こうして電話による聞き取りの結果、道庁レベルでも平取町でもアイヌに対して同じような政策を取って保護していることが分かった。道内の広い地域に分布してアイヌ人は居住していたから、道内の他の市町村でもおそらく同じような政策がとられているのだろうなと推測出来た。

平取町に残っているアイヌの子孫の人たちにどのように償いをするのか、ちょっと見当もつかないが、それは夏休みに現地に行く息子に任せるより仕方がない。

会社時代の仲間の会合が七月に東京で行われることになったので久しぶりに上京した。十二時少し前に東京駅についたので息子の学校に電話を入れて、東京駅まで出てきて一緒に食事をしながら、この前の話の続きをしないかと誘ってみたが、午後のゼミの準備があるのでこちらに来てほしいと言うことだった。

昔は山手線の駒込駅から東大の農学部前を通り、赤門の前を通って御茶ノ水方面に抜ける都電があったが、現在都電は撤去されてなくなっている。そのかわり新しく出来た地下鉄の南北線に東大前と言う駅が出来ている。東京駅で駅弁を二つ買い、地下鉄の乗り換え時間を入れて約三十分くらい、「東大前」で降りて長いエレベーターに乗って外へ出ると、ちょうど昔の農学部の門の前の道路に出る。

道路を渡って門を入ると構内の広い道がまっすぐに百メートル以上伸びて、突き当りに事務所の建物が見える。道に沿って両側に銀杏の木が植えられて銀杏並木を作っている。ここに在学していた五十年前の状況とあまり変わっておらず、時間が止まっているような感じだ。

農学部三号館の三階に上がり息子の部屋に入ると、色の白い小柄な女の子が息子の机の前に立って何か話していたが、すぐに出て行った。

「いいのか?」と聞くと、

「うん、いいんだ。彼女はタイから来ている学生だ。ちょうど話が済んだところだ」

「この前の話だけどどうなった？　先日の電話で北海道の平取町に行くっていってたよな」

「うん。はじめは雲を掴むような話で呆然としてたんだけど、調べているうちにこのことで訪れるのにうってつけの人が見つかったんだ。もう、まさにこの人しかいないっていう感じ。その人はアイヌのシャーマンでアシリレラ（山路安子）さんという方なんだけど、まさにこの強制移住の件で、移住者の慰霊のために、25年ほど前からアイノモシリ一万年祭というのを移住先の平取町で主催されているそうだ。今年も8月11日から一週間、祭りをやるそうなので、それに参加してくる」

「そうか。それはいい人がいたな」

「アイヌにもいろいろな立場の方がいるようで、それがどうなってるのか俺にはよくわからない。例えば同じ平取町には国会議員になった萱野さんという方もいて、アイヌのためにいろいろ活動されてきたんだろうけど、レラさんはそれとは違った立場というか、哲学で、その一万年祭を開催されているようだ。いずれにせよ、このレラさんはまさにこの強制移住させられた方々の慰霊のための活動を25年も前から続けられている。だから俺はこの方を頼って、償いというかお詫びに行こうと思っている」

「そうか。俺は健康のこともあるし行けないけどよろしく頼む。そのかわり二十万円もってきた。アイヌの人たちが失ったものと比べればほんのわずかな金だが、お前の出す分と合わせて、井上一族の末裔のお詫びの気持ちとさせてもらおう」

「わかった。そうさせてもらうよ」

「それと飛行機代や向こうで借りるレンタカーの費用、宿泊代なんかもかかるな。そういう金はあるのか？」

「うん。夏休みだから和真も連れて行こうと思っている。各地からアイヌ人の子供もたくさんくるらしい。今飛行機の安売りの切符を一生懸命探しているところだ。滞在中は現地でアイヌの人や祭りの参加者と一緒に貫気別《ぬきべつ》のキャンプに泊まるつもりだ。ホテルに泊まろうと思えば車で平取町の市街地まで行けばあるらしいが、旅費も節約しなければならないし、参加者はみんなその場でテントを張って過ごすそうだ。行った日と帰りの日を除いてキャンプに泊まろうと思っているよ」

「和真も連れて行くのか。足代や宿泊の援助として別に十万円持ってきたが、和真も行くのならもう十万円プラスして二十万円渡そう。十分健康に気を付けてやって、具合が悪くなったらすぐ連れて帰ってこいよ。それとあのあたりはまだ時々熊が出るらしいから、和真を熊に取られないように気をつけろよ」

「そうか、それは助かる。熊には気をつける。すでに向こうにはお供え物として一家族につき八海山の一升瓶を一本と、団子の粉を一袋ずつ送った。七十家族とか七十四家族とか言われているけど、八十家族という記述も見たので、全部で八十セットにしたよ。また帰ってきたら報告するよ」

「東京のど真ん中で暮らしているあの子が、日高山脈の大自然の中で何日か暮らせるのはよい体験になるだろう。気をつけて行ってきなさい」

「わかった。そうする」


格別の障害もなく、息子と孫は予定通り八月の十日過ぎに約一週間のアイヌの祭りに行ってきた。

息子が帰ってきてから電話で簡単な報告をしてきた。

「まず、レラさんに会って、強制移住の件でアイヌの皆さんを艱難辛苦にあわせたことを謝罪した。レラさんは謝罪を受け入れてくれたよ。俺としては、お詫びやお供え以外に、何かその場でしなくてはと思って、般若心経の写経の準備を持っていって現場で行ったんだ。80枚プラスアルファだ。テントの中で人目につかず行ったことだし、北海道でも日中、日が差すとテントの中は暑くてとてもできなかったので、夜な夜なやったという感じだ。丁寧に書くと一枚30〜40分くらいかかるので、のべ50時間くらいかかった。滞在の最終日にどうにか間に合って、それを最後にレラさんに持っていったら、受け取っていただけた。いろいろ慰霊に行ったときに、一枚一枚、その場の土に戻して使ってくれるっていっていた。和真は会場のスタッフのお子さんや祭りに来ていた子供たちと仲良くなって、楽しく過ごしたようだ」

「祭りはどんな感じだったんだ？」

「祭りには普段知り合えないような人が大勢来ていた。アイヌはもちろんのこと、在日の人たち、昔ながらの素朴な生活をしている自然派の人々、ナチュラリストの外国人、外国の少数民族、ミュージシャン、世界平和を祈る宗教団体の人などなど多彩であった。今回はお詫びでいったわけだから、自分のことをべらべらしゃべったわけじゃないけど、おそらくその中で天皇制や安倍政権を支持している人はごく少数か、俺一人だったかもしれない。俺は慰霊祭だからって初日、礼服を着ていったんだけど、そんな人など俺以外一人もいなくて、とてつもなく場違いだったな。みんなは俺のこと公安だと思ったようだ。でもそんな目立つ格好をする間抜けな公安などいないだろう。そんな中で俺は色々な人と話したが、みんな親切で優しくてすべて和やかな会話だったな」

「それはいい体験だったな。お金は足りたのか？」

「お金は親父さんから預かったお金はお酒とかに充当して十万円残した。それに俺が十万円プラスして二十万円にして、親父さんと連名でレラさんのやっている地域保全のための基金に寄付しようと思う」

「それはよかった。百年前に彼らの祖先が受けた過酷な扱いに対するお詫びとしてはわずかな金額かもしれないが、我々のお詫びの気持ちはわかってもらえたらいいな。ぜひ寄付してくれ。また会った時にいろいろと現地のこと聞かせてくれ」

「うん。いずれ詳しく話するけど、それより毎年八月にお祭りがあるし、近くにお墓と慰霊碑があって最終日にお参りするそうだが、今回、俺はいけなかったので来年も行くつもりだ。それにまだわからないことも色々あるし、今回で分かったことを元にさらに当時の状況を調べられたらと思っている。いろいろ内容を吟味して考えてみたら伯父さんたちが、なにか誹りを受けるようなことをやったわけではないと今は考えている。強制移住というお上の決めた方策の最前線で一番辛い役割を負わされただけなのだろう。もし、その立場になった時の気苦労は余人には計り知れないと思う」

「そうだな」

「それに、三男の辰三伯父さんは朝鮮半島に渡ったとのことだし、うちの四郎おじいちゃんは若くして東京に出てきてどっかの書生になったんだろ。書生なんだから実家からの援助など受けられなかったんだろうし、みんな貧乏してたってことじゃないか。そんな、アイヌから土地やお金をせしめてよろしくやってたなんてことなどあり得ないと思う。来年とは言わないけどいずれ近いうちに親父さんも一度行ってみないか？」

「そうだな。俺も自分の体調など考えて体が許すなら、ぜひ一度行ってアイヌの先人たちにお詫びの気持ちを伝えてこよう」

久し振りに素佐嗚神社の境内に行って見た。めったに行ったことのない本殿の裏の方に回ってみると、牛頭天王《ごずてんのう》という表示のある小さな社があった。牛頭天王とは朝鮮半島の新羅の時代の朝鮮の神様だ。何時の時代にか朝鮮半島から日本に移住してきた人たちと一緒に渡来してこられたのだろう。このあたりにも朝鮮半島からの移住者がいた証拠だ。この人たちは先住民の日本人と一緒になり、今では全く同化してしまった。

北海道日高の先住民であるアイヌ族の人たちも、もう百年もすると完全に明治以降本州から渡ってきた和人と同化してしまい、全く区別できなくなるのだろうな。

さっと風が吹いて神社を取り囲んでいる木々の葉がざわざわと鳴った。そのざわめきの中から、

「汝らもこの国の民となって、しっかりと大陸の文化をこの地に伝えてほしい……」

と、渡来人の前で話される孝徳天皇の声が、かすかに聞こえたような気がした。

ある家族の肖像【前編】

摘　今日子

帰郷

昭和21年、戦禍の後を留めぬ島は、まるで戦争から隔離された海を渡ってきた船のような美しさを保っていた。

4月のある日、朝日の反射する小さな渦を巻きながらいつもの定期船が港に入ろうとしていた。速度の弱まった甲板を、紺のベレー帽、黄色地に白い水玉のお揃いのワンピースを着た女の子が2人と、ひょろりと伸びた背丈に水筒を引っ掛けた半ズボン姿の男の子が現れた。続いて母親らしい女も上がって来る。

彼女は先の女の子たちと同じ服を着た子供を抱いている。被っているパナマ帽の落とす影は、さらりと着こなした濃紺のワンピースを一種の都会風な装いへと替えている。最後に上がって来た父親らしい男が少年の後に回り、北の方角を指して何やら懸命に話している。

井沢雄一郎、42歳。彼は家族を伴い植民地であった台湾から、亡父が残した段々畑と母親の待つ住まいを目指して帰郷した。

村外れのこのちっぽけな土地は、水道も電気も通わぬ三角型の蜜柑畑で、口減らずな村人たちは一家がそこに居を構えると、三角ズキンの蜜柑山と名付け、やせっぽちの山に住む家族を笑い者にした。

黄金の実のなる蜜柑畑、梅東風の吹き抜ける麦畑、小さな少女たちの指先を染めるちち桃、ぐみの実、桑の実。

入江に浮かぶ大小の烏賊釣り船と褌姿の漁師たちでわく海祭り。

紀伊半島の南端に位置する『咲き島』は、紀伊山脈が熊野灘に突出した南の牟婁埼、北の奇勝、『盾が埼』に囲まれたリアス式海岸湾奥の天然の良港。だが陸の孤島のため交通手段を船に頼るしかない、沿岸漁業が中心の総人口８００人の漁村だった。

「さあ、これから本を読むよ。お手伝いが終わったら集まりなさい」

父、雄一郎の声が響いている。

それまで夕食の後片付けを手伝っていた3人の娘たちは、その声でいっせいにそわそわし始めた。母、雪子も、今まで洗い物をしていた手を置くと、彼女の後追いばかりをしている末娘の前に屈み込んだ。

幼い体は母親のそんな態度にすぐに反応して、「抱っこ、抱っこ」と甘えはじめる。雪子は小さな体に手を回すと寝巻の紐を解いて、もう一度襟元を重ね直した。背の方から、

「…まだ、お皿を拭いていない」

次女南生子《なみこ》の慌てた声が聞こえる。

「じゃあ、そのままにしておきなさい。後は母さんがするから」

彼女は首を伸ばしてそう言った。

「ワァー」

次女と三女は歓声をあげて2人の傍を通り抜け、居間の方へと走っていく。居間といってもそこは4人の子供部屋でもあった。

窓際を蜜柑箱を利用した勉強机と本箱が並んでいる。雄一郎は部屋の中央に卓袱台を置き、娘たちを待っていた。卓袱台の上のカンテラの灯が彼の影を大きく写し出している。

彼は次女三女に続き、最後に長女に手を引かれて、チロチロと入ってきた末娘を見ると、優しい声を一層優しくして、

「美里ちゃん。…こっちだよ」

と手招きで呼び寄せ、自分の胡坐の上に抱え上げた。

毎夜、雄一郎の話す童話集は、子供の心に真っ青な天空から天使のように舞い降りる精霊を住みつかせ、しかもそれは月の上だって自由に走ることが出来るのだと本気で信じ込ませていた。

「今日はグリム童話集の中から何でも黄金になる話をしよう」

軽い咳払いの後、雄一郎は少女たちの顔を眺めた。クルクル、キラキラ輝く瞳、ピンとそば立つ桜色の耳、敏捷な手足、一陣の柔らかな風が家の中を吹き抜けると、そこには赤々と照らしだされた明るい陽光が振り注ぐ、夢の小島が浮んでいた。雄一郎は美里を片手にかかえたまま、用意していた本を取り上げた。

「ある国に欲張りな王様が住んでいました。その王様は非常に黄金を愛していました」

「………」

「魔法の力で手に触れるものをすべて黄金に替えていった王は、誤って娘のお姫様までも黄金にしてしまった…」

「………」

「……嘆き悲しむ王様に3年が過ぎていた。その頃すっかり心を入れ替え民のために尽くす姿は、いつの間にか国民から慕われるようになっていた。そんなある日、天からバラの香りに包まれて魔法使いが訪れました。

王様、王様、明日の朝、お姫様の部屋の白いバラの花が開く時、魔法が解けるでしょう」

声色入りの父の語り部に、声すら立てずに聞き入っていた子供たちに、突然彼は問い掛けた。

「ところで、この王様は、一番先に何に触れたのかな」

長女藍子は充分わかっていた。だが、生まれながら心臓に欠陥を持つ内気さは、自分の意見を述べることが出来ず黙って目を伏せた。次女と、三女は、答えを確かめ合うようにお互いに顔を見合わせている。美里だけは、

「ダレ、ダレ」

と片言で、髭剃り後の青い雄一郎の頬を触っている。雄一郎の眼鏡の奥がキラリと光った。一瞬の沈黙の後、父親似の広い額と母親ゆずりのやや釣り目の次女がさっと顔を上げた。

「お姫様」

彼女は叫ぶように言った。雄一郎は満足気に大きく頷いた。

野草の生い茂るささやきの小道、森を駆ける、山の実のはぜる音……。

爽やかな蜜柑の香りに満ちた大気は、十字型の白い小花に囲まれた木造りの家に深い夜の印を告げようとしていた。

低く暗く垂れ篭めた水平線の向こうから、巨大な象の鼻にも似た雲が一気に湾内を駆けあがった。

程なく鎮守の森の早鐘が村中に鳴り響く。

「先生、大変だ」

蜜柑山の奥から大声がして、2、3人の入り乱れた足音が近づくと、雄一郎の家の雨戸が激しく叩かれた。

雄一郎は弾かれたように飛び起きると、寝巻の紐をしめながら玄関に走った。したたかに雨を吸った引き戸の外はまだ薄暗く、湿った空気と共に木々の青匂さが鼻をつく。

若衆たちは三角山を蛇行する狭い小道を走って登ったらしく、息をぜいぜい荒げている。

「どうした！」

「それがいのう。先生の会社がいのう。…竜巻にやられてしもうて、木っ端微塵やが」

「なんだって」

一瞬、頭を横切ったのは排他的なこの島に新しい文化を伝え歩いた7年近くの日々と、雄一郎一家をやっと受け入れはじめた居心地の良い今の島の環境だった。夫婦は呆然とその場に立ち尽くした。

2人は押し黙ったまま家を出た。30分程歩くと森と里との曲がり角に、海辺の崖線上を柵で囲んだ休憩所がある。そしてそこに立つと咲き島の南の湾に位置する雄一郎の造船所がよく見えた。

彼は雪子と共にその場に立った。

「……」

瞬間怪訝な空気が2人の間を流れた。いつもより向岸の岸壁が妙に広々と見え、昨日ドック入りさせた底引き舟が、まるで何者かにさらわれたかのように姿を消している。彼は慌てて隣の工場を見た。瓦礫が散乱して工場の跡形すらない。雪子の背の震えが隣から伝わる。彼女は静かに泣いていた。雄一郎は思わず雪子の肩を抱き寄せた。雪子もすぐにその手

に自分の手を重ねた。

彼はふと、事務机の中に入れていた黒砂糖の塊を思い出した。時々工場に訪ねてくる娘たちと、その仲間たちに割って与えた大切な一片。

入り口の近くの帆船の写真は、窓から入る光の反射によっては、いつ何処へどのように出発しても不思議でない程揺ぎ、それは彼の可能性への挑戦のようでもあった。

そうだ！　机の上のあの地球儀。英字の球儀は、子供たちの地名探しの恰好の遊戯だった。特に長男の暁は球儀を回して語る父の異文化の歴史に異常な熱情と興味を示していた。再び絶望が彼を襲った。とその時波の砕ける音が彼の内部のどこか深い所に波紋を広げ、一つの鮮明な像を浮き上がらせた。

雄一郎が小学校3年生の秋のことだ。隣の窓際で昼時の蒸し芋をほおばっていた女の子…、確かあけみと呼んだが、ふいにすっとんきょうな声を上げた。

「ウワー、美っついのう！　うちは1年の中でめっぽうこの季節が美っつうて、好きやがのー」

声につられて窓の外に目をやると、風にあおられた葉群が、群がったり拡がったりと白い秋の陽射しを翻している。それは動物がパクパク息づいている印象を少年に与えた。彼は急に昨夜の獣のように唸る風を思い出した。木々が声を上げて滑稽な身振りで踊り狂い、その度に木の実がどさっと音を立てて飛び散るのが目に浮かぶ。思わず、

「のう、昨日、風がきつかったさかいにひょっとしたら、山にぎょうさん実が落ちとるかもしれんのー。…どや、春男らと一緒に拾いに行かんかいのう」

「うん。それ、ええのう、わしも年子さんら誘うわ」

あっという間に3、4人の遊び仲間が集まった。

学校の裏山を抜けるとでこぼこ石段が森へと続く。彼らは段々畑の細い畝を走り抜け、先を競うようにかけ登った。

真っ先に広場についた雄一郎は肩からずた袋を放り投げた。カタカタと筆の音がして、ぐにゃりと歪んだ袋の下から必死な形相で小さな花が顔を突き出す。少年は構うことなくそのまま林の奥に突進した。しばらく走ると空と森が食い合うように映る池にさしかかった。

（あの池のそばの銀杏。きっとぎょうさん、実が落ちとるはずや）

少年は池を蔽うように張り出たオレンジ色の大木を見ながら、息を吐き々そう思った。と急に雲の間から強い光が差し、池がぎらぎら反射したその瞬間、雄一郎は急激な冷たさに襲われた。

他の子供たちの耳にもズズッと何か地面を滑るような音がして、雄一郎が池の方に転がり落ちていくのが見えた。

その後のことは雄一郎はまったく覚えてない。ただ遠くに

自分の名を呼ぶ声がした。声は次第に太くなり彼の体をゆすった。

「雄一郎」再び大きな声がした。ハッと意識を戻した彼の目に、古いしみの着いた木目の天井が迫り、かさかさと乾いた風が耳を突いた。

そこは簡単な板で仕切られただけの寺小屋の小使い室だった。

小さく開いた窓の隙間から夕刻を報せる草の葉の尖った音が、微かに聞こえる。雄一郎は偶然通りかかった村の若衆に助けられ、小使い室に運ばれていた。彼は迎えにやって来た父、幹男の顔を見ると、得体の知れぬ恥ずかしさを覚えて起き上り、走るように外に出た。

学校横手の川は湾奥に流れ、其処からトライアングルに郵便局、役場、医院（村で一か所）等と主要な建物が並んでいる。川向こうの南は農村地帯で「小向井」と呼び、南先端の聖地、『鎮守の森』へと通じた。

親子は反対側の北沿い「里」を歩き始めた。ここは漁港の表通りで、道路沿いに漁師たちの家屋が並び、更にその裏手を段々形式にすがるように家屋が立っている。10分も歩かぬ内に、漁師たちの威勢の良い掛け声が聞こえてきた。湾奥の磯は連絡船をはじめ網元の漁船やポンポン船の船着き場だ。磯を上がると目の前が網元の家で、村でもひときわ堂々と咲き島の主を誇る。父親はちらっとそこに目を向けたが、何かを思いついたらしく、

「のう、雄、もうちょっと歩かんかいのう」

と、聞いた。

「うん、ええがな」

「……そんなんなら海神社に行こうかいのう」

「うん」親子は網元の家を通り過ぎ南へと向かった。

半キロ先に急勾配の坂道が枝分かれして山へと向かっている。

大人２人がやっと肩を並べて歩ける山道は、踏みつけられた石ころや木の根が露出し、突然入り込んだ足音に山鳥たちが一斉に飛び去った。

少年はさっきのことなどすっかり忘れたかのように、赤チンキの滲む手でそこらの蔓をもぎ取ったり、木の枝を引っ張ったりしながら前へと進んで行く。坂道を５００メートル登りつめた所に五色の石を敷き詰めた美しい広場があった。海神社だ。ここから湾内が一望でき、南海門は勿論のこと、北海門の先の黒く尖った岬を見ることが出来た。

北海門の先端は、高さ80メートル、周囲５５０メートル程の柱状節理の断崖で、島一番の名所、『盾ケ崎』だ。

地名、犬戻りと呼ばれるこの断崖は、長年の熊野灘の荒波に削られて出来た絶壁だ。大魔神にも似た岬は第二の島の守り神だ。10メートルもの高波が守り神に牙をむき始めると島に警戒令が発令される。

鎮守の森から伝わる鐘の音は島の異変を告げる神の声だ。神の声は10キロの湾を突っ走り各家の戸を叩く。

天気の良い日は大変だ！　村の腕白小僧たちが村はずれから連なる平らな岸壁をよじ登り、岬にやって来る。彼らは犬でも後退りをする崖っぷちに立ち、海に向かって小便を飛ばし大自然に勝負を挑む。危険なようだが、海を友とする島の男児たちのごく当たり前の海への挨拶だ。

この盾ケ崎の潮路を追って南下すると、勝浦に辿り着く。広場まで登るとさすがに2人の顔は赤らんだ。親子はその場で立ち止まろうともせずに奥の社へ急いだ。

数歩進むと桐や桂、萩等の潅木の間を縫うように伏流水の音が聞こえる。音の方向に更に4、5分、森の暗がりを抜けた所に杉の木を組み立てた古い社がある。この村には珍しい網代仕上げの天井だ。

どんと中央に［御神体］が座る。

その昔、熊野を伝導していた山伏が、山中で一晩をあかした時に狼の様に吠える潮の叫びで目覚め、見つけたという伝説の石だ。

幅、高さとも3メートルもの巨岩のど真ん中を、大人が掌を広げた程度の風穴がぽっかりと口を開けて咲き島の大地を貫通し、そこに耳を当てると風の走る音や海のざわめき、山々の雄々しい叫び声、至っては魚が群れを成して近づく微妙な音まで聞き取ることが出来た。それからだ。この岩が海上の平穏と大漁を願う村の神として絶対の支配者となったのが。

2人は山の斜面を伝って社の傍を流れる清水の上にかがみ込んだ。

蔦やつわぶきの葉に隠されるように柄杓が2、3個置いてある。親子は急に神妙になるとそこで手を洗い口を濯いだ。幹男は首に巻きつけた手拭をはずして一礼すると、息子の方を振り返り、目で促して鈴を鳴らし柏手を叩いた。柏手は森厳な響きと洛陽を道づれに社の回りを一周すると、狼の口にと吸い込まれていった。少年の目にまばゆい夕日が映えた。

しかもこの一瞬は少年に爆発させる何かを持っていた。えもいえぬ感情が少年に沸き上がった。

爆発した何かは散り散りになって五感をかけ巡ると、少年の心の内で燦然と輝いた。これこそが少年が生まれて初めて目覚めた自然への祈り、まさに神の存在を知った記念すべき瞬間だった。

眼下の海原を、鳶が古代の使者さながら白い腹をしならせて上昇下降しながら弧を描いていたが、やがて2羽、3羽、5羽と集まると羽を翻して深い森の奥へと消えていった。

2人は夕暮の咲き島に無上の安らぎと親しみを覚えた。幹男の唇から自然に歌がこぼれ出た。

「お山の大将俺一人、後から来るもの突き落とせ。転げて落ちてまた登る、赤い夕日の丘の上……」

幹男夫婦は働き者だ。特に幹男は心身両面良く動き、網元や漁師仲間から厚く信頼されていた。だが本音として、漁村内で毎日のように繰り広げられる大仰な噂話や、事ある度に感じる、よそ者を受け入れないと言う偏狭な島への閉塞感と、網元の息子から聞き齧った、都会生活への憧れと知識の乾きがあり、この島に息子たちを縛り付けたくない、網元の息子のように隣町の寄宿舎に入れたい、と言う、大いなる野望を持っていた。

なにしろ島の学校は蜜柑箱を並べた程度の寺小屋で、おまけに授業中に大漁の報が流れると、全生徒が本を放り出して浜に走るという、水準の低さだったから。夫婦は大それたこの計画を決して誰にも漏らすことはなかったが、率先して人の嫌がることを引き受けることで、ひょっとしたら起りえるかもしれない、息子たちへの非難の攻防に備えていた。

彼は食い入るように息子を見た。

「ええか、雄。……よう覚えとれ。この咲き島の潮はのう、夜光虫のようにきらきら光って世界中の湾の隅々まで流れとるんや。地球はのう、お前が想像するよりも幾倍も幾十倍も幾千倍も想像できん位でかいんや。……フランス、イギリス、オランダ、アメリカ、ロシア、中国……」

彼は知っているかぎりの国の名を並びたてた。そして最後に、

「のう、雄、お前も咲き島を飛び立って世界を眺めて見い」

と息子の背中をポンと叩いた。だがこれが父と子の最後の会話となった。

誰もが予測出来ないことが島に起こった。いやむしろ幹男一家を襲ったといった方が本筋かも知れない。

2日後の鎮守の森は早くから鐘の音が鳴り響いていた。

海鳴りに素早く反応した港は、昨日の午後より休漁していた。

暗黒な海は、暴風雨でぴったりと視界を閉ざすと、まるでそれを合図かのように成長しきった波頭が、生き物のように手を伸ばして島半分を襲った。幾十年かぶりの大型台風は、岩峰を吹き抜け狂ったように湾へ、山へと疾走する。劈いて甲高くいななく平原の林では巨木が耐えかねたように地に向かって大きくたわみ、振動する尾根からは滝のような濁流が、行く手を阻む物を壊しては撒き散らし、川へ海へとさらって行く。

風神、雷神、雨神の神々は、咲き島を舞台に散々狂騒劇を繰り広げていたが、一晩も演ずるとさすがに飽き飽きしたのか太平洋の奥の青空に別の顧客を捜し出すと、さっさと移動して行った。

いち早く夜明けを知って戸を開いた幹男の耳に怒涛が岩を叩きつける音が聞こえた。海を生きる場所としている漁師の耳には、どんな小さな波の音でも聞き分けることが出来た。

彼はしばらく窓の外を見つめていたが、急に、「あんちゃんの

所に、行ってくる」

　と妻の夕に言い残して外に走り出た。そこでまず彼の目を射ったのは、前夜の雨を恐ろしい程吸い込み、秩序なく走りまわる赤土の帯だった。

　彼は急に息苦しさを覚え先を急いだ。3キロほど歩くと、川縁近くのあんちゃんの家が見える。瞬間冷静さを失った頭は、自然を甘く見すぎた。神秘性、神秘の美。これほどの賛美の言葉を何の衒いもなく、恥ずかしげもなく捧げる対象は自然しかない。

　又その言葉に堂々と対峙することが出来るのも凄まじいばかりの自然の破壊力だ。包括したそれらを鯨の様な四肢で消化したはずの野性人、幹男が、なぜかその時大きく自然を侮ってしまった。先を急ぐ空白な心は路肩の変化を見落とした。泥沼状になった山道に気を取られた隙を突くかのように突然山肌が地鳴りの音を引きずって彼の上に崩れ落ちた。


　嵐が去った翌朝、咲き島はすべての音を吸収して遮断すると、沈静な光芒をさらして不死鳥のように美しく蘇った。だが、雄一郎は何十年経た今でも、その日の海景の美しさを、堪え難い苦渋に満ちた無彩色の情景としてでしか思い出すことが出来ない。

　島の海は海藻と苦汁で散々かき回して作った水羊羹のようにつるりとして、その海面には微動たりともしない咲き島が映し出されていた。

　2艚の船は水羊羹を切るように水平線に進んでいく。残された家族の打ち鳴らす悲しみの鐘に送られて…。

　船は忽ちにして時を支配する月神、シンの使者に迎えられると人の手が容易に及ばぬ領域へと旅立ってしまった。

　目前に浮かぶ咲き島はちょうど、あの日と同じだっだ。あの時同様まるで不死鳥のように海面に羽を休めている。程なく雲が滑るように流れ出し、一筋の陽光が雄一郎の肩先に手を触れた。

「のう、雄、思いっきり咲き島を飛び立って世界を眺めてみい」

　忽然と父と共に眺めたあの時の夕暮の情景が浮かんだ。彼は目を鎮守の森にやった。

　雄一郎は雪子の肩をそっと抱き寄せた。力強い掌の温もりは再び咲き島から飛翔するのを告げようとしていた。

　雪子は雄一郎の方に目尻の上がった顔を傾け、咲き島を写し出す眼鏡の奥をじっと見つめた。不安が取り除かれた心は同志に近い感情を夫に訴えていた。

　2ヵ月後、朝焼けが虹色に拡がる明るい海の空を、雄一郎一家は先人同様神戸へと渡っていった。

雄一郎の母、夕の再婚とその息子たち

雄一郎の母、夕は夫を喪うとその2年後、2人の子供を連れて再婚した。新しい夫、為吉は若者の頃、秘かに彼女に熱を上げていた。

出っ歯で人の良い性格は、2人の子を実子のように可愛がり、夕への愛を惜しまなかった。夕は色白で笑窪が可愛く、祭礼の際には決まって稚児に選ばれ、また気立ても優しく年頃ともなると良くもてた。

幹男と為吉、夕は同級生だった。為吉の家は子が5人、舅と姑の合わせての9人の大家族だ。親父は大工だが飲んべえで、稼いだ金のほとんどが酒代に消え、そのくせ「おんどれの子らは食い盛りで、金さ、どっさり稼いでもざるやが」とか酒臭い息で大ぼらばかり吐いていた。

為吉の兄二人はお爺と共に漁を手伝い、一家はそれでなんとか食っていた。為吉は末っ子だったが、そのぼろに等しい身なりと、自分へ追い打ちをかけるような容姿への劣等感から、、いつもおどおどしていた。

幹男と夕の家はごく一般的な漁師一家だ。男は小学を出ると漁を見習い、女は12、3歳で奉公にでる。

幹男の中高で濃い眉ときゅっと結んだ唇は、やはり祭りとなると引っ張り凧で、2人並ぶとまるで内裏雛のようだとよく噂された。

そんな雰囲気の中で2人はごく自然に結婚を意識し合い、夕は玉の輿に近い、網元の息子との縁談にも首を横に振り、やがて幹男が18歳にて、網元の漁師と認められるや、それを待っていたかのように結婚した。

そしてまさかの寡婦となり、2人が暮らした家と里から外れた蜜柑山が残されたが、蜜柑山と言っても生活を賄えるほどの収穫はなかった。

姑夫婦や兄夫婦、実家の両親たちも魚や米を届けてくれたりと、何かと気にかけてくれたが、2年も続くと肩身が狭く、後は子供連れで後妻に行くしかなかった。なんとかしなければ子供までが卑屈になってしまう。

この時閃いた男が未だ結婚もできずに親の漁を手伝っている為吉だった。夕は賢い女だった。小金持ちの後妻の話を蹴飛ばして、彼女は金と力が無かりけれ、ずばりの為吉を選んだ。

「為ちゃんなら、為ちゃんとの間に子が生まれたちゅうても、実子と連れ子の差なんかつけんやろが。その上、おとうの夢の、子に学問をつけるっちゅう話にも、力さ貸してくれるっちゅうと思う」

そこまで考えての再婚だったが、為吉の間に子が生まれず、雄一郎の義父への反発以外は感謝しかない日々だった。

次男の敬二郎はすぐに新しい父に馴染んだが、雄一郎は、「あねい、変な男はわしの親やない、わしの親はあの親父だけじゃわい」と男っぽかった亡父と比べては反発し、その波は容易に治まりそうになかった。

1年過ぎたある日、朝から始まった息子の理由の無い反抗についに夕は切れた。彼女は血相を変えて息子を追った。そして玄関先で引き戸に手を伸ばしかけた息子の手をむんずと掴んだ。

「何、何するが」

夕の力は凄かった。彼女はそのまま力一杯息子の頭を壁に押しつけると、思いきり頬をぶっとばした。

「このバチ当たり！　誰がお前やわしを食わしてくれるというのかいのう」

上目遣いに見た母親の顔は涙でぐしゃぐしゃに歪み、薄べったい肩は哀れな程震えていた。

その時から少年の心に微妙な変化が起き始めた。

為吉は、少年のその根強い反抗心が何処から来ているかを知っていた。

だのでそんな場合は、

「雄一郎は元気やがいのう」

「あのくれい、気かん坊であらんと大きい男になれがいのう」

と夕に聞こえるように大声を張り上げた。夕を慰めるためだったが、反面自分にもそう言い聞かせていた。その上結婚の約束通り、雄一郎を中学に入れるために漁に精を出し、漁のない日は里奥の蜜柑山を管理し、がむしゃらに働いた。

18歳、雄一郎が津市の師範学校に入学した時、義父は亡父と同じあの雄々しい海の叫びと誇りを体に貯え、夕げの席についていた。

その姿はどうどうとしてまるで死んだ父が座ってるかのようだった。

彼は海神社で初めて知ったあの輝かしい光の束が再び自分の体を突き抜けるのを感じた。義父は［平等な愛］という衣を羽織り、海の臭いを漂わせていた。

師範を卒業すると、彼は亡父の遺言のような言葉を胸に、東京英語学校の門をくぐった。一方の為吉は、師範も出たことだし、もうこの辺でどこか近隣の町の教師となり、時折家に帰る、そういう生活を望んでもいたようだが。だが雄一郎の情熱はどうしてももっと先まで突っ走ってみたかった。強引に故郷を離れてスタートした都会での生活は青年が常々思い描いていたような甘いものではなかった。

其処はむしろ英字と言う試練と貧しさに追われる戦いの場だった。

そんな折々、彼を励まし支え続けてくれたのは他ならぬ義父のあの海の臭いに浸った海洋の様な幅広い心だった。

しかも義父の海の臭いは彼の感受性を育て、語学以外の世界にも目を向かわせた。東京での生活が2年過ぎる頃にもなると、さすがに義父の存在は亡父の影を越えていた。そしてその頃になって彼は、自分の内側に存在しているものをしっかりと見据えることが出来た。

その存在は［平等な精神］という輝ける仏性そのものだった。

大正12年9月1日、正午前、彼はたまたま日比谷の下宿先にいた。と突然大音響を伴って、大地が上下、左右と激しく激動した。

四畳半の狭い部屋は、恐ろしい音を立ててきしむと、急に体が突き上げられて立っていることが出来ないほどの大きな揺れを感じた。

「地震だ」。辛うじて掴まった柱が横に傾くと、本箱が雄一郎を間一発かすめて横倒しになった。全ての物がまるで生き物のように宙を走る。

再び地鳴りの音を引きずって余震が襲った。戸外は女、子供たちが狂ったように泣き叫んでいる。

後に言う関東大震災だ。その揺れは北海道から朝鮮、沖縄に至るまで人体に伝わり、東京の下町一帯では、強風にあおられた火が四十時間にも及んで燃え広がり、古い市街地を焼失しきった。

全世界の地震計の記録に留めるまでに至ったこの大地震は、震災恐慌や社会的混乱を引き起こし、朝鮮人襲撃や、社会主義者暴動等のデマに踊らされた民衆たちが多数の無実の朝鮮人を殺害し、これを機とばかりに甘粕憲兵大将ら官憲は、大杉栄を初め社会主義運動家たちを惨殺した。

1ヵ月が過ぎ、2ヵ月が過ぎても、雄一郎の消息は依然として掴めなかった。咲き島の住民たちのほとんどが彼の死を信じるようになっていた。だが為吉と夕は、朝に夕に海神社の仏石に顔を触れんばかりに身を屈め、息子の無事をただひたすら祈った。

2人の口からついて出る読経は、朝日に聳える山林をも燃え立たせ、朝の息吹に変えていた。……畦道に鮮やかな彩りを添えていた曼珠沙華も絶え、野菊の群生が風にそよぎ、競い合うかのように虫の音が時の経過を知らせていた。しかし、雄一郎の安否を知る手がかりは一向に何一つとして聞こえて来なかった。耳を澄ませば強さを増した潮騒が冷たく岩を打ち砕き、鋭い風が船材を軋ませて、村里へ冬の到来を告げようとしていた。

早いものだ。もうとっくに12月も半ばを過ぎている。

思い起すと雄一郎は多感で気難しい少年だった。それは為吉自身が夕との婚礼の時に肌で感じ取っていた。

敬二郎のはしゃぎ方と対照的に、雄一郎がまるで全身ですべてを拒むかのように座っている。仕方があるまい。海の叫びにも似た幹男と、小さくオドオドした為吉とは見るからに大きな差が有るのだから。

彼は心を持ち直しては敬二郎のようにいつかは我が子になってくれる雄一郎を待ち続けた。村で初めての特待生となり隣町の中学に進み、師範に入学したあの誇らしい日。どうにか心を伺い知れるようになったこの2～3年。「雄一郎」、為吉は殆ど泣きださんばかりだった。

浜を上がり小路地の石畳を歩き、かさついた落葉を踏みしめて、覚束ない足取りはぼそぼそと長靴の音を引きずりながら夢遊病者のようになって家に辿り着いた。

薄暗い玄関から明かりが漏れている。

（だぞ、来とるんかいのう？）彼はぼんやりとそう考えながら引き戸を引いた。のし烏賊を張り合わせたような板戸は、軋り音をゴトゴト上げていたが突然大仰な音で開いた。

「こりゃっ、誰の靴じゃわい？」

土間によれよれの運動靴が有る。

胸騒ぎがした。勝手の方から足音がバタバタと近づいてくる。

思わず腰板に座り込む為吉の耳に夕の絞りだすような声が聞こえた。

「雄が、……雄がついさっき、帰ったがや。今、風呂に入ってるがや」

為吉は風呂場にすっとんだ。勢い良く風呂場の引戸を開けると、仁王立ちで泡だらけの雄一郎がニカッと笑いながら、

「おやじ。ほれこんなに元気に帰ったぞ」

「……」

「ほれ、この通り、生きてるぞ」

一回り細くなった若者は、それにもかかわらずシャボンの匂いに混じって咲き島の海の香りを放っていた。為吉は込み上げる感情をどうにも押さえることが出来なかった。

為吉はそのままその場に突っ伏すと男泣きに泣いた。

為吉は流れ落ちる涙を頬に受けながら、その涙が、体中に張りつき蠢いていた幹男の、あの巨大な黒い影を洗い流していくのを感じた。小気味の良い恍惚感が全身を浸した。

結婚後、10年目にして為吉はようやく彼らと一続きになったのを感じた。亡者の影がこれ程長きに渡って生者を呪縛するものだろうか？

否、それを乗り越えた為吉は、咲き島の海に確かな男の本能、『征服欲』というのろし火を上げたのである。

こうして郷里に戻った雄一郎は、東京の英語学校が復興するまで母校の臨時教師となり、週末は咲き島に戻る生活を送ることとなった。

弟の敬二郎の方は、中学を卒業するとすぐに神戸の中心地の中山手で紅茶の輸入を行っている貿易商社に勤務したので島を出ていた。

神戸、かつて咲き島から飛び立った先人が、海のルートを利用して始めた蒲鉾屋が大成功を治め、島を賑わしたことがある。そして、それは今だに村人を羨ましがらせている。

第二のサクセスストーリーを夢見た若い衆が、幾人も島を出た。あながち敬二郎の場合も、例外でなかったと思われる。

昭和になって初めての冬が来ていた。雄一郎が咲き島に戻り2年の歳月が過ぎていた。青年は近頃になって、急に考え込んだり、青空の覗く水平線を眺めては溜息を洩らすことが多くなった。2月3日、日曜日、その日珍しく為吉は休漁していて家に居た。

彼は掘り炬燵に足を入れごろりと横になって、ラジオから流れる流行歌に耳を傾けていた。

すーと障子の開く音がして雄一郎が入ってきた。彼はちらりと息子の方を見て、

「のう、雄、今日は休みやよってに、一緒に鬼殺しの柊でも取りに行って、ついでに蜜柑山の様子を見て帰ろうかいのー」

と、声をかけた。なるほど今日は節分の日だ。この地方では柊と藁を束ね、それを玄関や勝手口の軒下に吊り下げるという鬼退治の風習があった。

親子は長押からヤッケを取ると、甚兵衛の上に重ねて裏手に回った。木戸を開けると、極薄の光をかろうじて目に拾うことが出来たが、寒さは肌を刺すように冷たかった。島は坂道のどこで足を止めても、段々畑と入江を出入りする漁船が見え、段々畑の裾野を、住居の屋根々々が岸壁に生息するか らす貝のように黒く縁取っていた。

2人は蜜柑山の有る里の奥に向かった。蜜柑山に着くと、葉先は黄色みを帯びていたが冬害もなく地面を這う野草はほとんど枯れていた。

バネのように伸びた枯木の凹地で、柊の尖った葉は躑り震えていた。

ゼリー状の山肌を木の根っ子から取り除いたり、折れて重なった枯れ枝を一まとめに括ったり。2時間も経たぬ内に鉛色の雲が、森に零れていた日差しまで遮ってしまった。2人はどちらともなく声を掛け、下山を始めた。

「……」

声が聞こえた気がした。雄一郎は立ち止まり、父親の方を振り向いた。

靴裏のように深い縦線がそっぱの口のまわりにめり込み、所々抜け落ちた歯の隙間から、白い息が上がっている。

「どうかいのう。わしは近頃思うんやけど、人生1回きりやさかいに、若い時はもっと冒険してもええかも知れんのう」

雄一郎はあっと声を呑んだ。と言うのも、義父が再三、進めた語学学校への復学を振り切り、こうして島に留まる現状に後悔し始めてた矢先だった。彼の心は低い船橋越しにある、島の生け簀にとらわれた魚のようになり一定の水域を泳いでいた。俎板の上で白い腹を出してるにべは自分の将来を連想させた。頭を打ち落とされた血飛沫は自分の断末魔の呻き声だ。

「けど親父らを置いてこの島を出られんがのー」

「なんでそんなこと心配しとる。わしらのことは心配せんでええんや」

「だけど、親父、……親父には（返すことが出来ない程の恩がある）」

と言おうとすると、為吉の強い語気が遮った。

「のう、雄、お前、親切と言う意味知っとるかのう」

「………」

「親切とは、親を切ることなんや、切ることによってそれぞれ強くなる。そして自分の道を歩く」

「………」

「のう、雄、これが本当の親切と違うんかいのう」

「………」

「何を迷うとる。迷うことなんぞあるか」

「………」

「飛べ、飛ぶんや、この咲き島から」

「………」

「わしら、村の衆は皆熊野水軍の一族よ。あっちにもこっちにも兄弟がおる」

「………」

「のう、雄、よう覚えとれ、お前にも熊野水軍の勇ましい血が流れとるんや、海の誇りを持って戦こうてこい」

黒光りした水軍大将の言葉は未来に届く一振りとなった。


雄一郎は新天地に台湾を選んだ。外語学校で英字に親しんだ2年間の実績は、新しい歴史としての植民地に着目した。あれ以来、雄一郎の心と体は素直に律動し、自由な意志を取り戻していた。

明治27年、日清戦争の勝利により割譲されたこの島は、3年後には陸軍中将、児玉源太郎を台湾総督と仰ぎ、本格的な植民地政策への道を歩んでいた。総督の補佐役で日本を代表する有能官僚、後藤新平は持論の経営哲学を実践し、鉄道、港湾、道路、教育等で、他の植民地に類のない成功ぶりを示していた。

1年後の4月、雄一郎は台湾、高雄州庁の水産課に書記官として採用された。そしてそれが契機のようにその年の秋、結婚した。雄一郎の教師時代の親友の藤堂家の三女、雪子だ。和歌山県と三重県の県境は新宮市だ。そこから熊野灘に面した沿岸を北上すると熊野市に着く。この先七里程のびた砂利浜が熊野街道だ。それより更に北の小さな島々や岬を抜けると木の本町で、その隣が咲き島だ。その後海路は伊勢志摩へと続く。

雪子の家は木本町にあった。熊野市一帯では雄一郎が勤務する木の本町が、県南の政治や文化の中心地だった。

藤堂家一族は教育関係者が多い。だがこの縁談は雄一郎の勤務先の教頭から、彼の台湾行きを知らされた雪子の母の反対で一度は流れた。

この山深い僻地では、台湾と言えば積雲籠る亜熱帯の世界に他ならない。ところがなぜか雪子は雄一郎と結婚する、と言い張る。母親は最後まで思惑外れに進んでしまったこの縁談を嘆いた。

南生子は20才過ぎに、一度だけ雪子に尋ねたことがある。

「ねっ、お母さんたちはお見合い結婚だったの？」

「そうですよ。…あの頃は殆どの人がそうだったの」

それから雪子はクスリと笑って

「実はね、私、その頃、従兄で薬剤師の浩補さんと付き合ってたのよ。でも、結婚に猛反対されてね」

「どうしてなの？」

「血が濃すぎるって理由なの」

「でも沢山いるじゃあないの、そんな人たち」

「そうね。でも、たまには障害児が生まれることもあるのよ、そりゃあ、強く反対されてね」

「まあ」

「それでね、一番遠い人ってことで父さんを選んだの、母親を困らせたかったの」

雪子はその時遠い所を見つめる眼差しになって、

「私ね、親不孝をしてしまったの」と呟いて涙ぐんだ。

雄一郎に寄り添って来たかのように見えた母も様々な心の葛藤があったのだ。母の恋。そんなことを想像して南生子は気恥ずかしさと怒りで自分の頬が赤くなるのを覚えた。母親に女の部分が匂うのが絶えられない、若い生理的嫌悪だ。

雄一郎がめきめき頭角を表したのは、書記官を勤めている時に州知事の演説文に関わった事から始まった。東京で英字に親しむ一方、文を読み、歌を詠むことが彼の人生の扉となった。

当時都内の至る所でアナーキストたちが「無産階級運動」や「労働運動」を繰り広げ、山川イズムはそれらの社会運動における指導理論を発表していた。文芸では、横光利一、萩原朔太郎、近松秋江等が登場し、松井須磨子はカチューシャに扮して「愛」への問い掛けを、有島武郎は４００町歩の北海道農場を開放して政府に人の治め方を知らしめようとしていた。

彼等は文壇で、或いは舞台で歌壇で各ジャンルを越え真剣に、「生」の意味を見出そうとしていた。無論、気づくと雄一郎も言葉の世界に身を投じていた。

35才、州知事に認められ、人生の円熟期を向かえた彼は、多忙な仕事の傍ら内なる精神世界を歌う、戦中派の歌人としても注目を浴びるようになっていた。その時点では彼は咲き島を飛翔したかのように見えた。しかし、敗戦後の火炎の中で消えていった歌人としての雄一郎は、戦後、二度と歌壇に返り咲くことはなかった。新聞に連載された彼の代表作、『戦争と短歌』の一節をここに抜粋して見よう。

「個人の感情を超えて彼等は大君の命の侭に国の護りに身を捧げたのであった。この一兵卒の叫びが彼等祖先の叫びであり、真摯な声は長く子孫の血となって、魂となって、我々に伝わり、今にひしと我々の心を打つものである」

彼は戦争の共犯者としての自分自身を、戦後、役人生活に終止符を打ち、ペンを折ることによって持ち前の責任のありかたを示したと思われる。

昭和15年、南生子の生まれた年に為吉は急死した。享年66才。

そしてその葬儀での家族の再会が、母や弟との別れだった。咲き島を離れる前日の夜半過ぎだった。雄一郎と対照的に、陽気を装ってきたはずの敬二郎が、卓袱台の酒を一気に煽ると、急に帝国主義への批判を熱っぽく語った。雄一郎はドキッとした。弟のらんらんとした目つきに確固たる社会主義者としての骨子が表れている。

荒波の打ち寄せる枕辺で育ち、2人の父の背を見てきた弟には、彼なりの人生への解釈があったようだ。

(厄介なことになった) 雄一郎は青くなった。時と場合によっては自分どころか、家族の身も危ない。そんな彼の様子に敬二郎はすぐに「兄貴には何も心配は無い」と何事かを覚悟したような言葉を示し、黙って頷いた。雄一郎も黙って頷いた。2人の間で無言の了解と合意が交わされ、それを最後に弟の消息がばったり途絶えた。

夕のもとに敬二郎の獄死の報が届いたのは、戦後まもなくだった。夕はその報を手にするや、まるで恐ろしいものを見たかのように唇をわなわな震わせ、仏壇の前に倒れこんだ。

そんな夕を守りぬいたのは、夕の妹夫婦、川口一家だけだった。夕の弟夫婦も甥や姪夫婦も、幹男の親族たちも、まるで他人事のように振る舞い、村の衆たちの「おっそろしいのー、敬二郎は非国民やったんやでー」の言葉に同調するばかりで、それどころかむしろ我が身の潔白を明かすかのように、率先して夕を非難した。

雄一郎一家が帰国する僅か1ヶ月前、荒磯がごうごうと吠える極寒の朝、夕は死んだ。非国民の息子の母だった、というショックが彼女を死に追いやったものと考えられる。

昭和18年、日本軍の劣勢は日増しに色濃くなっていった。だが、『聖戦』の勝利に眩惑された大多数の国民は東条政権に追随していく。

昭和20年、8月6日、ついに恐るべき日がやって来た。西日本一の軍都、広島に地獄の使者、原子爆弾「リトル・ボーイ」が投下された。この光る物体の熱線、熱風、放射線は、一瞬の内に全市を廃墟にし、更に3日後、2発目の原子爆弾「ファットマン」が長崎に投下された。

昭和20年8月15日。真夏の下、日本はポツダム宣言を受諾すると無条件降伏した。日本もこの大惨事を前に、やっと日本の一番長い日、［玉音放送］に到達した。

戦争は終わった！　平和の足音が響いて来る！　もうこれ以上死ぬ者はいない。夫や息子たちを戦場に送ることはない。

アジアの苦闘と血の呻きを栄養に、途方もない巨漢に成長した大日本帝国の植民地政策の辣腕は、日本の神と崇める人の一声でやっと終止符を打った。その日、６００万人もの外地に住む日本人は玉音放送で慟哭し、同じ日、日本降伏のビラが北京の上空を舞い上がった。

勝った！　勝った！　喜びに湧く中国人たち。朝鮮の京城『ソウル』の南大門通りでも「マンセイ」の叫び声と白い民族衣装の波、波、波で埋めつくされた。これは彼らにとって、待ちに待った傲慢な日本軍の殺戮と弾圧からの開放に湧く喜びの瞬間だった。

井沢雄一郎への勲章、高等官銃殺。戦後の混乱の嵐が吹き荒れる中、疎開先の西松より自宅に戻った彼は、奥座敷の机を前に、妻と子供たちに最後の挨拶を交わした。

１ヵ月後の９月の末、アメリカ大使館では、マッカーサーによる天皇の会見、続いて記念撮影が行われた。黒いモーニングに身を包んだ天皇の隣に軍服姿のマッカーサーが腰に手を当てて傲然と立っている。

敗戦を当然予想していた雄一郎であったが、さすがにその写真が掲載された時は、新聞を手に激しい衝撃に襲われた。それは次の新しい日本の支配者が誰であるかということを如実に物語っていた。

しかしこの痛みは、彼の、日本の、これから始まろうとしている民主化、自由主義化への第一歩だった。

米国はすでに開戦の翌年より戦後の対日占領政策について、極東アジアにおける日本の位置付けを作成していた。日本の潜在的工業力を高く評価した彼らは、民主化と適度の工業化を推進し、沖縄と千島を削り取った小振りな島として、日本を極東アジアの一部に仕立て上げようとしていた。だがこの政策は皮肉にも、40年後の日米間に、深刻な経済摩擦を起こすほどに成長させた。

黒いこうもり傘をかざし、肩よりも大きい大鍋を背負う国民党の兵士たちの凱旋は、勇敢というよりも奇妙なものだった。彼らは邸宅を片っ端から占領すると、みるみるうちに自分たちの住処へと変えていく。早くも庭の至る所に大鍋が据えられ、濃厚な料理の臭いが町中を流れる。

「チャップンライ」彼らは見境いなく通り行く人々に声をかける。

お腹空いていないか？　と言う野卑な挨拶言葉だ。

一変した市中の繁華街では、彷徨える日本人たちが路上にゴザを広げ、家財道具を叩き売っている。優雅な取っ手のついた紅茶茶碗に美しい花柄の西洋皿。銀製品。日本人形。着物。あげくは靴や帽子に至るまで。そのような情勢の中で雄一郎の家は違った風景としてまだ存在していた。

銃殺刑を免れた雄一郎は財務処理に当たることになった。それを聞いた雪子は、別れの挨拶の時に見せなかった気弱な表情を夫の胸に埋めて、子供のように泣きじゃくった。

戦前、白日の下、州庁の廊下に靴音が響くと公舎では咳払いや襟元のボタンを確かめる者、ネクタイの位置を正す者の姿が見受けられた。緊張した空気の走る中を黒長靴の雄一郎が硬い表情で現われる。しかし、彼は公正を判断と行動の原点としていたので、日本の統治下でも台湾人の部下を平等に扱い接してきた。そのせいか敗戦後、数家族もの人で膨れ上がった彼の自宅に、台湾住民からの食料が届けられ、帰国に至る迄なんとか生活を維持することが出来た。

昭和21年1月1日、日本人の子供たちは、旧日本人学校の校庭に集められると、教師に引率されながら幾時間も幾時間もこけし水の様な影をフラフラにさせながら新国家を称え町を歩いて回った。

「サンミィー　ツゥィー　ウゥーター　ソゥトン・イチェンーミンコー　イチンータァトン…」

前を歩く三つ編みの少女の涙を見て12才の暁はこの時、やっと日本の完全な敗北をはっきりと、心と体にたたき込んだ。

雄一郎が財務整理を終え、一家で帰国したのは4月だった。


雪子と同郷の友は台湾人との間の子供がいた。教育制度の拡充していた当時の台湾では、日本への留学は一般化しており彼女の夫も京都大学の医学部卒だった。彼女は二度と会えないであろう、雪子の手を固く握り締め、戦前は台湾人の夫を持つことで子供たちに肩身の狭い思いをさせ、今度は自分が日本人で有ることで子供たちを苦しめると泣き伏した。

彼女も又、異郷で孤独に耐えねばならぬ生活がぽっかりと口を拡げて待っていた。

引き上げ船は８０００トン級の貨物船だった。

出発の数時間前が来ても、帰国者たちを取りまとめていた雄一郎は家族と接する暇すらなかった。疲れ果てた雪子がちょっと目を離したすきに南生子が迷子になった。土埃と人込みの高雄港を数人の大人たちが引きつった顔で四方、八方へと駆け抜ける。

刻々と近づく出発を前に、夫婦は苦渋に満ちた選択を迫られていた。

……雄一郎が残るか、家族全員が残るか、南生子をあきらめるか。

南生子が見つかったのは雪子の日頃の用心深さがもたらした幸運としか言いようがない。この混乱を予感した雪子は、子供たちの服装を黄色地に白色の水玉模様に揃えた。もちろん暁に至るまで。黄色は目立った。

「黄色い水玉の女の子知りませんか」

「黄色い水玉のワンピースを着た子供、知りませんか」

転げるように走り回って間一髪で捜し出した時、南生子は見知らぬ台湾人のおじさんに抱っこされて無心にアンパンを齧っていた。

「紐でくくりつけろ」

南生子にとって一番古い父親の記憶の断片である。

そんな訳で、荷出しの遅れた雄一郎一家は、制限された荷物の大半を諦めねばならなかった。

黒い煙と最後の汽笛を合図に船は様々な人間の運命を積み上げ、広島県大竹港を目指して岸壁を離れた。

早くも船尾の方から拍手と歌声が聞こえて来る。

「さらば台湾よ、又来る日まで、しばし別れの涙が滲む」

蜃気楼のように消えては浮かび、浮かんでは消えるイラ・フェルモサ（美しい島）台湾、気がつけばそれもすっかり視界から去っていた。

躊躇うこともなく船は真っすぐ日本へと進路を取っていた。ただ夜になると、機雷を避けるため静止して沈黙する。貨物船の中で、暁は初めて水葬に直面した。仄暗いデッキから真っ黒な海洋に、簡単な木箱に入れられたその人はそっと海へ落とされた。海は極限の人間の感情に何ら関心を示すことなく受け入れると、その後気味が悪い程静かになった。

すべてが仮借なく進行していた。デッキの上では肩を寄せ合った2人の少女が泣き叫んでいる。

はっと目を凝らす暁の瞼を突然まろやかな手が覆った。

雪子が背後から目隠しをしたのだ。

「暁、こっちにいらっしゃい」

抱き締めた彼女の顔は涙で光っていた。その光った雫を目にするや尚、少年は力一杯母親に組みつき、声を上げて泣き出した。小さな指先の一本一本に力をこめて。

「めし上げ」

船内に響く船員の声。1日2度の食事配給だ。船での帰路は、暁や子供たちにとって楽しい思い出が数多く残っている。トランプに興じる家族、鬼ごっこをする子供たち、民謡を踊るグループ、あげくは、のど自慢大会までも行われた。一団はだれしも、わずかに与えられたこの平和と触れ合う刻の隙間に身を委ね、高まっては拡がり押し寄せては轟く闇の声を、海の沖へと流し去ろうとしていた。

2週間余り費やして帰国した引揚者を待っていたのは、まずMPたちによる引揚者たちへの消毒だった。それはきわめて原始的な方法を取った。

つまり頭の先からDDTという粉末の殺虫剤を浴びせることだ。

雪子は子供たちの衣服についた白い粉を払うと、虚ろな瞳になって元気をなくしてしまった。後になって彼女は、

「私が日本に帰って最初に現実に目覚めたのは、あのDDT

を頭から浴びた時なの」と回想している。

無一文で引き揚げた雄一郎一家は、まず紀州の雪子の姉の家に一旦身を寄せ、咲き島の夕からの連絡を待つことから始まった。

そして、そこで初めて川口夫婦から夕の訃報を知らされた。しかも敬二郎の獄死の報も。

「あのですがいのー、びっくりするかと思うんですがいのー、夕おねえは去年の12月に死んだんですがいのー。それと、これおねえに預かってたもんですがいのー」

と一通の通帳を手渡された。なんと台湾から両親に仕送りをしていた金をそっくりそのまま、手も付けずに貯めていたようだ。当時の金で１０００円、蜜柑山に木造の家がなんとか建つ金額だ。

親とは、親とは！　彼の頭は走馬灯のように敬二郎や夕、そして為吉と共に過ごした咲き島の日々が駆け巡った。

帰国して2ヵ月、雄一郎一家は川口夫婦に助けられ、蜜柑山の木造家屋の着工と、川口夫婦や村長を仲立ちに、為吉と夕が住んでいた家を処分し、それで得た資金で造船所を作ることにした。

彼はどうあっても為吉と夕が住んでいた家に子供たちを住ませたくなかった。村の衆と子供との距離を置きたかった。子供たちにまで意地悪な視線や好奇心に満ちた言葉を浴びせかける、あの独特のよそ者扱いに閉口もしていた。

もともと為吉一家は子連れ、夕との結婚を良い目で見ていなかった。弟は騙された。あの一家に利用されただけや。あねえに働らかされて、そやよってに早よう死んだんやが。彼らはいや彼らだけでなくほとんどの島の住民はそう思っていた。当然、咲き島に戻る決心をした時からこのようなことが起きることは予測出来た。しかし、一家にとって戦後の混乱をくぐり抜ける場所は、この咲き島以外にはなかった。

確かに村人の視線通り、彼は台湾に渡り2度しか帰国していない。

忙しい日々を送っていた雄一郎には日本の南海の涯、熊野は余りにも遠すぎた。1度目は昭和12年、雄一郎の内地への出張と、雪子が2人目の子供を出産した時だ。

4年ぶりに息子夫婦と再会した為吉と夕は、ビロードのように艶やかな瞳と異国の香りに浸った念願の初孫、［暁］をしっかりと胸に受けとめることが出来た。孫は島で見たことのない坊っちゃん刈りの頭髪を風になびかせて、眩しく輝いて見えた。とくに為吉は5月の穏やかな陽射しの島を、海へ……、山へ……、森へと暁を肩車に連れ歩いた。

わざわざ青梅のように堅い実をつけた蜜柑畑を通って、いつもの坂道の上の海神社の広場に立つ為吉は、子供のようにはしゃいでいた。

もうすぐ3才になる暁は雛鳥のように小さな体を窄めて為吉の両腕の中にいた。

「のう、暁坊……。じっちゃんはこの熊野水軍の兵士じゃ。この島の兵士たちはのう、死んだ後もまっこう鯨になって、ずっーとずっーと大昔からこの海を守っとるんや」

「まっこう鯨ってなーに?」

円らな瞳は為吉を見上げた。

「ハッーハッーハ。まっこう鯨ってな、海の中で一番でっかい魚で、めっぽう優しいくて強いんじゃ」

「じゃあー、じっちゃんはまっこう鯨の王様なの?」

「ウ、ウーン、じっちゃんはその兵士じゃ。でも王様を守るんじゃからじっちゃんもえろう強いんじゃ。のう、暁坊、……暁坊は大きゅうなったら王様になるんじゃ。王様になったらじっちゃんは兵隊になって暁坊をずっーと守るぞー」

「ウン、……ボク、大きくなったら王様になる」

子供の瞳は一段と大きくなって輝いた。

今まで感じたことのない柔らかい感情が為吉の体を満たしていた。

実子を持つことのなかった為吉はこの小さな体が猛烈に愛しく思えた。

ほぼ2ヵ月の滞在中、雪子は長女［藍子］を出産した。為吉らはこの短い期間に2人目の孫に恵まれることが出来た。為吉は真珠の玉のような可憐な指先を突っ突いては夕に叱られた。指先はときどきパラ、パラと開いて真珠の玉が飛び散るかのように見えた。為吉は自分の黒々と皺まみれのゴムのような手を眺めては溜め息をついた。

見れば見るほど不思議だった。かすかに開いた淡い唇。うっすら緑がかった毛細血管が透けて見える瞼。ちょっと触れただけで破れそうな柔らかい肌。何一つ不足することなく縮小されたそれらは、正確に各部位に具わっている。無垢の新しい生命は、英知に磨きぬかれた偉人たちよりも、遥かに感動を生んだ。形よく整えられた老松よりも、その側でやっと芽吹き始めた若葉のように。だがその感動を呼ぶ赤ん坊は、他の赤ん坊と少し異なって見えた。めったに大声で泣くことはなかった。

夕はそんな孫を見て、

「この子は月のように静かやがー」

と言った。それ以来、嬰児は［お月様］と呼ばれることとなった。お月様はめったに泣くことがなかった。

表情にも乏しかった。そのはずである。彼女は先天性の心臓弁膜症と言う病を持って生まれたのだから。

南生子とその姉妹たち

閉店後のアトリエKのショールームにチャイムがひっそりと響いている。オーナーの南生子はこの9月に、41才になったところだ。

今から16年前に、このアトリエKの主人、小島豊から突然求婚された。

慌ただしい1月が終わり、朝から降ったり止んだりしていた雨も、午後には止んでいたが、外は凍てつくように寒い日だった。

南生子が芦屋の洋装店、ベルボーデに勤めて5年の歳月が経っていた。彼女の指先からは、確かなカッティングの技術が生き生きと生まれ出、その昔、父、雄一郎が感じたようなしたたかな野心が、彼女の胸にも色づき始めていた。だがその一方では、これから先の服飾界に一抹の不安を抱いていた。というのもここ2年程前から、お客の嗜好がオーダーからプレタポルテへと移りつつあった。そういうわけからベルボーテ自体も既製服やインポートものを扱い始めた。インポートの製品は見るかに高級志向で色も柄も良く、デザインも斬新で、とてもじゃないがオーダーでは勝ち目がなかった。サイズにしても、ちょっと詰めるとか、ちょっと広げるとか、好みの丈にするとかで十分その人のものになった。

プレタポルテが主流になれば、南生子たち、つまりお針子の仕事が無くなる。その内に小さな洋装店でも、と独立を夢見ていた彼女は、その夢すら捨てなければならない。現にオーダーの売り上げが減りはじめ、既製服の方が伸びてきている。となると自分たちはただのお直し専門か、もしくは店員の世界だ。

そんな不安な日々を送っていた矢先のプロポーズだった。

その人、小島豊のことは南生子は良く知っている。ベルボーデの主人の友人で、背丈は160センチ、あるか無いか?

男にしてはずいぶん小柄だ。年は彼女より一回り上で、北野坂の異人館の一階でブティックを経営しているとの事、同僚からのちょい聞きだが、ショールームに使ってる異人館が素敵らしい。その時はまったく無縁の世界と思い、みんなが話す異人館について興味すら湧かなかった。

知っているといってもせいぜいその程度で、その彼が時々この洋装店にやって来て、主人の上村省吾と話し込んでいく。南生子が初めてベルボーデに勤めた日に小島に出会った。コチコチになってお茶を運んできた南生子を見て、その人は一瞬かすかに微笑んだのを覚えている。

その後、ベルボーデの店の行事、例えば新年会とか、お花見とか、そんな時決まって彼が現われた。別にそれだからといって特別遊びに誘われたわけではない。そんなわけなので南生子にとっては、今日の小島の言葉は以外であった。

極度に緊張した彼女は、震える声でやっと、

「家族に相談してみます」

とだけ言った。そんな彼女に、小島は、

「家族ではなく君の気持ちが大切なんだ」

驚くほど、真っすぐな瞳だった。南生子は黙ってうつむい

た。1~2分の沈黙だったと思う。だが、豊にとってはずいぶん長い時間のように感じられた。彼の心は南生子を一目見たときから騒いでやまなかった。色白でやや吊り上がった切れ長の瞳は透明に輝き、ひた向きさがにじみ出ていた。だがその頃彼女はまだまだ少女でしかなかった。

彼はしぶとく南生子が成人するのを待った。そんな南生子の態度が2年前に姉を喪った時から急に変化し始めた。影のような、哀しみのような、そんな魅力が彼女を支配して、それが少女から女へと脱皮させようとしていた。豊は慌てた。今、彼女に結婚を申し込まなければ永遠に自分の前から姿を消してしまう。思いつめた彼は友人の上村に電話をいれた。

上村はあっさりと、

「君の気持ちは薄々感じていたよ。……自分から言えよ。南生子ちゃんは真面目で他の店員には見られない行儀の良さを感じさせる子だよ」

べたぼめだ。

「じゃー、今日、仕事が終わる頃にそちらに出掛けてもいいかな」

「ああ、いいよ。それじゃあ、それなりの準備をしておくよ」

豊は、真剣だった。だが南生子は硬い声で、

「一週間待って下さい。……余りにも思いがけなくて。自分の心がわかりません」

「いや、……ずいぶん前から、君がここに勤めたときから、君のことを想ってたんだ」

「………」

「僕は、…僕は必ず君を幸せにするよ」

「………」

つまって、あせって、ずいぶん恥ずかしい言葉を口にしたように思う。

そこで、豊は最後の切り札の言葉を言った。

「君さえ良ければ二人で一緒に北野坂の店を大きく育てないか」

豊は知っていた。南生子がどれ程、仕事に情熱を傾けているかということを。それであえて最後の言葉を口に出した。ほとんどの物が金で買えることを知っている男の、南生子はそんな彼の渇望の対象だった。豊はこの言葉に新しい未来の賭けをした。

国鉄［新長田］駅より北へ10分程歩くと、細い路地が複雑に入り込む長屋街が広がっている。南生子の家はその一角にあった。だが家が近づくにつれて暗鬱な影が南生子を取り巻き足取りを重くした。

不意に名状し難い絶望感が走った。未来を失った青春。今だに継ぎ合わされることのない私たち姉妹のシークレットクライ……。

この疎ましい現実、疎ましい感傷。だが、この疎ましいも

のは、しがらみとなって家族の全身に貼りついている。

熱帯日の続く狂おしい程のある盛夏、南生子は新学期に入ってまもなく精神病棟に送られてしまった姉のことを思って眠れない夜を過ごしていた。今まで私の隣に寝ていた藍子姉さんがあんな悲しい姿で運ばれて行った。この事実だけが一番感じやすい年頃の少女の胸に、はっきり刻まれた。

前年のクリスマスの夜、珍しく蒲団の中から語りかけた姉。

「ねっ、南生子。…私がこんな病気で苦しむのは台湾にいた頃、靴を履かせてくれたリイヤ（現地人のメイド）に意地悪したの。私ね、…あんまり、リイヤが靴の紐を結ぶのが遅かったので、お臍が飛び出てるお腹を靴ベラで思い切り突いたの。私のことをあんなに大事にしてくれていたのに、あんなことして」

「………」

「きっと私、……その時の罰が当たっているのよ」

最後の声が震えている。瞬間、南生子は思わずくるりと姉の方に体を向けた。

「そんなこと、……そんなことだったら私だって一杯してきてる」

藍子は、南生子だったらすっかり忘れてしまってるような思い出で、今も自分を責めている。

「ねっ、私、……ようかんの洋次の方ね、私の大好きな人形を庭に放り投げたので、飛び掛かって、歯で思いっきりシャツを引き裂いたことがあるの」

「………」

「もっとあるの。ほらあのお腹の飛び出たリイヤね、母さんの目を盗んで足を踏んでみたことがあるの。柔らかいかどうかを確かめたくて」

「もっともっと、……私、もっと沢山あるわ」

無性に慰めたかった。藍子はほっとしたような息を漏らすとクスクス笑って、

「南生子もいけないことをして来ているのね」

そう言って、妹の髪の毛に手を伸ばすとそっとかき上げた。かき上げられた髪の毛は素直な音を立てながら南生子の頬に被さるように落ちた。

その3ヵ月後、幼女の頃からお月様と呼ばれ月のように静かに育った藍子は、石のように心を固く閉ざすと、社会が隠す迷路の世界へと連れ去られてしまった。父母は子供たちを前に必死に説得した。

「あの子は余りにも神経が過敏だったのよ」

「この病気はノイローゼと呼ばれる現代病の一つなんだ」

（ノイローゼってどういう意味だろう）ほんの僅か南生子は考えた。

「何も恐れることはないんだよ。何も隠す必要もないんだよ。」

「そうですよ。父さんの言っているとおりですよ。私たちの

間には精神病の血なんて流れてないんですから」

だが隣に座っている亜紗子は、目に涙を一杯溜めて美里の手をしっかり握り締めながら叫んだ。

「……もう、……もう、誰もお嫁に貰ってくれない」

その声に怯えて南生子も体がくるくるコマのように回るのを覚えた。（ダメ、私まで狂ったら）

（暁兄さん）……。彼女はキッと唇をかみしめて兄の方を見た。

この時、今まで黙っていた暁が始めて口を開いた。

彼は妹たちの顔を見ながら、

「皆、何をウロウロしている。父さんや母さんが言ったとおり、藍子の場合は遺伝じゃないんだ。可哀相に藍子は、きっと心臓がペコペコするのが怖くて耐えきれなかったんだ」

確かに、この場は多少、不安は薄らいだ。だが、4ヵ月過ぎても藍子は退院して来なかった。

南生子は汗に濡れながら様々な想像を巡らせた。

電気ショック。姉の絶叫が聞こえた。

ああー。どうしょう。彼女は蒲団に顔をふせ悶々と苦しんでいたが、ついに身の置き場がなくなり、部屋からそっと抜け出すと、足音を忍ばせながら階段を踏み、二階の物干し台に出た。

明るい内はうっとおしいばかりに連なる長屋の屋根も、剥げ落ちた壁も、すべて闇の内に沈み静かに眠っている。彼女はこの暗闇に包まれて初めて全身の力をぬいた。気づくと南生子の後ろに暁が影のように立っていた。

「……眠れないのか」

真っ直ぐ向いたままおかっぱ頭はこっくりと頷いた。

……ハッブルの膨張する宇宙。ビックバン。夜空を横切る光の大河。

暁の話に南生子は自分たちの住むこの地球が、数億十万個の銀河の中のたった一つの小さな星にすぎなく、自分が今こうして苦しんでいることなんて、点にも満たない小さな出来事なんだと思わせ、そのことによって徐々に癒されていった。

「南生子。5000年程前、チグリスやユーフラテス河のシュメール人たちはね、1ヵ月を29日、30日と考えて、真っ黒な新月を月の初めとしたんだよ」

「…」

ちょうどこの時、紫紺色の彼方に一筋の光が線をひいた。

「あっ！　流れ星」

何十万光年の宇宙のメッセージは、確かにこの時、何事か予言的なものを少女に与えようとしていた。

だがその反対に暁は、急に壊れそうな危うい笑みを浮かべ、

「この世はね。みんな道化師なんだ。そして知って踊るか、知らないで踊るかだ。どうせなら知って踊りたいね」と言った。

その夜、南生子は決めた。栄光に包まれて踊る道化師にな

ることを。

（藍子姉さん、……姉さんはどんな道化師なの？）

長女藍子が、最初の心臓発作に見舞われたのは、高校2年の2学期で、その年の秋は長雨の天候が続いていた。

午前7時、それぞれの通勤、通学の支度を終えた家族は、慌ただしい朝食を迎えようとしていた。すると、突然座敷で、制服に手を通していた藍子が、「お母さん……」と悲鳴を上げて胸元を押さえながら蹲った。激しいチアノーゼの為に唇が黒ずみ、土色を帯びた顔は苦しげに引きつっている。

あれから2ヵ月とちょっと。光の通らない奥座敷で、血の気の失せた彼女は、白いかさついた肌を横たえ、浅い息を吐きながらそれでもなお生きようとしていた。

「お父さん助けて」

「お母さん恐い」

重い空気の底で、心臓を摘み取ろうと擦り寄るハイエナの灰色の影や、体にしがみつく死神に怯える娘の手足を摩りながら、夫婦は赤く充血した目を天に向け、祈りともとれる言葉を吐いていた。

「大丈夫だからね」

「父さんも母さんも傍にいるよ」

不思議と呪文に近いその言葉が藍子の体を満すと、蒲団の上からでも判るほどの心臓の起伏が静かに治まっていく。あるいは、そのまま命が絶えていたならば一つの清らかな命は、美しい蕾の侭で終わっていただろう。しかし、懸命の両親の看病と医師の力で、藍子は再び生を取り戻し、悲劇的な事件に行き当たってしまった。

その年の12月24日、藍子はやっと微かな笑みを浮かべ、家族と共に久しぶりにお膳を囲んだ。

入浴をすませた雄一郎が、いつもの席に腰を下ろすと、雪子が節約に節約を重ねて用意したすき焼きが白い湯気を上げかけていた。雄一郎はこれも、雪子が何かの時にと置いていた、進物用のワインに目を止めると、子供たちにグラスを持ってこさせた。子供だからと、僅かに注がれるワインが杯の底を赤く染める度に、子供たちは目を見開きうっとりした。

「藍子、全快おめでとう！　そしてクリスマスイブ」

雄一郎の朗らかな声と雪子のうるうるした瞳。全員、杯を目線まで引き上げると一斉に首を傾ける。南生子はさり気ない中で薫る家族のこの厳粛な時と共に、母の姿を愛した。

背筋の伸びた無駄のない身体となだらかな肩の稜線。細面ての顔は、伏し目がちに軽く一点を見つめ、指先をきっちり揃えて杯を受けて静かに会釈する。（母さんのようにあんなに綺麗な挨拶が身に付いたらどんなに素敵かしら）そう思ってそっと眺める。

そしてそんな時だけ許される豊かだった台湾、高雄州への一刻。

台湾松の生い繁る門から玄関にかけて、囁くように続く優美な曲線のアプローチ…。その繁みを斜めに歩くと、竹のくぐり戸がひょっこり覗き、くぐり戸の向こうの飛び石が池へと続く。強い光を飲み込む蹲の気怠い水音。久しく故郷を離れた日本人はまずこの池のほとりでほっとくつろぎ、大日本帝国の甘い語らいに心を奪われる。

……2000年の歴史をもつ我が皇国日本……。延々と続く世界制覇の果てしない崇拝と欲望。ふと一瞬、日本にいる錯覚を覚える。

しかしよく見ると、1000坪ほどの敷地にはシュロ、ヤシの木、モッカ等の亜熱帯地方の植物が高く育ち、高床式の日本家屋とレンガ塀が不思議にマッチして和洋折衷の異国情緒をかもしだす。

ある真夏の暑い夜、簾がゆるりと揺れる広縁越しの奥座敷で、鯉の鈍く跳ねる音を聞きながら、色とりどりの紙風船や、蛍の飛び交う浴衣を着た子供たちが、母親にくっついておねだりをしていた。

「母ちゃま。7つの鐘のお歌、歌って……」

紺地の浴衣を好んで纏う雪子は、その日も紺地に白い朝顔の柄の浴衣を着て、生後間もない亜紗子の寝顔に団扇で風を送っていた。

床の間には芙蓉の花が竹篭の中で白い顔を覗かせ［瀧、直下、三千丈］、とお軸が揺らめき、微かな風のそよぎを伝えていた。

雪子は、「この歌はね、私が東京の女学校にいた時に習ったの。先生はね、ねんねんころり、おころりよりもこの子守歌の方がずっと音感教育によろしい。皆様方も覚えて未来の子供たちに伝承して下さいってね。あなた方もずっとずっと大人になったら歌ってあげてね」

と言うと、ウエーブが付き、後ろに纏めた髪を触りながら子供たちを見まわすと、囁くように歌い始めた。

「泣く子、揺り揺りつい泣かされて、行けば行く程日が遠くなる。お乳、上げようにも母ちゃまどこへ、野やら山やら、あれ父ちゃまよ。道はしるべの良い星様よ、菜種の花には夜露が光る。泣く子恐ろしや、あれ狐火よ、寺の七つの鐘が鳴る」

母親を亡くし子供をあやす父親の子守歌は、物悲しい旋律を帯びて染み通るように響くと、子供たちは深い眠りの森へと誘われる。

その夜、雄一郎は［戦えば危やうしという土地にして、亜紗子、初誕生を祝う］を亜紗子に寄せた。

近所に住む双子の姉妹［フーちゃん。ミーちゃん］でも南生子より何才か年上のフーちゃんは、爪先が紫色に変わる病気で死んでしまった。フーちゃんの母様は、死臭が漂うようになってやっと娘の死を認めたという。［洋次］と［勝次］。

皆は二人合わせてこの兄弟を［ようかん］と呼んだ。

暁はこの悪ガキ共とよく一緒に台湾松によじ登っていたが、いつの間にやら一人離れて木の枝に腰をかけ、セパードを相手に戯れる近所の子供や、妹たちの姿を黙って上から眺めていた。少年は南国の強烈な光の中で何を見ていたのか？　そしてその光の中で何を考えていたのだろう？

雪子は、木の上の暁に向かって、

「暁、降りていらっしゃい。皆と一緒に遊びなさい」

と他者と容易に馴染めぬ息子を躍起になって呼びかけ、いつも仲間に加えさせようとしていたが。遊び戯れる子供たちに「ピーッ」というホイッスルの音が聞こえた。結婚前迄明治神宮でテニスの試合に出ていたという雪子は、屋外で子供たちを遊ばす時はいつもホイッスルを首に下げて集合のサインにしていた。

紺地に白の水玉のワンピースを着た母が、白い衿をひらひらさせながら手招きする。日除け用の八角形の屋根の下の丸いテーブルには、クリームパフェや色鮮やかな果物が入ったガラスの器が並べられ、午後の陽射しを反射していた。

子供たちはリイヤたちに手や口を拭いてもらうと、黄色い声を上げながら、我先にと白い屋根を目指して駆けだす。そして人気者の［玉ちゃん］も。猫嫌いの雄一郎に、雪子が半ば押し切る状態で飼った玉ちゃんは、そのせいかお利口で、雪子手製の刺繍入りのエプロンを毎日取り替えては野良猫の番をし、悪戯盛りの南生子が広縁から転げ落ちそうになったのを、雪子に知らせたという。そのお手柄ですっかり家族の仲間入りをした彼女は、灯火官制のしかれた高雄から疎開先の［酉松］に移動する際も、子供たちの胸に抱かれていた。

10才の暁は酉松（からすみの産地）では、毎朝のようにゆで卵の黄身だけ入った篭を背負い、現地人と共の、ボラの餌やりを楽しみにしていた。

雄一郎一家が強い絆で結ばれたのは、戦後の咲き島で［よそ者］として暮らした日々があったからだ。

村人たちの意地の悪い攻撃は真っ先に子供たちに向けられた。中学に通う暁の後を子供たちが囃し立てる。暁が振り向くと一声に口が尖る。

「墓のメシ食った」

「墓のメシ食った」

ずらりと子供たちの列が続いている。素早くヘビの尻尾を掴んで振り回しては地面に打ち付けて遊ぶ子供たち。ガキ大将にそれを強要され、あっという間にヘビに咬まれた暁を囲み、子供らは毒づく。

「それ、日暮れへビやでえ」

「……………」

「このヘビ、毒がきついから日が暮れる頃にお前は死ぬんや」

「……」

可哀相に暁はその日の日没をどんなにか青ざめ、震えながら迎えたことか。こんな状況で早くも少年は死の恐怖を体験した。雄一郎は弱虫の息子に、時々とっぷり日の落ちた三角山から、提灯を持たせて村里へお使いに出した。大人の足でも30分はかかる所にである。

雪子は、「まだ子供じゃあないですか」と、雄一郎を強くなじったが。

暁が初めて1人で夜道を下った時、山は昼間とうって変った恐ろしい形相で少年に迫った。不気味に寝静まった山道をタヌキや野ウサギの影が駆け抜ける。優しく聞こえていたはずの川のせせらぎも、岩に叩きつける波の音も、時折、悪魔のように大仰な声を上げて少年をぎょっとさせた。いつまでも耳をついて離れない怪しげな足音。少年が足早になるときまってそれも早くなる。止まればそれもじっと様子をうかがう。それが自分の足音だと気づいた時の滑稽さ。

あっという間に3年が過ぎた。そしてその頃になると、暁は［生き字引］と、いうあっぱれなあだ名をつけられ子供たちのリーダーになっていた。

すぐ泣きベソをかいていた［ぼっちゃま］はいつの間にか逞しい少年へと変貌し、藍子、南生子、亜紗子、美里たち、4人姉妹も赤い頬を潮風にさらして大自然の咲き島へと融合していった。

スペシャリストへ向って

昭和34年4月、南生子は北野町の服飾専門学校に入学した。世俗的な計りを持ち合わせない透明な心と体は、6年前の夏の夜の暁との会話が、スペシャリストになって独立するという野心の引き金となった。

洋裁学校では池内真子と阿萬瑛子との出会いがあった。

2才年上の真子の父は戦争中、爆弾箱を作る工場を経営していたが、戦後、戦争加担者のレッテルを払拭するためにと始めた、社会福祉事業（無料の学校経営）に失敗すると忽然と姿を消し、今もなお行方不明だという。

残された母親は、借金取りから子供を守るために離婚し、心労の余り程なく病死したという。今は弟と一緒に母親の妹にあたる叔母様に育てられているらしい。小柄でいつも柔和な彼女であったが、授業が始まるとまったく別人の厳しい表情を見せて学習に臨んだ。もう1人の友人瑛子は、天草から独りぼっちでクリーニング業の叔父を頼って上神した。

父親は小学校の校長だったが、戦後沸き上がる民主主義の扇動の中で、自分自身の生きるべき方向を見失って狂ってしまったそうだ。

学校の校庭に現れた父親は決って壇上に立ち、四方を見渡して敬礼をする。そんな姿を村の子供たちが追い掛けまわす。

その話を聞いた瞬間、南生子は心臓がまるで大きな打楽器で打たれたかのようにガラガラと音を立てて走り出すのを覚えた。南生子は阿萬瑛子のうっすらと青味がかったその瞳の裏に自分と同じ暗い影がちらつくのを見てとった。

彼女の母親は、そのような環境から娘を守るために遠く離れた神戸を選び、服飾デザイナーへの道を歩ませたと言う。そこには3人、3様、子供を思う母親の切ない吐息が、大地を這う蔓草のように果てしなく広がっていた。未発達のオリーブの枝のように長い手足の瑛子。いつも空腹を訴えていた少女。しかし瑛子は充分人目を引く美しさが備わり、まもなくその美しさにふさわしい運命が彼女を華麗に変容させようとしていた。

生徒たちの中にも彼女たち同様、それぞれ事情を抱え職業を身に付けようとしてる者もいたが、大多数は花嫁修業の一つとして、まま、気楽に［縫うこと］を楽しんでいた。そんな中で3人はそれぞれの不安の影をちらつかせながら一つの場所へと集合した　3つの影はおずおずと、自らの内部につきまとう複雑な心の襞を相手の中から探り出そうとしていた。

彼女たちは、お互いの瞳の奥に貧困という環境へのやり場のない苛立ちと悲しみが隠れているのを見つけた。しかしそれが逆にハングリー精神となり成功を夢見る原動力を生んでいた。

貪欲さえ感じさせる若い肉体と精神は同じ方向を目指して、エネルギーをぶっつけ合った。

彼女たちに対する未来からの呼び掛けは、あちこちから現われた。

それは学校の行き帰りの坂道で目に留める、洋館建ての刺繍入りのレースのカーテンであったり…、異人館の異国からのつぶやきだったり、北野クラブへ出入りする高級車のまばゆい反射だったりした。

又、3人は学資を稼ぐために学校の退けたわずかな時間を縫いシューズ工場でアルバイトをした。

国鉄三ノ宮から西へ5駅、南生子の住む［新長田］駅周辺は、日本一のケミカルシューズ街だ。地域一帯は、靴製品に従属する中小企業がひしめき、路地奥のトタン屋根が張り巡る長屋にすらも、即席のシューズ加工所があった。店先や工場の前には、月星印や朝日印入りの靴底が入ったダンボール箱がうず高く積み上げられ、そこの住民たちは一年中あくせく働いているかのようだった。

ある日、南生子の隣の席の瑛子が、山積している靴底の片方を手に取り、それで南生子の脇腹をこっそり小突いた。

「ねっ、南生子。今に見ててね。私、イタリアのブランドの靴しか履かないぐらいの大金持ちになって見せるわ」

その言葉に南生子は思わずクスリと笑って頷いた。

「じゃー、私とまるで一緒ね。だって、私、［サブリナ］の靴に憧れているもの」

サブリナの靴。北野町の坂道より二筋西の、南北に伸びた大通りを［トーアロード］と呼ぶ。昔この通りは居留地に向かう西洋人たちの通勤道路だった。高級ブティック、中国人仕立の洋装店、インポートのハンドバッグや宝石店。婦人、紳士靴店等と、名の通った小粋な老舗が競い合っている。

3人は学校が引けると、わざわざ遠回りしてこの路を通って帰る時があった。通りの中程には市内きっての帽子屋、［マキシム］があった。

ウインド越しに眺める大きな鍔のうねる帽子や、オーガンディの花々や黒いチュールをあしらった優雅な帽子の数々。

南生子は真子の肩を叩いて小躍りした。父の愛したパナマ帽を見つけたのだ。だがそれはまるで波止場に停泊する外国船の夢物語のように立ち寄ると、すぐに行ってしまった。彼女たちはサブリナのシューズを見て思わず大きな溜息をついた。透明の棚に飾った格調あるシューズは、彼女たちに一気に足の疲れを感じさせるほどの威圧感に満ちていた。

婦人たちの憧れのサブリナ。船来品しか扱わないブランド志向は、お金に糸目を付けない連中が訪れる老舗だ。瑛子は南生子しかわからないサインのウインクを送っておどけて見せた。

服飾学園での2年目の秋がやってきた。校舎の窓から見える北野町のプラタナスが小さな丸い実を甘茶色に染める頃、生徒たちは決まってそわそわしはじめる。進路を決める時期だ。就職する者。家業を継ぐ者。師範に進む者。なかには結婚する人もいた。

学業成績優秀な真子は学校の仕事を手伝いながら師範で学び、南生子は芦屋、瑛子は住吉と、それぞれのブティックに就職が決まった。南生子のブティックは従業員が5人で洋装店では中規模の店だった。

先生は南生子が初めて接した都会の女性のバランス感覚を身につけていた。断髪姿に黒いハイネックのセーター。それにほぼ同色のスリムパンツ。小顔に真っ赤なルージュの引いた口元は、赤く塗った爪とあいまってまるで花の色合わせのように美しかった。

（母さんと同じ年だなんて）母のささくれだった指先が南生子の目にちらついた。それは［貧困］に対するハングリー精神の疼きだった。

生徒たちの就職合戦が終わると学園最後の教科が始まった。3月の卒業式目前に行われる制作の発表を兼ねたファッションショーだ。50音順の30名グループで3点の作品を創作する。製作費は3枚で小物を含めて上限が2万円迄。モデルは各グループから3人が選出された。ホームドレス、アフタヌーンドレス。フォーマルドレスだけは色彩を白と黒、又は紺と限定された。

生徒たちは放課後になるとこぞって、三ノ宮駅高架下の問屋街で、自分たちの布を求めて探し回った。

このイベントは、ほとんどの学生たちの情熱を駆り立て、校内の至る所はファッションショーの話で持ちきりだった。

阿萬瑛子、池内真子、井沢南生子。ア行の彼女たちは何かにつけてよほど強い糸で結ばれていたとみえる。グループリーダーは真子だった。若いが老成した部分を持ち合わせている彼女は、人を引っ張っていく能力に長けていた。モデルの1人にあっという間に瑛子が選ばれた。身長167センチ、手足の長いフェミニンな雰囲気の彼女はどこにいても目立っていた。

その時から瑛子自身も予想もしなかった美の女神が彼女に近付いていた。南生子の方はいつも集団の中に入ると、鎧をつけて目立たぬよう心がけていた。これは病の姉の存在を知られることを恐れた自己防衛である。


藍子は、あの日以来自分の病への恐怖のためか、事があるとすぐに自分の世界に閉じこもるようになった。雄一郎一家は藍子の最初の神経発作以来、いつ再びやってくるかもしれない神経症の家族を抱えて暮らさなければならなかった。十代の後半、人間の生の意味が一番感じやすい時期に姉妹は、ノイローゼ=精神病という概念の中で惑わされて生きていかねばならなかった。絶望と失望の結びついた心的外傷を内に3人の娘たちは手を取って誓い合った。亜紗子は眉をひそめると、

「ねっ、私、思うの。……藍子姉さんが何度も入院してしまうのは病院からすぐに騒々しい社会に戻って来るからじゃあないの？」

「そうね。人間がうるさすぎるのよ」

長女の役割をはたし始めた南生子は、わざと大人っぽく妹たちに言った。事実彼女はそう思っていた。藍子が社会のどんな小さな刺激にも、すぐに精神が移ろうのは人間の声が大き過ぎるのだと。

「そうよ。……きっとそうよ」

彼女は自分の言葉を繰り返し、

「どんな人間でも社会から遠ざかって、突然こんな騒々しいところに戻って来たら神経が参ってしまうわよ」

「……」

「ねっ、亜紗子に美里……。私たちで藍子ねえさんのような人の為に、郊外で農作業が出来るようなサナトリウムを作るようにお金を貯めない？　そして一呼吸置いて彼女たちは社会に復帰する」

亜紗子は崩していた膝を急にぴっちりと揃えると、

「私もそう思う」と頷いた。

「私、私、……看護婦になる」

それまでじっと話を聞いていた美里はそう言うと、大きな美しい目を見開いた。彼女たちは突然やってきた一つの感情

に敏感な反応を示すと、そこに生の意味を見い出そうと必死にもがいていた。(何と、とてつもなく無知で、無垢な計画…)しかし、その思いは姉妹たちの絶望という言葉を少しは拭っていた。

2月末の日曜日。待望のファッションショーが行われた。講堂の一番前の来賓席には各種の専門学校の先生方や新進のデザイナー、雑誌社の編集者、それに生徒の家族たちもずらりと並んでいた。

時折カメラマンも忙しげに通り抜ける。幕が開く度にどよめきが上がった。午前中、4組、午後は8組。600名の卒業生の2年間の総仕上げだ。南生子たちのグループは午後の部の一番乗りだ。

モデルに扮した瑛子の美しかったこと。すべての観客の視線は瑛子に寄せられた。大きなカールの効いたロングヘアにソフトメークが初々しく映え、紺のベルベットのワンピースの陰影は、しなやかな身体の動きに合わせて光を巧みに捉え、短いスカート丈とオーガンジーの透ける袖は、彼女がもっとも自慢できる長い手足を存分に披露し、どこから見ても柔らかい陽射しに咲く、菫の花のように清楚だった。デザインを担当した南生子はもちろん、このことを充分計算に入れていた。一段と高い拍手が上がった。

この瞬間が瑛子の運命を大きく変えた。ラッキーな少女だ。彼女はこの日、注目の新進デザイナーの専属モデルとしてスカウトされた。

卒業半年後、住まいを大阪に移した瑛子と、勤めてまもない南生子は、何かとすれ違っていた。

3人はやっとの思いで三ノ宮の駅前のパーラーで落ち合った。現われた瑛子の変身ぶりを南生子は、今だに昨日のことのように思い起こす。

彼女は踊り踊る妖精のように軽やかな足取りでやってきた。彼女が一歩店内に足を踏み入れると、周囲のお客は驚いたように彼女の方を振り向いた。若い女の子の囁き声が聞こえてくる。

「あの人……きっと女優さんよ」

南生子と真子は瑛子が座って話を始めるまで何となく気後れがした。

瑛子はまだ9月の末だというのに、黒のシルクのインナーにしなやかな素材のベロアの茶色のパンツ、その上に薄茶と黒の細やかな織り柄の長袖のジャケットを羽織っていた。

不意に2人は自分たちが、まだ夏物のスカートを穿いているのを思い出し、恥ずかしくなった。瑛子は栗色に染めた髪を左右にゆっくりと振るとハンドバッグから煙草を出して吸い始めた。

あのオドオドしたオリーブは何処にいってしまったんだろ

う。2人は顔を見合わせた。そんな様子に瑛子はケラケラッと笑った。(ああ、いつもの瑛子だ)途端に3人はギャオーといわんばかりに喋りはじめた。何よりも瑛子のモデルスクールでの話が2人を夢中にさせた。

「ねっ、最初はマナー、そしてメークよ」

「どんなメーク」

「ウン、服装によって違うのよ。動き方も歩き方もよ」

「フーン」

「私たちは生き物なの！　いつも変化をするから新鮮さを保つように心がけなければいけないの」

「えっー、生き物？」

南生子の声が一オクターブ高くなった。

「それから基本姿勢の勉強が大変なのよ。お腹のへこまし方や背筋の伸ばし方やら……」

真子は感心したように聞き入っている。

「ねっ、歩き方も洋服の種類によって足の出し方が違うのよ」

2人は身を乗り出した。

「たとえば？」

「ウーン、カジュアルな場合は踵から出して、エレガントな場合は爪先から出すの」

話がつきなかった。お昼になったので昼食を取ることにした。瑛子は2人に独特のウインクをすると、

「今日は、ｏｎ　ｍｅよ。私にまかせて」

と言った。

「えっ、どうして？」

「私、高給もらってるのよ」

「ワオー」

真子はわざと大げさに騒いだ。

瑛子と連れ立って行った先はオリエンタルホテルのフランス料理店だった。南生子は豪華な絨毯の敷き詰められたロビーを見て、自分の体が小さくなるのを感じた。周りの人たちも随分気取っているようだった。

彼女たちはエレベーターで7階に上がった。波形の木彫りを施した茶のオーク調のレストランの扉を開けると、白い空間に白い壁。シャンデリアの光がまぶしく揺らぐ。ウエーターが海の見える南の窓際を案内した。

食後、久しぶりにトーアロードに足を運ぶことにした。ホテルを出ると居留地、レトロなエリアが広がっている。瑛子は、

「やっぱり、神戸はいいな！」

と形の良い唇を大きく開けて神戸の空気を食べるような仕草をした。

「本当！　神戸の海も山も空も私たちのものよ！」

真子も後を続けた。3人は揃って思いっきり大きく息を吸い込んで顔を見合わせると声を上げて笑った。颯爽と歩く瑛子は、シューズ工場で言った通りみるからに高級な靴を履い

ていた。

歩きながら誰かれともなく、とんがり帽子の屋根の下で足を留めた。

ドアを開けると、ゴブラン織りが描く田園風景のタペストリーが目を引き、店内は若者たちで溢れかえっていた。

3人は席に落ち着くと、まずテーブルの真ん中に片方ずつ手を重ね、6ヵ月間会わなかった分の友情を確かめ合った。それは離れていたせいか懐かしさも含めて、より強く清らかなものに感じられた。

コーヒーを飲み終わると瑛子は思い切ったように、

「私、今、恋をしてるの」

と潤んだ目を2人に向けた。

南生子の胸が小走りに走りはじめた。真子も細い目を懸命に開いている。

「白状する。私の彼は例のデザイナーよ」

「瑛子……」

南生子の声は上ずった。真子は一瞬顎を引くと、

「駄目よ。その人、妻子持ちでしょう」

ピシャッとした口調だった。

真子の語気に瑛子は急に弱々しくなり、

「いいのよ。好きになった人だもの」と胸を張り、

「この業界ではね、パトロンを持つことが常識なのよ。モデルはね、私生活でも優雅に暮らさなきゃー、エレガントな雰囲気になれないのよ」

南生子は、レストランで飲んださっきのワインが全身に回るのを覚えた。赤く紅を差したような南生子の頬を瑛子は細い指先で突っ突くと、

「ねっ、……バージンを失う時ってすごく苦痛よ。想像していた以上よ」

「………」

二人は黙って俯いた。

瑛子はクックックッと喉の奥で笑うと、

「あなたたちもそのうちに体験するわよ」と言った。

ああ、……もうすでに瑛子は女になってしまったのだ。

その夜、南生子は浴室でまじまじと自分の体を眺めた。双の乳房は恥ずかしそうに彼女を見上げている。躊躇いながらも両手でそっと乳房を覆った。(美しい!)っという満足感が心を一杯に浸した。

急に瑛子の言葉が頭を横切った。

(その内に体験するわよ)南生子は慌てて立て続けにお湯を掛けた。

若い体は瞬く間にお湯を弾いていった。


(以下次号)

＊タイトル装画はムンク「叫び」(部分)より

COVID−19

船本 マチ

足裏のたこを削りて顔を剃る緊急事態宣言解除の日　今日

湧きいでし制服姿が嬉しくて声かけつづける六月一日

新聞を買う店までの道すがら会う生徒ごとに声を掛け続ける

ベランダに咲くゼラニューム、ヒヤシンスありがとうCOVID−19に家籠もる日々

スティホームに蘭二十個を咲かせたる友の絵はがき蘭が三密

ぽつり言う　趣味持つことの有り難さ友は絵を描きわれ歌を詠む

令和二年テレビに直立して祈る広島の日に長崎の日に

教会へ行く効用に気づく我、教会へ行かない日々にわが慣れていく

夏の自粛にぬか床守る術を得ぬ　ぬか床冷蔵庫に入れたり出したり

デフォーの『ペスト』カミューの『ペスト』を読む夏よ　それでも続く宗教とは何

人間の習性とは変わらぬものらしい十七世紀のシェークスピアの時代《とき》から

メメントモライ（死を忘れるな）ロンドンの、平井正穂訳デフォーの『ペスト』

教会に棺あふるるイタリアの映像、トラックに死体詰め込むニューヨークの映像

薄靄のつつむ「オペラ座の怪人」の夕　墓地の寂寥　心処に沁む

ＣＯＶＩＤ−19の死者数　百万を超え行くも世界総人口の数％とぞ

パンデミックとなりたりたるＣＯＶＩＤ−19の苦しき日々も過ぎ去りゆかん

全米オープン　テニス

差別抗議の名前入り七枚の黒マスク日ごと取り替えて大坂なおみ入場

大タオル頭から被り耐えたえて己に勝てり　二度目の覇者ぞ

母親となりて決勝を戦いしセレナ　ウイリアムズよし　アザレンカよし

わたしの神様

山根タカ子

父からその話があった時、私は「行きます」と即答した。近所の開業医、中辻先生のところの一人息子さんが神学部を卒業して牧師への道を進まれた。昼間はどこかの教会で修業しておられたのだろうが、週に一度、ある信者さんの家で集会を開くことになり、清純そうに見える十代半ばの私にもお誘いの声がかかったのだ。中辻医師の奥さん、つまり彼のお母さんから私の父に話があった。

だいたい中辻家とは遠い親戚筋にあるらしく、父と中辻医師とは幼馴染みでもあったのか、二人は下の名前で呼び合う仲であった。だから私たちも三郎先生と呼んでいた。戦争が終り、中辻一家が疎開先からそこに引越して来たのも、私の父を頼ってのことと聞いていた。

集会は三駅ほど向こうのU町ですけれど、行きも帰りも息子が同行しますので、夜になりますが何卒《なにとぞ》ご安心下さい。とのことである。その頃の女の子にとって夜に外出する機会などめったにない。それだけでも十分魅力的だのに、西洋人めいた顔立ちの若い男性のエスコート付きとなれば断わる理由はない。少しばかり不純な動機でもって、私は生まれて初めて宗教の集まりに参加することとなった。

U駅から十五分程奥まった住宅地の中の、ひっそりとした家の、二間つづきの部屋に座蒲団が並べられ、中年のご婦人方に交じって何人かの男性と、坊主頭の中学生もいた様に覚えている。小さな聖書と讃美歌の本をいただいた。その日のページを開き一節を朗読し、瞑目して祈り、牧師の長いお話があり、再び祈り讃美歌を歌い、最後に小さな鉢が廻ってくるので、十円だか百円だか忘れたが献金する。お茶もお菓子も出ない。

何度も出席したはずなのにお説教の内容は何も頭に入らなかった。牧師が語る「神」は、私が考えていたものとはちょっと違う様な気がした。イエス・キリストが（エスさまと言うのだけど）そちこちで具現された奇蹟の段になると、私は横を向きたくなり座蒲団の上でちょっとむずむずした。

行き帰りに牧師先生とどんな会話を交わしたのかも全く記憶にない。少女期の私はまあそれなりに純真で口が重い方だったので、黙って歩いていたのだろう。今もおぼろに蘇るのは夜道での自分たちの影法師の映像なのである。

家々の生垣が連なるまっ暗な夜道に、ぽつぽつと電信柱の裸電球が点っている。電柱から遠去かるにつれ影はどんどん長く伸びる。牧師の長身と私との影が極限まで引き伸ばされたところで又、次の電柱の下に入る。家々は堅く戸締りされ、冬の夜道を歩いている人もいない。町には音もない。神の存在も生身の人間の存在もない。現実離れした不思議な記憶である。

しかし、これだって本当にそうだったのかどうなのか怪しいものだ。古い記憶はひとりでに増殖したり、朽ち果てたりする。そして、頭の底の方に残ったものは必ず発酵し、熟成する。新鮮な葡萄の房がいつしか芳醇なワインになるように、ひと握りの古い記憶は年代ものの美酒となる。たまには苦い酒となることもある様だ。

クリスマスが近づいたある夜、ついに終りの時がきた。その夜、若き牧師はいつもより尚一層熱をこめて救世主エスさまを語られた。そして、感極まるあまりに男泣きに泣いてしまわれたのだ。私はすっかり冷めてしまった。神に冷め、大人に冷め、自分にも冷めた。もう行かないと親に言ったら、理由も尋ねずあっさりと認めてくれた。親としてはそのくらいでちょうど良かったのだろう。

神職にも転勤というものがあるそうだ。彼はその後いくつかの教会を経て、いつの間にか高い位に昇りつめてゆかれたそうだ。親戚中で異色の存在であった。

戦前の中辻家は大阪のその町内で代々続く医家であった。男の子は皆医者になる運命に決まっていた。少し外れても歯科医だった。余談だが、大阪日本橋《にっぽんばし》の文楽座の近くで開業していた一族のある歯医者さんは、人形浄瑠璃の大夫さんたちの専属となっていたが、あげく文楽人形の首《かしら》の歯まで作ったことがあるという。

幼い頃私は、昔ながらの中辻医院を訪れたことがあったかもしれないが、記憶に残っていない。もちろんあの戦災で町はすべて灰になった。戦後、郊外のわが家の近くに越してきて、普通の民家を少し手直しし、ささやかに医院を継承した三郎さんであったが、医者不足の時代だというのに、医院は全く繁昌しなかった。元々、三郎さんは厭々ながらに医者になった人なのだ。どういう事情でか跡継ぎの長男が急逝し、次男は軍医として戦場の露と消え、名前のとおり三男坊として比較的自由な立場にあった三郎さんにお鉢が廻ってきた。彼は画家になるつもりだった。その方が向いていると、子供の私でさえ感じていた。

小学生の頃、到来物のお裾分けを届けるおつかいで、たまに三郎先生の医院を訪れることがあった。私は緊張して扉を開けたが、たいてい待合室には誰もいなくて閑古鳥が鳴いていた。奥から白い上っ張りの奥さんが出てくる。受付兼看護婦、薬剤師兼院長夫人のお鶴さんである。お鶴さんは正に鶴の雰囲気の人だった。こういう名前だからこうなったのか、それとも、生まれつき鶴の様だったのかと、私は子供の頭で考えた。私は教えられたとおりの口上を述べる。お鶴さんはかすかに震える声で「まあまあ、ありがとう」と言って、ほんの少しの金平糖などを半紙に包んで待たせてくれる。大人になったらあういう風に声を出すのがいいなと思ったりした。そして彼女は、時にはビールの瓶を一本胸に抱く様にしてわが家を訪れ、「医師会でこんな物が出ましたがうちでは誰も飲みませんので」と差し出すのだった。

わが家では、予てかかりつけ医が決まっていたが、父が一度風邪をひいた時、鼻風邪ぐらいならあのヤブ医者でも診るやろと言って三郎さんの診察室を訪れた。「こんな風邪くらいで医者に来ることはない。家で寝てたら治るんや」と言って何の処置もしてくれなかったそうだ。「あれでは流行らんわい。ビタミンの一本でも打ってやれば患者は納得して又来るのになァ」と、父は慨歎した。

一度、駅のホームでこんなことがあった。その頃のプラットホームは粗末な板壁に板のベンチが張りついていて、その壁面に数枚のポスターが画鋲でとめられている。それを眺めていた三郎先生はやおら胸のポケットからペンを取り出し、ポスターの文字の一部分を二本線で消し「出発」と訂正した。それは競輪のポスターで「〇〇時　発走」とあった。先生は私に気づき「発走などという言葉はない」と一言おっしゃった。すぐに電車が来たので私はなるべく離れた車輌に乗り込んだ。三郎先生を嫌いではなかったけれど、若い女の子が返答に窮する様なことを話しかけられては困るのだ。

夕食の時皆にその話をしたら大いに受けた。しかし、競輪や競馬のスタートを「出発」というのもそぐわないなどと話が弾んだ。今ならスタートで即解決するけれど、あの頃は今ほど外来語は定着していなかった。今は「発走」という単語も正式になっている。

大人たちは彼のまっ正直な生き方を賞讃した。子供たちはそうやって、多様な考え方を肯定する家風を身につけた。

後に、三郎先生は船医の職を見つけて船に乗り込まれた。なんでも大型の貨物船で、何ヶ月もかけて南洋方面を廻ってくるとの事だった。珍しい風物の写生も出来るので彼にとってこんな良い仕事はありません。神のお恵みです。と夫人も大層よろこんでおられた。息子は地方勤務の牧師であり、院長も長い航海で留守になり、一人でお留守番のお鶴さんはようちに来て祖母の話相手をしたり、たまにはいっしょに食事をしたりしていた様だ。いつも洗い立てた様な白い素肌のままで、瞳の色も普通の人より少し薄くて背も高いし、なんだか西洋人めいた風貌の人だった。息子さんはお母さん似でほんとうに良かったと、皆思っていた。

私はあのドロップアウトを少々恥じていたけれど、宗教の話は二度と出なかったので助かった。

五、六十代の頃、私も人並みに海外旅行などしてヨーロッパのキリスト教文化にふれる機会があると、いつも自分の無教養を恥じた。信者にはなれなかったとしても、もっとキリスト教のことを知っていれば、この途方もない底なしの文化をもっと深く理解し、吸収することが出来たかもしれないと思ったりした。

しかし振り返ってみれば、私は日本に根づいている仏教や神道のことをどれほど知っているだろうか。何も知らない。

生まれ育った家には神棚があり、父は元旦には家族を従えて四方拝というのをした。意味も分からず子供の私は父のうしろに立ち、その時だけいやに畏まった父の背中を見つめていた。毎月の朔日《ついたち》が重要だった様で、何かをお供えして皆でパンパンと柏手《かしわで》を打った。唯の行事だった。

祖母の仏間には大きな仏壇があり、朝になると祖母はその二重扉を開け、お茶を供えてお勤めをする。お茶を供える事を「おちゃと」と言っていたけれど、どういう意味なのか、今も不明である。夕方にはお灯明《とうみょう》を点し、又おちゃとをし、長いお祈りをした。なんでも昔、親戚の子供がかくれんぼの時その中に隠れようとしたという伝説の大仏壇で、余程古い物らしく、その頃すでに金箔がほどよく褪色していたので落ちついていたが、あれがピカピカの新品だったら敵わない程の代物だった。戦時中も戦後も、祖母はその前にぺたんと座って誰彼の無事を祈り続けた。体の弱い私のことも、私の一人っ子のことも、仕事第一のわが夫のこともどれ程祈ってくれただろうか。

祖母はまるで海月《くらげ》の様に頭の柔らかい人で、そうやって仏壇の前に座ってはいても「神」は仏さまだけではないと思っていた様だ。キリストさんもお釈迦さんもアラーの神さんも皆んな元は同じだと言っていた。祖母の柔軟な心の中にはもっともっと確固たる「神」が存在していたのだと思う。何もくわしくは語らなかったけれど、私はそれを感じ取っていたように思う。

晩年の祖母の年齢に近づくにつれ、私はますます祖母に似てきた様だ。私は特定の宗教は持たないけれど、いつも「神」を感じて生きている。神はいつも私の胸の中にあって、私を支配し導き、護《まも》って下さる。こんな強い味方はないのである。

何だかカッコ良すぎて言いにくいのだけれど、私は神にお願い事や頼み事はしない。自然の流れに基づく真理の道に導いて下さる様祈るのである。とても簡単なことだ。そして、その日その日の出来事を感謝する。どんな日でも感謝することは必ず見つかる。夜毎の眠りに入る前に私は感謝の祈りを捧げる。

などと言うと、私はさも良く出来た人物の様で小恥ずかしいのだけれど、実体はそんな者ではない。唯の只者である。否、むしろ不良老人に近い。祈る前後の私の生態を白状しよう。大体が血行不良で首から上にも足の先にも血液が十分ではない。一年中乾燥肌なのでクリームをべたべた塗りつける。行儀悪く足をクッションに乗せ、乱暴な字と文で簡単な日記をつける。世間やテレビに対する野次も書きつける。次に子守歌代わりのCDをセットし、神サマの次に依存している睡眠導入剤を一錠摂取する。この様なルーティーンの後にベッドにもぐり込み、掛けふとんを首元まで引き揚げ明かりを消し、そして胸のあたりに両手を当て、祈る。一分もかからない。それだけの事。

さて、あれはいつ頃だったか。まだ父も母も健在の頃だったが、中辻牧師のその後について実家の方から意外なニュースが伝わってきた。彼は突然宗教界を去り、民間の生活協同組合に転職されたというのだ。その頃、その組織とある左翼政党との関係が噂されていたので、ひょっとして彼は党員になったのかもしれないと私は思ったりした。真相は不明のままだが、あり得る事だと思っていた。

いたって俗なわが家系とは違い、中辻親子は純粋にしか生きられなかったのだ。

そして又、ずっとずっと後、つい最近のこと。

「まあ、U教会が？　そうだったんですか」

と私は驚いて言った。U教会には知人の葬儀で二度ばかり行った事があるが、今では大阪では有数の教会なのである。

その日、私は古い友人と話していた。彼はリタイアした後、一時は禅にはまっていたらしいがそれも卒業し、今は熱心なキリスト教徒になり、教会中心のボランティア活動一筋なのである。私は彼のその精神の軌跡にとても興味があったが、彼は心の中のことはあまり話したがらず、もっぱらU教会との出会いの経緯《いきさつ》と現在の具体的な活動の話をした。多くを語らず黙ってきびきびと行動する、彼も又純粋な人なのだ。

「あなたのような方のご奉仕があれば、教会も老人ホームもどんなに助かるでしょう」

と私は心から言った。

そしてU町の名前が頻繁に出たのでつい懐かしくなり、昔々、少女の頃の私が少しだけ首を突っ込んだあの小さな集まりの思い出を話した。すると彼はこともなげにこう言った。

「それが、U教会のそもそもの始まりなんですよ。ルーツです」

「まあ、そうだったんですか！」

六十数年も経ってこんな事実を知った。純粋そのものの若い牧師が拓いた道がこうして続いている。私の胸に一筋の光が差し込んだ瞬間だった。

私はこの年齢になってこんな癖がついたのだけれど、久しぶりの人と会って別れる時、これが最後になるのかな？　とふと感じることがある。不吉でもなく寂寥でもない。なんだか潔く清々しい予感なのである。その日もそんな微風が胸に吹き、私は満ち足りた気持ちで、若々しく爽やかに走り去る彼の車を見送った。

いい話を聞けてほんとうに良かった。

クリムト「アッター湖畔のウンターアッハー」（一部）より

白い壁の家からバッハがきこえる

近藤英子

白い壁の家は二メートルを超える見事なタチアオイで覆われている。

新緑から初夏にかけて、白や赤、紫色の花がいっせいに咲いた。

いつも駅に向かう途中に通る家だ。ときどき開け放たれた小さな窓辺から真っ黒い猫がこちらを見下ろしている。

少し高台のこの場所からは、遠くに海が見えて、数本のヨットの帆がキラキラ光っている。

近くを流れる川には鴨がのどかにおよいでいる。以前から私は白壁の家に興味をそそられていた。

仕事帰りに家の前を通ると、決まってバッハが聴こえてくる。

「ああ大好きなバッハだ」

と頭の片隅でつぶやいて歩き続けた。

私は小学校三年生のとき、ピアノ教室に通い始めた。若くて優しい女の先生はいつも私に海外のオーケストラのＣＤやビデオを貸してくれて、私はピアノよりも合奏がしたくなった。

中学も卒業が近づいたころ、母にチェロを始めたい、と言ってみた。

「そんな大きな楽器、大変でしょ？」

「大丈夫、高校で貸してくれるから」

チェロを選んだのはジャクリーヌ・デュプレに憧れたから。

高校に入学すると、すぐに弦楽合奏部に入った。先輩たちや指導の先生は丁寧に教えてくれたが、音を出すのにひと苦労、ひどい音が家中に響き、母にとても同じ楽器とは思えないねとからかわれたものだ。

それでも毎日、放課後に練習していると、ギーッと耳障りな音であっても、弦の振動が胸から全身に響いてくるのが心地よかった。

私がこんなに音楽が好きになったのは祖母のおかげだ。祖母は非常に音楽が好きな人だった。十年前に亡くなってしまったが、私は祖母ととても近しい間柄だった。よく二人で音楽会に行ったり、旅行やショッピングにも一緒に出かけたものだ。好きだと感じるものが私たちは似ていた。

祖母は、画家だった夫が若くして病死してから、まだ中学生の母を女手ひとつで育てた。もともと裕福な家の出身だったのでお金には困らなかったようだが、音楽学校を出た祖母はピアノを教えながら母には好きな道にすすめるように自由な教育を受けさせた。結局、母は音楽とは縁のない人生を歩んでいる。


私は物心ついたときから音楽、特にクラシックが大好きだった。応接間のコンポでよく祖母と音楽を聴いた。

「音楽ってすばらしいわね」と祖母の口ぐせだった。

「おばあちゃん、『主よ、人の望みの喜びよ』ってすごくきれいな曲だね。吸い込まれそうだった」

「バッハの音楽ってとっても大きいの、宇宙のように、深くて絶対に飽きないのよ」

祖母はよくバッハの抱きしめる豊かさを、熱く切々と話してくれたものだ。

私はすっかりバッハに魅了されてしまった。


大空に鱗雲が一面に広がり、思わず立ち止まって見上げる。金木犀の強い香りが漂ってくる。

当たり前のように、きこえていたバッハが今朝はきこえてこない。もしかしたらきのうも流れていなかったかもしれない。次の日もその次の日も。静寂が白壁の家を包んでいる。


窓も閉じられたままだ。にわかに気になり出した。

どうしたのだろう？　と日記に書いてみた。書くとひとときの平安は得られる。オーディオの調子が悪い、旅行中？　気分転換にしばらくやめてみたなどなど……けれどもけれども、気がかりは募っていく。

そうだ、家を訪ねてみよう!!

ベルを押す、おじぎをする、声のトーンを変えてみる、それぞれの場面を想定してひとりでなんどもやってみた。ええい、めんどうくさい！　こんなことやめよう。

翌日、私は白壁の家の呼び鈴を押していた。五十歳ぐらいの男性が迎えてくれた。落ちついた佇いとやわらかい眼差しが私をほっとさせた。

「お宅の前を歩いていますと、いつもバッハがきこえていたのですが……パッタリきこえなくなってしまいました。私はバッハが大好きなので、通る度に《いいなあ》と心の奥深いところで呟いていました。どうなさったのかしら？　と心配になり、突然で申し訳ありませんが、思い切ってお尋ねすることにしました」

「ご親切にありがとうございます。わざわざお越しいただいて恐縮です。

私はここの住人松本の甥です。二駅離れたところに住んでいます。おじは今、近くの病院に入院しています。」

「まあ、どうなさったのですか」

「ひとりで生活していますと、どうしても食事がいいかげんになりがちで貧血で倒れたようです。持病の腰痛もあってしばらくゆっくりしてくれれば、と言っています。私ももっと度々くるようにしてみます」

おじを労ってやりたい思いが滲み出ていた。

大事に至らなくてよかったな、とまだ会ったことのない松本さんを思いながら、ふと、玄関の下駄箱の上にさりげなく置いてある写真に釘付けになった。小ぶりの木彫の額の中でにこやかにほほえんでいるのは、若いころの私の祖母ではないか!! 肩を寄せ合うように隣にいるのはここの当主松本氏であろう。

驚きのあまり、狼狽を感づかれないよう、話を早々に切り上げて、あいさつもそこそこに退散した。

「ねえ、おばあちゃんて若いころどんな人だったの」

「そうねえ、どんなことにも好奇心いっぱいで、やると決めたら実行する人だった。釜ヶ崎に炊き出しに行ったり、人のために生きるのが生きがいだったみたいよ」

「そういえば、おにぎりわたすと、ホームレスのおじさんが《ありがとう》と、とっても嬉しそうな顔をしてくれるって喜んで言ってたよね」

白壁の家を訪ねたこと、祖母の写真が目に飛び込んできたこと、隣に思慮深そうな男性がいたこと、などなどを母に話した。

母は、《へえー》と言ったきり、どうして自分に話してくれなかったのか、とおもいを巡らせているようだった。

「物置におばあちゃんの書いたものとかみつかるかもしれないからみてみたら」

物置と言っても、我が家は祖母の住んでいたころからあって、古いが部屋数はやたら多く、昔は女中部屋だったところが物置になっている。私も母も整理が苦手なので、ほったらかしなのだ。換気のために小さな窓があるだけだ。

ダンボールの中身をみていくと、虫が喰ったり、しみがついたり、埃だらけのノートや封筒がぎっしり詰めこんである。同人誌が幾冊か、読んでいるのは知っていたけど、書いているのは知らなかった。手紙もたくさんあった。松本という名の差し出し人からのものがないか、目を皿のようにして探している自分に気づく。

二つの封筒が私の心を捉えた。松本氏からのものだった。祖母にとっては格別な、《宝物》だったにちがいない。

先日は公会堂での《音楽を聴く会》で初めて言葉を交わせて大変嬉しいことでした。音楽のことも興味深く拝聴しましたが、映画もよくご覧になっておられるのに驚きました。チャプリンいいですねえ。

記念の写真、お送りします。


読みづらい文字もあったが、なんとか読めた。下駄箱の上の写真は初めて会ったときに撮られたものなんだ。

もう一通開けてみる。


けさは川沿いを歩いてみました。

晴れ渡った空で、さわやかな気分になりました。

……

いつか、あなたの弾かれるバッハをきかせて下さい。


もういちど、私は白壁の家を訪ねた。

甥に写真にいるのは私の祖母であることを伝えた。手紙のことも話した。

彼は非常に驚いたようすで、ようやく口を開いた。

「もうすぐおじは退院します。おじを訪ねてやっていただけませんか」


私は高校のときに始めたチェロを趣味として続けている。大学卒業後、コンサートで聴いたバッハの無伴奏チェロ組曲の偉大さに圧倒されて、今では無伴奏を中心にレッスンを受けている。パッセージや音型の反復は、ときに呪文を想像させ、ときにロザリオを繰った祈りを思わせる。理想の音色を探し求める喜びがある。


松本さんは居間のソファにゆったりと座り、血色のいい、温かい笑顔で私を迎えてくれた。しばらくおしゃべりをしたあと、チェロの準備を始めた。

おちついて、おちついて、心の中でささやいた。弓を弦におろす。第一音をおもむろにすべらせる。バッハの無伴奏二番プレリュード、ひとつひとつの音にいのちが宿るよう、松本さんと祖母をおもって一心に弾いた。


最後の重音が厳かに鳴り響く余韻のうちに、よろこびが静かに広がっていった。

横浜

松原和音

「土曜日に、横浜がうちまで来るからね。きちんとご挨拶しなさいね」

祖母が言った。横浜、というのは横浜に住む身内のことだ。親戚同士なので、地名で呼び合う。

土曜の朝、祖母は買い出しに行った。客を招くときは、いつもより高級な食材を並べるのだ。

「ごめんください。姉さん、兄貴、久しぶり」

十二時頃、横浜らしき人物が現れた。目の光が強く、細くて高い鼻をしている。男物の、そっけないグレーのコートが、しなやかな体型を引き立てていた。紅いくちびる。手には、同じ色の真紅のルビーの指輪をつけている。

「遠かったでしょうに。わざわざありがとう」

そう言って、祖母は食卓まで横浜を案内した。祖父は刺身を食べて酒を飲んでいた。会話はもう、はじまっている。私はすこし離れたソファに座らせられているから、流れが掴めない。同じく隔離されている母と雑談をする。食卓で話す声が小さくなった。

「ちょっと、仏さまからお菓子もらってきて」

祖母が私に指示する。

私は仏間に行って戻ってきた。さらに、なにを話しているのかわからない。十五時頃、横浜が立ち上がった。

「送っていけ」

祖父は私に言った。

横浜と一緒に歩いた。横浜はバスが来ると私の手を握った。そして、離した。

「またね。元気で」

そう言う口調が弱々しかった。並んでいる人や、車内にいる人までもが皆、彼女を見た。私は手を振った。横浜は横浜に帰っていった。

「なんの話をしていたの？」

機嫌の良いときを見計らって、祖母に聞いてみた。

「たいしたことがないこと。それに、あの人は嘘をつくからね」

嘘、という部分が独特のイントネーションだった。ウにアクセントが置かれていた。

「どんな?」

「あの人は嘘をつくから」

祖母は繰り返した。必要もないのに、何度も食卓を拭いている。

「そうだな。しなこはどうしようもない」

祖父が言った。それ以上、聞いてはいけないのだと私は悟った。

「バス停で横にいた人。あれ、誰なんだ?」

家の近所で、声をかけられた。自転車屋のおじさんだ。私とはほとんど接触がないが、祖母は町内会で顔を合わせるらしい。

「親戚ですよ」

わからないと思ったので、説明する。

「色気があるね。声かけようと思ったら、ふいっとバスに乗っちゃうからさ。江波杏子に似てるなあ」

ひとりで頷いている。

「だれ?」

「いや、もう少しソフトにしたかんじかな」

「はあ」

「山口淑子の雰囲気もあるな」

「知り合い?」

有名人だということすら、知らなかった。おじさんは、女優なのだと教えてくれた。帰って、平仮名で検索してみた。まず、江波杏子から。画像が出た。確かに、顔の造作が似ていた。けど、もっと目が大きいと思った。気が済んだので、山口淑子を見てみた。李香蘭。聞いたことがある。youtubeで、動画が配信されていた。スタイルは、横浜にそっくりかもしれない。

けど、なぜうちの親戚で、祖父の妹なのだろう。私は首をかしげた。なにか事情があって、引き取られてきたのだろうか。

祖父はよく、鼻歌を歌っていた。そんなときは珍しくにこやかだった。

「なにそれ?」

私は質問した。

「李香蘭の曲なんだよ」

祖父は言った。宮沢りえがテレビに出ていると、必ずとコメントする。

「いい女優さんになったな。気品がある」

ごく普通の好みなのだ。共感すると、祖母の表情が硬くなる。私は、黙るという知恵を身に付けた。

祖母は、私と二人きりになると宮沢りえのことを酷評した。

「地味で、清楚なだけが売りの女よ。しかも、女優なんて」

根拠がないのに、負けず嫌いなのだ。

なぜ、祖父はしなこさんのことが嫌いなのだろう。それだけが疑問だった。

横浜に住んでいる人。しなこ。祖母の部屋の電話帳を見る。同じ苗字の欄にはない。そうか。結婚しているのだった。再び、ア行から確認する。サ行のところに、横浜の人がいた。姿子。これでしなこと読むのだろうか。非通知の一八四を付けて電話をかけてみる。

「はい。水野でございます。只今留守にしております」

横浜の声でメッセージが吹き込まれていた。


後日、私は横浜まで行った。姿子さんに会いに。一時間半ほど電車に乗った。駅で降りて、うろうろする。番地はわかるが、それがどのあたりになるのかは判別できない。交番で聞いてみる。遠そうなので、タクシーに乗った。

「このあたりですよ」

案外近かった。またしてもうろうろする。水野という表札を見つけた。間違えた時のために、隠れぎみになる。インターフォンを押す。

「はい」

アルトの声。姿子さんだ。

「利蔵の孫ですけれど。こんにちは」

機械に向かって叫ぶ。

「あらまあ。ちょっと待っててね」

しばらくして、姿子さんが外まで出てきた。あたりまえだけど、驚いている様子だった。

「よく来たわ。上がって」

「お邪魔します」

室内は、白で統一されていた。人の家に来たところで、目的もないことを思い出した。強いて言えば、以前会ったとき、ほとんど話せないままだったことが気がかりだったのかもしれない。姿子さんは、お茶とお菓子を出してくれた。

このままでは、ただの迷惑な人になってしまう。

「あ。ありがとうございます。つまらないものですけれども……これ」

ヨクモクという、無難なものを差し出した。私がここにいる理由はなかった。

「元町に行ったことがありません」

文法の教科書みたいな、おかしな喋り方。よく考えてみると、内容も変だ。

「まあ。じゃあ行きましょうよ。早い時間帯じゃないと、危ないからね」

思わぬ展開になってしまった。

「いいです。大丈夫です」

「すぐよ。車だから」

どんな車に乗っているのだろう。関心が横に逸れた。遠慮もなくガレージに出た。プジョーは座り心地が良かった。姿子さんは黒のタートルネックを着て、赤いスカートを履いていた。そして、ルビーの指輪をつけていた。

元町に移動する。港町らしい、ヨーロピアンな雰囲気。姿子さんは、キタムラの前で立ち止まった。店内を見た。かわいらしい小物が並んでいる。バッグを手に取り、靴を試着した。

「気に入った?」

私は頷いた。

「これちょうだい」

姿子さんは、店員を呼んだ。図々しいけれども、欲しかったので、買ってもらってからお礼を言った。その後、喫茶店に行った。

「兄貴、若い頃は金づかいが荒くてさ。縁日に行ったら、小遣いを全部使っちゃうような人だった」

椅子に斜めに腰掛けながら、姿子さんが言った。

「え?」

「それが、え? なのよ。今はまだ温厚になってるけど。昔はよく殴られたわ。口紅をつけて街を歩いただけで、チャラチャラするなって言われた。男にどんな目で見られてるかがわかってるのか? って」

目を伏せている。まつ毛が長い。

「言い返したんですか?」

「黙っていられない性格だから。私も。でも、兄貴は弱いから人の話が聞けないの。こっちが口を開くと、すかさず『いや』って言われた。相手が話してる間は、どう反論するかを考えてるだけなのよ。その場だけ黙らせればいいと思ってる。最後まで聞いてくれれば、こっちだって言いつのらないのに。ほんと、馬鹿な奴」

「わかります」

ウエイターが紅茶を運んできた。姿子さんは、私のカップにミルクを注いだ。

「姉さんだって、よく耐えてると思う。感謝するよ、ほんと」

「結局は、似たもの同士だと思います」

「まあね。たぶんそうね。なんにも聞きたくないのよ、兄貴は。大学時代のあだ名がブーだったしさ。批判されすぎて、トラウマ抱えてるのかもしれない。そこらへんの心理は私にはわからないけど」

バッグからパシュミナを取り出す。たしかに、店内はすこし寒い。

「ブーってなんですか?」

「さあねえ。上には悪くないかんじの兄貴がいたんだけどさ、戦死したから。繰り上がって長男になっちゃったのよ。」

「わかります」

「十八から東京に行ってくれたから、それだけは助かった。けど、私も横浜に嫁いだからね」

「それまではなにをなさってたんですか?」

「山口の百貨店でネクタイ売ってたのね。余計な箔付けなくていいって親に言われて、大学にも行かせてもらえなかったから。接客業なんて、惨めだよ。何度も頭下げなくちゃならない。用もないのに来る客もいるしね。けど、楽しいこともあったよ。で、まあ、その中の一人と結婚しちゃったのよ」

口元が笑っている。

「なんでその人にしたんですか?」

「しつこかったからよ」

頭を後ろにそらせて、遠くを見つめている。本心ではなさそうだ。

「それだけ?」

「彼は東京から出張だったんだけどね。それから毎週会いに来たのよ。寝台車に乗って。白いタキシードを着て、花束を持ってた。だって、戦後のどさくさよ? 私も三十だったし。当時にしては粘ったほうよ」

「へーえ」

「少し身体が弱くて、今は肺炎で入院してるけどね」

姿子さんは、不安そうな表情をした。嘘ではなさそうだった。

＊

「九死に一生じゃけえ」

親戚一同が、どっと笑った。夏休みは、祖母の実家に行くことになっている。叔父が今年も飲酒運転をして、ガードレールに突っ込み、外車をオシャカにしたのだ。死にかけたのに、本人もへらへらしている。

「やんちゃじゃねえ。少年の心を持っちょる」

祖母が言った。実家に帰ると、方言が出る。

私は、台所へ向かった。お茶をいれているふりをすればいいのだ。ポットに水を入れ、スイッチを押す。

「東京のお兄さんは元気かね?」

声が大きいから、こちらまで聞こえてくる。

「毎日、クロスワードと釣りよ。こっちがくさくさしてくるわ。物も捨てないし」

「姉さんも大変じゃねえ」

「家だって、私が建てたようなもんよ」

祖父がいないと、滅茶苦茶を言う。

「苦労人じゃけえね」

「気違いみたいに働いて、やっと今の暮らしよ」

「姉さんじゃないとできんね」

明美さんの声。

「ほんとうよ」

だれかが言った。

「おい、明美。だらだら喋っておらんで、お茶持って来んかい」

叔父がお嫁さんに茶碗を差し出す。

「今、持って行きます」

かわりに返事をする。

「悪いねえ。まったく、明美は気がきかんわ」

人数分の茶碗を並べ、パックの煎茶を空けて、お湯を注ぐ。

「ええ娘さんになったじゃないか」

叔父がこちらを見て言う。

「これが、気難しくてねえ。最近、明るくなったのよ。一時はどうなるか心配したわ」

いつもの手段だとわかっていても、つい腹が立ってしまう。

「人のこと、精神病みたいに言わないでくれる?」

「ところで、兄さんの妹さんたちはどうしてるの?」

明美さんが話題を変えた。

「姿子さんだけはさあ。美人の中の美人じゃけえ」

叔父が余計なことを言う。

「見た目はどうだか知らないけど、性格がね」

こういうとき、祖母は決して黙ったままでいない。

「あのひとは人を逸らさない雰囲気を持っているよ」

「目立ちたがりよ。女は控えめじゃないと。ちょっとあの人は強いからね。びっくりするわ」

「姿子さんが西洋風の美人なら、姉さんは和風美人じゃけえ。そりゃあ、お互いに意識し合うね」

またしても、明美さんがすかさずフォローする。丸く収まった。


帰りの新幹線で、私はずっと眠っていた。

秋になり、再び東京での生活が始まった。

いつもの時間に、いつものバスに乗る。

―おはよう。

挨拶する声が聞こえる。第二外国語の授業で一緒の子だ。歩き方がスチュワーデス風。素早く手を振り、口角を上げる。あなたのことを無視していませんよ。というサイン。大学生が寄り集まるこの時間帯の車内では、あちこちで同じジェスチャーが繰り返される。視線を規定の位置に戻す。バッグの中身を移動させて、整理する。窓の外を眺める。今日は雨だから、到着が遅いかもしれない。もっと早く家を出ればよかった。ガラス越しに、様々な様式の家が並んでいる。「空想するのが趣味なのよ」ドイツ語の先生が、外を指さしながら言った。半年以上も前のことだ。今は同じバスに乗ることはない。離婚して、引っ越したらしい。私は興味がなかったけど、一応「なにをですか?」って聞いた。そしたら、「たとえばね、素敵な家を見つけてあの家の住人だったら、って考えるの。通学の時間が楽しくなるわよ」って。なんでそんなことを教えてくれたのかは、わからない。先生は私が軽く孤立しているのを、知っていたのかもしれない。

―つぎは女子大前
アナウンスとともに、入口付近に人が集合した。急がなくても、どうせ出られるのに。列に並ぶ。押し出されるように して、外に出る。単位を取りに来てるだけ。そう言い聞かせたら、自分が自立しているように思えてきた。

「パートツーがいる」

「どこどこ？」

「前歩いてる」

パートツー、というのは私のあだ名らしい。由来はわからない。二重人格とか？　とにかくいい意味ではないということは口調からも確認できる。勝手に付けないでほしい。嫌われているほどではないけれど、違和感を持たれているのだと思う。興味がある分野の先生と、積極的に接触したがる。嫌味を言ってくる人には近寄らない。一人で行動していても平気。他の子と違うところがあるとすれば、そのくらいだと思う。共学だったら、たぶん普通。けど、この閉鎖的な環境では許されないらしい。授業だって、自分の基準でとる。

教室のドアを開ける。はじっこに座り、自分の持ち物でテリトリーを包囲する。縄張りをつくっているのだ。お腹が空いたから、バッグからおにぎりを取り出した。かつおぶしと、梅干ししか入ってないシンプルなやつ。食べているところを人に見られるのが嫌だから、ちぢこまりながら口に運ぶ。今日は一コマだけ。授業と、バイトと、家。その繰り返しで、日々が過ぎていく。たまに友達と映画に行ったりする。合間に図書館とか、公園にもいる。若い時期を無駄に過ごしている、という観念があるから、デートもする。でも、なにも変わらない。トンネルを抜けたら一般道だった、的な。とにかく退屈で、イライラしていて意味もなく焦っている。

一つのことに全体重をかけたくない。上手く言えないけど、後ろで扉が閉まってしまうような気持ちになりたくない。どんなことにも深く関わらないようにして、精神のバランスを保っている。喪失感を味わうのが怖くて、いつも身構えている。私は、器用ではないのだ。

「ねえねえ」

となりから話しかけられる。ピンクと黒が半々のワンピースを着ている。

「なに？」

「そのバッグ、ガルシアマルケスでしょ？」

興味の対象は私ではない。

「うん。原宿で買った」

「お店の場所がわからないんだけど。よかったら案内してくれる？　お願い」

手を合わせている。そんなに重要なことなのだろうか。

「なんで？」

「忙しい？」

切迫しているようだ。

「まあまあひま」

そういう流れで、だれかと街をぶらぶらすることもある。目的を終えたあと、私は一人で表参道を歩いていた。

「あらまあ！」

大きな声が聞こえる。振り返ると、初老の女性が立っていた。ベージュの濃淡に、ワインレッドのマフラーをしている。スウェードの鞄を持っていた。見覚えがなかった。私のさらに後ろに、知り合いがいるのだろうか。女性はさらに続けた。

「大きくなって。背格好が、お母さんとまるで同じね」

私に向かって話しているようだ。どう反応していいのか、戸惑った。すこし警戒した。

「あらー。忘れちゃった？　遥子よ。利蔵の妹。もうおばさんになったから、わからなかった？　小さいころ、抱っこしたのよ。今もあの時の面影があるわね」

揺子という名前は、聞いたことがある。ということは、姿子さんと姉妹になるのだろうか。

「すみません。ぼーっとしてて」

「いいのよ。この近くに、息子の事務所があるの。たまたま来てただけだから、びっくりしたわ。お茶していかない？」

勉強しない大学生には、時間なんていくらでもある。

「あっ。はい」

私はノコノコ付いていった。

「ごめんね。いきなり声かけて。身内に偶然会うことなんて、なかなかないでしょ？　ロイヤルミルクティーでいいわよね？　ここでは一番おいしいわよ。なんか食べる？　お腹空いてない？」

座るなり、遥子さんは話しはじめた。

「はい」

「今栄養とらないと、育たないわよ。サンドイッチも必要よね。私は、ドリアにするから」

「ありがとうございます」

勝手に決めてしまう。

なにを話したらいいのだろうか。

「だいぶ前ですけど、姿子さんに会いました」

少々強引かもしれない。

「あらー？　あの子もああ見えて損な性分だからね。元気だった？」

「ご主人が肺炎だって聞きました」

「日常茶飯事よ」

手首にスナップを効かせて、こちらに傾ける。なぜおばさんはこの動作をするのだろうか。

「仕事も何度も辞めさせられてるしね。なんとか再就職してるけど、大変よ」

「え？　そんなに弱いんですか？」

「支えるために、美容部員やってたこともあったわよ」

「姿子さんがですか？」

「売り上げは良かったみたいだけど。虐められてね。泣きながら電話をかけてきたこともあった。すぐに目を付けられてしまうのよ。なにを言われても、自分のことを反省するのよね」

「祖父からは、全然…」

「ほとんど没交渉でしょ。姿子とは。昔から、仲が悪かった。姿子が（けど、兄貴）って言うと、兄が怒りだすのよ。何度くりかえしても、話し合おうとするのよね。話せばわかると思ってるから」

あきらめたような表情をしている。

「どんなときにですか？」

「数えきれないわよ」

「考えが根本的に違ったんですね」

「そうなのよ」

「祖母とは、まともに話してるところ、見たことがないです」

「でも、結局は姉さんの思い通りになってるでしょ？」

片側で手を組んでいる。放心状態に見える。

「なんとなく」

「誘導することしか、できないのよ。他にやりようがないの。それが現実よ。嫌われたら、元も子もないよ」

揺子さんは、ため息をついた。

＊

授業のない日。ベッドから起きると、湿度の高い空気が漂っていた。除湿機のスイッチを入れて、パジャマからワンピースに着替える。頭にさわると、寝癖が付いていた。激しくリーゼを吹きつける。この世に存在する生活感を全て一掃したい。汗もかきたくない。煩わしいことから逃れて生きていたい。できることなら、一生。

階段を降り、洗面所に向かう。顔を何度も洗った後、居間に戻って冷蔵庫を開ける。昨日のおかずの残りが、タッパーに入れてある。パンと牛乳を取り出す。朝はこれだけで充分。パンをトースターで温めて、再び上に戻る。

私の部屋には、不必要だけど必要不可欠なものが並んでいる。木製の本棚には、海外の幻想文学。その引き出しには、ビー玉とか、天然石が小分けされて入っている。気が向いたときに眺めるのだ。特に意味がないけど、パンはお盆ごとサイドテーブルに乗せてから食べる。ベッドに腰掛けながら。お行儀が悪いことをするのが嬉しい。ただ、それだけ。パンくずが床に落ちていると思われるので、箒で掃いてチリをゴミ箱に入れる。ほとんどの時間、私は私の世界に生きていて完結している。

下の階から話し声が聞こえてきた。祖父が電話しているのだ。「いやいや」とか、決まりきった相槌を打っている。受話器に向かってお辞儀をする姿が目に浮かんだ。たぶん相手は会社時代の上司だろうな、と思った。定年退職した後なのに、なんでわざわざ連絡を取り合うのかが理解できない。階段を降りる。玄関で、キタムラの靴を履いた。

顔を合わせないようにこっそり外に出ようと思ったのに、祖父はいつのまにか庭に移動していた。ちっぽけな植木鉢を見つめている。中には、松が植えられている。

「おい。どこに行くんだ?」

気づいているとは思わなかったから、驚いた。背中に目でも付いているのだろうか。

「出かけてきます」

質問することが重要で、答えは聞いていない。いつものことだ。門を閉めた。背後で、金属が触れ合う音がした。


「次、いつ会える?」

彼が言った。いつ見ても、背が高いと思う。

「土曜日」

「長いな」

「ふーん」

「本当だよ。疑うなよ」

「私のほうが、好きだと思う」

文脈を無視して、言いたいことを言う。

「今となっては」


足音だけが聞こえる。

「なに?」

「妹よりも大切だよ」

平気でそんなことを言えるなんて、冷たい人だと思った。

「優秀なんでしょ? 慶應に行きたいんだって?」

「まだ中学生なんだけど」

「知ってる」

「勉強ばっかりしてるんだよ。このまえ、お茶淹れてって言ったら、無視された」

どう反応していいのかわからなかったから、口角を上げてみた。

「一人で帰れる?」

「と、思う」

「このまえ、山手線で一周して、もとの駅に戻ってただろ」

「大丈夫」

「やっぱり、送っていくよ。」

そう言って、彼は私の手を握った。

次の日も休みだった。つまり、学校もバイトもない日。
—妹よりも大切だよ。今となっては
彼の言葉が、頭の中をよぎった。本心だとは思えないけど。たしかに、私は彼から、妹みたいに扱われてる。出来が悪くて、甘ったれな妹。一人っ子の私には、それが嬉しかった。

自分でも、なんでこれほど依存心が強いのか理解できない。誰かが、関心を持って世話をしてくれる。それだけで、相手に支配されてしまいそうだった。他人なのに、身内以上に大切に感じることなんて、あるのだろうか。

机の引き出しを開けて、ビー玉をひとつ、手の平に乗っける。赤の波模様。そっと、転がしてみる。何度も反復しているうちにことん、と音がして床に落ちてしまった。もう、どうでもいい。

本棚から、本を一冊選ぶ。趣味が変わらないから、同じ本を何度も読む。というよりも、変な読み方をしている。一度目はストーリーを追う。二度目以降は、作者の影を追うのだ。具体的には、嗜好をあぶりだす。描写が綿密なところに目を付けて、検討するのだ。友達に話したら、意味がないって言われたけど。実は目の前の人に関心を持つことだって、充分不毛だと思う。本当のことを言っているかなんて、本人にしかわからないし。サイドテーブルに付箋とシャープペンシルを置く。怪しいと思われるところに、線を引く。目を付けた作家とは、絶対に接触しない。握手会とかに行って、「わらびもちが好きでしょ?」なんて言うのは犯罪行為である。これは、けっこうおもしろい。勝手に、相手のことを知った気になれる。なにより、身近な人への執着を断ち切れる。依存心がなくなる。自立できる。という境地を目指している。

こんなことばかりしていると自己評価が下がるので、翻訳の練習をする。『中級者のためのフランス語翻訳練習帳』。わかりやすいタイトルである。

ドアをノックする音がした。

「入っていい?」

母の声。

「どうぞ」

「昨日、何時に帰ってきた?」

エプロンのポケットに、手を突っ込んでいる。

「そんなに遅くなってないけど」

「どこ行ってたの? 電話くらいしなさいよ」

「メールした。渋谷」

「あらそう。なんにも言わないんだから。横浜にも勝手に行っちゃうし」

「ごめんね」

「そういえば姿子さん、元気だった?」

「まあまあ。でも、おじいちゃんに存在否定されまくりだったらしいよ」

「なんで嫌うかね。あの人には、良くしてもらった思い出しかないのに」

「おばあちゃんに気をつかってるんじゃないの?」

「あるかもね。でも、そこまでは必要なくない?」

「なんだろう。罪悪感があるとか?」

「どんな?」

「考えてもわからないわね」

疑問を投げかけたあげく、母はどこかに行ってしまう。いつもそうだ。

祖父はどうして、祖母の言うなりなのだろう。姿子さんが嫌いな理由は？　頭の中で、同じ言葉がエコーする。祖父の性格を、私はよく知らない。特徴といえば、学歴信望者なことくらいだ。「学歴の高い人間は、人格的にも優れている」それが、口癖だった。しかし、彼の妻は中卒なのだ。

ひとつ、思い出したことがある。高校生のときだったと思う。私は喉が渇いていて、下の階に降りた。蛇口を捻って、水を飲んだ。日本は住宅事情が悪い。というより、狭い。襖をへだてて、その向こうに祖父と祖母が寝ている。

冷蔵庫のモーター音が響いていた。一度起きてしまうと、なかなか寝付けない。椅子の下に丸まる。

「なあ」

祖父の声。

「疲れてるのよ」

「なあ、なあ」

しつこい。

「疲れてるの」

祖母は嫌そうだった。

なにも聞かなかったふりをして、私は部屋に戻った。話題にもしなかった。にもしなかった。母も、知っているだろうということは予想がついた。つぎの日、祖父は機嫌が悪かった。テレビの音量が大きく聞こえた。朝食がまずかった。

「新聞、とってきて」

祖母が言った。祖母は部屋で、手にクリームを塗っていた。私は顔を見れなかった。

「金箔が入ってるのよ、こうすると、艶が出るの。シミも薄くなるのよ」

「前と変わってないように見えるけど」

返事はなかった。

祖母の神経は手の甲に集中していた。

「色が黄色いわね、あんた」

祖母はよく、私に言っていた。並の容姿だが、肌だけは白くとても美しいのだ。

記憶は連続して蘇る。

同じ年の、母の誕生日。父は深夜に帰ってきた。

「見せたいものがあるんだよ」

笑顔で話しているが、様子がおかしい。酔っているようだった。

玄関には、ペコちゃんの銅像が置かれていた。たぶん、店頭に配置してあるものだ。

「かわいいだろ？」

父は得意げだった。どうしていいのかわからなくて、私は下を向いた。母が出迎えにきた。

「どうするのよ、そんなもの」

母がつぶやいた。母は立ったままで声も出さずに泣いた。

「なにが悲しい？　なんだ、なにが悲しい？」

父は怒りはじめた。周辺の住人が寝ている間に、母と私はそれを戻しに行った。父は居間でうつぶせになっていた。

祖父は
「人として恥ずかしくない行いをしろ」

と言って父を叱った。それを聞いて、父は一週間ほど帰ってこなかった。

昼、私と母は居間で紅茶を飲んでいた。談笑する母と私に、祖母が言い放った。

「女が二人いて、男一人引き留められないの？　情けないね。あんたらは」

母は笑った。私も続いた。笑ってしまえば、全てが喜劇だった。私は普通の馬鹿として、高校を卒業した。非難されることは、なかった。なにもかもがどうでもよかった。角砂糖に水が侵食するみたいに、私はなにかをなくしていった。

母は買い物が趣味で、気が向くと私に服を買ってきてくれた。空を見上げれば、鳥が飛んでいた。瞬発的に面白いことを追い求める。私はそれ以外の生き方を知らない。

*

「横浜のおじさんのお通夜に行ってくるから」

祖母が、髪の毛をとかしながら言った。あれから、二年以上が経過していた。

「おじさんって？」

「姿子さんのご主人よ」

「なんで？」

「癌だったからよ」

「知らなかった。肺炎じゃなかったの？　なんで言ってくれなかったの？」

「肺炎の症状が治まったのに、まだ体調が悪いっていうんでね。精密検査したら見つかったのよ。それに、あんたに言ったって何もできないでしょうが」

「肺炎だって聞いた」

自分でも馬鹿なことを言っていると思う。けど、納得できなかった。

「だったら、あんなに長く入院するわけないでしょう。お金がかかるのに。民間療法にまですがってたんだから」

それから、二ヶ月くらいして姿子さんが倒れた。お見舞いに行ったとき、姿子さんはゆっくり私の頭を撫でた。やせてしまって、指輪が重たそうに見えた。それから三回、病院に行った。息子にも会った。つぎの月の六日、家に電話がかかってきた。祖母が受話器を取る前から、姿子さんが死んだのだな、と思った。なぜかはわからない。たぶん、親戚だからだろう。

「横浜が、亡くなったのよ」

祖父は新聞から顔を上げなかった。けれども、葬式には出た。私たちは並んで収骨をした。

「美人だったね」

三重が言った。

「とても」

神戸が答えた。

それからしばらくして、横浜の息子が来た。「売り食いをしていたから、ほとんどまともなものが残っていない」と言って紙袋を手渡してくれた。近鉄松下と印刷された袋を開けると、小さな箱が現れた。中に入っていたのは、ルビーの指輪だった。

文庫を読む⑩武田百合子『富士日記』　斉田睦子

正直な人が正直に書くとこんなに気持ちの良い本になるのだなぁ、と思いながら中公文庫全3巻を読み終えました。そして「あとらす」誌に投稿しようと書き出しましたら、朝日新聞がこの本の特集に近い記事（11月18日）を出したので、ちょっと書く気が失せましたが、今回はこの本以外になしと思い直してご紹介させていただくこととしました。

昭和三十九年から五十一年まで、夫（武田泰淳氏）、たまに訪れる娘（武田花さん）と暮らした富士山ろくの日々を、天気と朝昼晩の献立、その日の出来事を淡々と書きとどめただけなのですが、これだけで読者（私）は魅了されて止みませんでした。どの箇所でもよいのですが、一部を引いて見ます。「主人が寝てから、一人でテレビをみている。源義経。近頃は追われる筋となってきたので面白い。今日などはとても可哀そうであった。静御前は可哀そうでない。のろのろしていて、何一つ戦わないし、重いものを持たない。バカのようである。今日は忠臣戦死の場であった。雪の中を義経と家来がとぼとぼ歩いて行くところが哀れであった。義経はきれいで、弁慶や家来はみんなホモのように義経が好きなのだ。今日は、おかゆも出てこず、ただ雪の中だけであった。いつも必ず、おかゆを食べるところが出てくる。しかし、義経も、まったく何もしない人だなぁ。ただ家来に何でもかんでもしてもらっている」―長い引用になりましたが、著者の面目躍如です。

懇意になった村の人や、庭の草花、飼い犬のことなど、随所に挿まれた、こんな感想がたまらなく面白いです。以上。

翻訳に取り組む

大河内健次

（一）原著との出会い

「君、セファラドって知っている?」
「スペインのユダヤ人だろう」
「よく知っているね。じゃ、セファラドという小説は?」
「知らない」

アメリカのある大学のスペイン文学を専攻している若い教授Bさんが、私をからかい出した。私には都内のある大学の付属高校のスペイン語圏からの帰国生のスペイン語力を維持し、且つ日本語力をアップさせると言う難しい課題が与えられていた。大学の先生が帰国生はよく出来るし、何を教えていいか分からないので、誰もやりたがらない。それで、先生に来てもらった、と私に言っていたが、これも私に対するからかいの一つかも知れなかった。私は自分の実力不足を痛感して、スペイン北部の都市サンタンデールにある国際夏期大学に来ていた。このサンタンデールは夏でも二十八度を上回ることのないすがすがしい避暑地で、従って、各国の大学の教師たちが、避暑を兼ねて来ていた。一度、「あとらす」にもその滞在記を書いたことがあった。滞在したのは二〇〇五年と二〇〇六年の夏のことだった。

「セファラド」とはヘブライ語では「スペイン」そのものを意味するが、ユダヤ人のディアスポラ（民族離散）の内、中世までにイベリア半島に住んでいたユダヤ人の子孫を指す。十五世紀スペイン国土回復運動によりイスラーム勢力との戦争に勝利し、イスラーム人を排除するが、一四九二年ユダヤ人をも追放した。この題の小説を書いた作家はアントニオ・ムニョス・モリナと言い、当時、五十才そこそこだったが、これまで書いたほとんどの作品で、スペインとフランスの各文学賞を取り、三十九才の若さでスペインのアカデミー会員に選ばれたエリートである。

その当時、ニューヨークにあるスペイン・セルバンテス文化センターのダイレクターをしていたが、一年の半分はニューヨークに住んでいるとのことだった。すでに、二十ヶ国に翻訳されているが、堅い歴史ものではなく、十七の独立した短編小説がそれぞれ一つの章を構成する一種の口承文学的手法を駆使し、いわば小説の中に小説がある様式である。イエス・キリストの福音をマタイ書、ルカ書、マルコ書と使徒自身或いは使徒の同伴者がそれぞれに書き、異なる聖書で伝えたように、様々な語り手を「セファラド」に用意した。

さらに、ユダヤ人抑圧・追放・虐殺に絡む著名な歴史上の人物と、著者が造り出した架空の人物たちが、小説の中で同じ条件で登場し、接触するが、そこに、著者と思しき作家が旅先で出会う人物の一人として、また、絡んで来る。スペインのセファラド追放がドイツ系のアシュケナジムとともに近代西洋社会を作る重要な要素となったという著者の主張には興味深いものがある。この小説に「おお、そうと知っていたきみよ！」という題の章がある。ブタペストに住んでいたセファラド出身の一家の夫と長男が外出している間にゲシュタポに妻と長女が拉致されてしまう。スペインは一九二四年にはセファラドに対してスペイン国籍を与えるという法律が出来ていたので、当人と長男はスペイン大使館に頼んでセファラドの証明書を発行してもらい、当時スペインの植民地だったタンジールに逃避する。一家はセファラド追放から五百年もの間、トレードにあった家の鍵を保持し、それを誇りにしていた。これなど、イスラームのスペイン八百年の支配の間、非ムスリムの状態は比較的良かったことを現しているのではないか。

オーストリアのある作家がこの小説の歴史的人物の伝記的記述が極めて不正確で、現実の人物の歴史的で劇的な体験をフィクションの人物と混在させ、ファシズムや共産主義に絡むドラマにする小説家の権利があるかどうか疑問があるとして、ムニョス・モリナを告発した。これに対し、ムニョス・モリナは作家と語り手が分離していること、さらに、真実をフィクション化する権利が小説家にあることを主張し、歴史的真実を越えた文学的誠実を達成しようとしていると回答した。B教授の意見では、特に、これにより、法的にムニョス・モリナが追い詰められることなく済みそうだ、とのことだった。むしろ、これで、将来のノーベル文学賞受賞候補の一人に躍り出たのではないか、と彼は主張した。話を聞いていた他のクラスメートたちが、特に異を唱えず、皆がムニョス・モリナを将来のノーベル文学賞候補の一人として、認めている雰囲気だった。

その後、二〇一三年になってムニョス・モリナは、村上春樹が二〇〇九年に獲得したエレサレム賞を取り、同年スペイン最高文学賞と言われるアストゥリアス皇太子賞を受賞した。

(二) 夏期大学の演習

ムニョス・モリナ論を昼食後に議論し合った日の、午後の授業は文学作品の読解力を試す問題の作り方がテーマだった。グループ毎に課題を検討することになったが、私の属しているグループでは、課題は短い方がよいので詩を題材とするのが最適と言うことになった。どの詩人の、どの作品にするか、各自が十五分後に提案することになったが、各々、パソコンを叩いてしばらく検討の後、候補作品を出し合った。さきほどの休み時間にムニョス・モリナ論を展開した中心人物のB教授が、次の詩を提案した。簡潔ながら深い味わいのある詩で、それを課題にすることに異存のある人はいなかった。詩人の名前は、特異な名前なので、これまで、私も記憶して来たが、バルセロナ生まれで、ジャウマ・ジル・デ・ビエドマ（Jaime Gil de Biedma<1929-1990>）と言った。この投稿をするに当たって、詩自体の詩句を探し求めるのには苦労したが、スペインの詩人のサイトで、この詩人の作品の傑作集を探ったら、次のなつかしい作品が出て来た。

「No volvere a ser joven」　「私は若者には帰れない」

Que la vida iba en serio　人生を真面目に生きるべきだった
Uno lo empieza a comprender mas tarde　人がそのことに気づき始めるのはもっと遅くなってから
——como todos los jovenes, yo vine　若者がすべてそうであるように、私も人生を
a llevarme la vida por delante　前向きに捉えてきた
Dejar huella queria　足跡を残し、
y marcharme entre aplausos　拍手喝采の中を突き進むことを望んだ
——envejecer,morir, an tan solo　年老い死ぬこと、それは単に劇場の中の
las dimensiones del teatro　出来事に過ぎなかった
Pero ha pasado el tiempo　しかし、年月が過ぎ、やがて、不愉快な真実が
y la verdad desagradable asoma:　首を覗かせて来ると、
——envejecer,morir,　年老い死ぬことが
es el unico argumento de la obra　唯一つの作品のテーマとなった。（小生の訳）

皆で議論の末、学生に対する出題問題を作成したが、その内容についてはここでは省略する。

（三）翻訳を決意する

この夏期大学で名前を覚えた作家のムニョス・モリナは私の印象に強く残ったので、サンタンデールの本屋で何冊か買い求め、少しずつこれまで読んで来たが、そのうち、邦訳が出るのを楽しみにして来た。特に、エレサレム賞を取った後は日本でも当然、翻訳書が出るものと思っていたが、一向に

その気配がなかった。ときに、スペイン語の教師をしているような人に聞いてみると、ほとんどの人がこの作家を知らなかった。一方では、スペインの民主主義移行期に私は銀行の支店をマドリッドとバルセロナに開設する経験をし、財務省や国営企業を統括するＩＮＩの幹部、テレフォニカ社や有力電力会社・民間大手企業等の幹部から第二次世界大戦後の日本の民主化について知りたいとの質問を受け、親しく共通認識を獲得出来た思い出があるだけに、民主主義移行期に育ったムニョス・モリナの心情をよく理解できるのは、或いは、日本では、私しかいないのではないか、と、不遜にも、自分でも抑えがたい恐ろしく昂る感情が高まって来た。しかも、あの夏期大学にはＮＨＫラジオ講座に出ている先生も来ていたが、我々の仲間には入らず、二時間ある昼休みの時間はホテルに帰っているのが常だった。あの若手Ｂ教授のご高説を聞いていた日本人は私しかいなかったので、私が翻訳しなければならないではないかと思うようになったのである。そのとき同時に思い出したのが、上記（二）の「私は若者には帰れない」という詩だった。

私はすでに八十才を越えていたのである。他の国々が例えば村上春樹の作品を次々に翻訳して読んでいるのに、日本では英米の作家は別として、現代の外国の作家の作品の翻訳の例は極めて少ない。スペイン語のものはさらに稀である。その一因は、翻訳ものの読者層が薄く出版してもなかなか売れないという。特に日本の若者は読書をする習慣から離れており、とにかく、漫画本以外は本が売れない。長期的出版不況と言われる所以である。そんな中で、私はムニョス・モリナの小説の翻訳を昨年五月に決意し、ただちに着手した。

（四）翻訳に取り組む

実際に翻訳を始めてみると、それまで読み飛ばしていたところが本当は分かってなくて、分からない箇所から、先に行けず苦しい思いを何度か繰り返した。三百五十六頁にぎっしり詰まった活字を前にすると途方に暮れる日もあった。そんなとき読んだのが、鴻巣友季子著「翻訳ってなんだろう？――あの名作を読んでみる」という本だった。

鴻巣さんはもちろん英語からの翻訳者であるが、その本には翻訳に関する深い洞察のある言葉が並んでいた。フランスの有名な翻訳家のアントワーヌ・ベルマンの次の言葉を紹介していた。

「批評が作品への限りない接近だとすれば、翻訳はその作品を体験することである」鴻巣さんはその点を「作品のテキスト（書かれている文章とその内容）を翻訳を通して体感することで、自分にとって良く分かる部分と分からない部分が明確に見えてくる。読書であれば、分からない部分をそのままにして読み進めることも出来るが、翻訳ではそうした箇所を飛ばすわけにはいかないので、その分からなさをまじまじと見つめることになる」と書かれているが、まさに、私が体感したことだった。そして、鴻巣さんは、「翻訳って日本語の問題と言われるが、やはり、原文を読み取る力が大切」と指摘し、原文を読み取る力を語学力とし、それには、異文化に対する知識、分からないことが出て来た時のリサーチ力、さらに、調べる地道な作業がどれだけ出来るかにかかっているとしている。上記（二）に掲げたような語学関連の与えられた問題を読み解くのと、翻訳とはどのような違いがあるのだろうか。鴻巣さんは英文和訳と翻訳の違いを「英文和訳は英文がそこにあって訳者が評定者に対して英文を理解していることを示すものだが、翻訳とはもともと原文を理解出来ない人達のために存在する」のだから、その目的は「不特定多数の他者に訳文を届けること。読む人は原文を持っていないことを忘れてはならない」としている。とすると、訳文だけで独立した表現として完結する必要がある訳である。「翻訳とは原文の一語一句をあなたの読解と日本語を通してまるごと書き直していく作業」であるが、一面、「一種の批評を通して作品そのものを書く行為」と主張している。

（五）翻訳対象作品の決定とその内容

翻訳の対象である原書を決めるに際して、ムニョス・モリナの作品をいろいろ検討したが、上記（一）に掲げた「セファラド」は五百頁を越える長編であり、長過ぎるし、ユダヤ人ものが、日本の読者に素直に受け入れられるかどうか自信が持てなかったので、やはり、第一作目の作品「Beatus Ille」（ベアトゥス・イル、ラテン語で「仕合わせな奴」の意味）を選択した。

小説の概要を取りまとめると次の通りである。

〝スペインのフランコ体制の末期、六十年代の終わり頃、学生運動により拘束された後、釈放されたマドリッド大学院学生ミナヤは、スペイン内戦前後に活躍していた忘れられた左翼系、共和主義者の詩人ハシント・ソラナが、マヒナというアンダルシアの小さな町に住む叔父マヌエルと親友だったことを知り、叔父の家に滞在しながら、彼に関する博士論文を書くことを思いつく。

ソラナと叔父マヌエルは二人とも、一人の美女マリアナを愛していたが、結婚の約束を取り付けたのは叔父マヌエルだった。ところが、結婚式前夜、マリアナは治安部隊の流れ弾に当たって、突然死を遂げる。しかし、ミナヤの訪問時、たまたま発見されたソラナの青色のノートからは、マリアナの死は内部の者の一撃だった可能性が指摘されていた。一方、ソラナは共和国政府の兵士となって、内戦に参加するが、共和国側は破れ、フランコ独裁制下、拘束される。八年後にようやく出所し、マヌエルの農園にいるところを治安部隊に襲撃され、死亡する。しかし、ソラナが最後に滞在していたその農園の管理人はソラナ自身の死体を見ていないと主張する。

マリアナの死は流れ弾によるものだったのか、内部による犯行だったのか、ソラナは殺されたのか、生きているのか。ミナヤはこのテーマを周囲の人々との対談を通じて、田園的な町にあったこのミステリーに挑み、巻き込まれていく。ソラナが残したかった小説もこのミステリーに関連しているようでもあり、その小説についても再構築を巡らしていく。

叔父マヌエルの家は大きな家だが、三十年間の時の経過が感じられず、時間が停滞している。家には大きな神秘的な鏡があり、鏡には過去の思念が映っている。その中でミナヤと小間使いイネスとの恋が繰り広げられる。

「記憶と欲望をないまぜにし」……T・S・エリオット〟

この小説はポストモダニズムの手法を採っており、意識の流れを重視し、従って、物語は時系列的に進行せず、読者には誰かよく分からない語り手によって物語が進行する。主語は極端に省略され、意識の流れにより、突如時制も変わる。小説の中に小説があり、フォークナーとかボルヘスのように架空の町で繰り広げられる歴史小説であるが、推理小説としても読める。官憲に処分されたと言われるソラナの原稿を探しにマヒナに来たミナヤは、原稿の代わりに犯罪を突き止める結果となる。

小説の第一部のエピグラフ「欲望と記憶をないまぜにし…」はT・S・エリオットの「荒地」（The Waste Land）の第一歌「死者の埋葬」（The Burial of the Dead）から取られており、この小説の全体を貫く重要なテーマとなっている。すなわち、

死者の埋葬

四月は最も残酷な月、リラの花を
凍土の中から目覚めさせ、記憶と
欲望をないまぜにし、春の雨で
生気のない根をふるい立たせる。
（以下略／岩崎完治訳）

この詩は日本では第二次大戦後の殺伐とした風景がエリオットの荒地が舞台とした第一次世界大戦後の風景と重なるとして、田村隆一等がグループ「荒地」を結成し、活発な現代詩の詩作に取り組んだことを想起させるが、詩自体は西脇順三郎の訳詩で有名になった。難解な詩であるが、第一部の

エピグラフとなったものが意味するものは「死と再生」にある。ミナヤの来訪により、叔父マヌエルとソラナが死去し、ミナヤとイネスの愛が芽生えるのである。原詩は「聖杯伝説」から取られ、聖杯が失われたことにより、国土が荒廃したというイメージが「荒地」という題になったが、四月は冷酷な季節というのはフレーザーの「金枝篇」の植物神アドニースの死と再生の儀式が春に行われたことを暗示している。一般的には、英国で有名な「カンタベリー物語」では四月は恵みの季節としているが、ここでは、逆にアドニース神話を強調しているのである。

第二部及び第三部のエピグラフはいずれもスペインの最大の古典、セルバンテスのドン・キホーテから左記のように取られているが、ドン・キホーテは中世以来の語りの文学を基本としており、作者はこの伝統をポストモダニズムにより引き継ぐ意思を示しているのである。

第二部

「長いあいだ世間から忘れられ、沈黙のなかで眠りこけていたこの僕が……」

ドン・キホーテ前編序文（牛島信明訳）

セルバンテスが獄中にドン・キホーテの執筆を思い付いたように、ソラナも獄中に「ベアトゥス・イル」という小説を書くことを思い付く。

第三部

「わたしは遠くで燃える火であり、彼方に置かれた剣なのです。」

ドン・キホーテ前編第十四章（牛島信明訳）

ソラナは書けなくなっても、（ここで剣とはペンのことを指す）書く情熱は失っていないことを言っているのではないか。

（六）出版社を探す

翻訳作業自体は昨年八月末で終えた。しかし、翻訳を終えても、出版するところを見出さなければ、当初の目的は達せられないのであった。しかも、私は無名であり、原著者も日本では名が知られていない。しかし、原著者の作品はすでに二十数ヶ国で翻訳されており、作品が新たに発表される度に各国で翻訳が追加されている状況を見ると、版権獲得のための商業的条件が、日本は出版不況で、彼の作品が永らく翻訳されてなかったからといって割安になることはあり得ず、グローバルな相場で決まる。それが、スペイン政府の助成金の範囲内に収まると考えるのは非現実的な想定だった。

このように現実的に考えると悲観的にならざるを得ないが、

まずは、スペインの教育文化スポーツ省の助成金獲得の可能性を押さえておくのは最低限必要な前提なので、申請手続きを大使館に打診したところ、二〇一九年度分は六月末ですでに締め切り、終了しており、今後の助成金は二〇二〇年度になるとのことだった。

そこで、翌年度の助成金獲得を当然の条件として、出版会社に打診することにした。

コネクションを考慮して三社を選定し、打診を始めたがどれもうまく行かなかった。すなわち、A社は銀行の先輩が勤務したところだったが、先輩の退職後相当な年月が経っているせいか、反応は何もなかった。テニスの仲間で、出版会社勤務の友人の紹介を受けたSH社も梨の礫で駄目、学校でスペイン語の教科書を利用していた出版会社のW社からは、送付した私のあとがき、解説を見て、もう少し平易なものなら、というので、第二作目の「リスボンの冬」の概要、あとがき、解説を送付したが、二ヶ月後に断って来た。

この段階で時々投稿しているN出版社のH社長にアドバイスを仰ぐこととした。強く勧められたのは、やはり、版権を押さえることだった。少なくとも他に誰も翻訳を企てるものがいないと言う前提が確認されてないと何も始まらないということだった。そこで、原著者の出版社とコンタクトしたが、メールを何度打っても私の打診に対して一向に返信がなかった。そこで、私のアイデンティティが問題になっているのではないかと判断して、翻訳を考慮していることの書信、スペイン大使館に打診した書類の写し、さらに、私の履歴書を同封の上、国際書留速達便で一件書類を送付したら、ようやくロンドンのエージェントからメールが入り、日本からの翻訳打診は私が最初であることが確認された。先方は commercial conditions をさっそく取り極めたいとして来たが、当然ながら日本の出版会社と契約しない限り、先方との版権交渉には入れない。これから出版会社を探すとの理由で、版権契約をしばらく待ってもらうことにした。

（七）出版社を見出す

大手出版社はまともに対応してくれないことが分かったので、中規模以下の出版社で、翻訳書の出版実績のあるところを自分なりに調査し、三社を選定し、打診することにした。その際、当初から、小説の概要、詳しい解説、原著者紹介等を送付してしまうと、余り検討もせず、断って来ることが多いことを学んだので、苦心の末、五行ほどの短い「打診書」を作成し、メールで送付したところ、三社とも検討をしたいので、一件書類を送付して欲しい、との回答を得た。

そのうちの一社SK社はよく勉強しており、鋭い質問を投げかけて来て、三月下旬のコロナ緊急事態宣言直前には、原稿の文字数を確認する段階まで来ていたが、その後は何の連絡もなく、六月下旬、企画会議で見送りになった旨の連絡が入った。

コロナ不況で翻訳ものの出版はやはり無理かと思い始めたので、七月初旬に、突如、M社のS社主より、出版を引き受けたいので、私と面談したい、との直々の手紙を受け取った。面談して見ると、トップダウンの会社だけに、私の書いているものをよく読んでいるし、私のような学会および出版界で実績のないものはこのような会社に依頼するしか方法がないのではないかと思った。S社主は私と同様にノーベル文学賞受賞候補になるぐらいの世界的流行作家の印税の前払い請求が割高になることを真剣に心配していて、スペイン政府助成金で賄えない部分を何とか自己資金で補填してもらえないか、との打診があった。そして、M社のほとんどの翻訳ものの出版は外国政府助成金に、大学や学会の奨励金を加えてカバーされているとの実態説明があった。

私はM社と契約することにし、翻訳原稿をメールの添付書類として送付し、同時にリーガルエージェントのメールアドレスおよび住所を教えた。その後M社担当者から、先方の請求額は想定の三倍を超えているとの報告があった。七月も終わりを告げようとする頃、二〇二〇年度の助成金交付は無理と思われていたスペイン政府から突如、助成金申請の受付が発表されたが、受付期間は僅か二週間であり、原著者側と交渉中で、契約が未成立の段階では本年度の申請は無理であることが判明した。S社主から、助成金取得にはスペイン政府のみならず、東京セルバンテス文化センター助成金を取得する方法もある。各国の助成金取得手続きを行っているM社顧問の情報によれば前文化センター所長は原著者と友人で、かねてより、日本語への翻訳者が現れれば助成金を出す、と言っていたのを思い出したので、工作を始めたい。ついては先方に熱意を示すためにも、第二作目の「リスボンの冬」の翻訳出版も当社に任せてもらえないかと提案があった。各国の翻訳出版の実績を分析すると、第一作目を難解として、第二作目から始める国も少なくないことを承知していたし、コロナの外出禁止を利用して、巣篭り状態で第二作目の翻訳にも鋭意打ち込んでいたところから、私はただちに応諾した。

先日、S社主と会ったら、ようやく印税の前払い金額が決着したが、かなりの発行部数を覚悟しなければならないことになり、リスクはM社側にもあるという話になった。反面、私がかねてから言っているようにノーベル賞受賞ともなれば、飛躍的売り上げ増を見込める可能性もあるので、M社としても「賭け」だ。S社主は微笑して、「私としても賭けて見ることに踏み切ったのです」と言った。

歴史小説『私はユリア』を読んで

岡田多喜男

コロナの日々が始まった頃、スペインに住む友人から、最近のベストセラー小説が送られてきました。『私はフリア』、ローマ帝国で最も美しかった皇后ユリア・ドムナの半生の物語で、著者はサンティアゴ・ポステギッリョ、一九六七年バレンシア生まれの小説家で、二〇一八年に出版され、プラネタ賞を受賞しています。これはスペイン語圏から毎年一人選出する権威ある文学賞で、ペルーのバルガス・リョッサ、ブライス・エチェニケ、チリのスカルメタなどもかつて受賞しています。六百九十八頁に及ぶ大作ですが、平易なスペイン語で書かれています。

登場人物の名前は、この小説ではスペイン語で書かれていますが、私はローマ帝国の言語であったラテン語に戻しました。主人公はスペイン語ではフリアですが、ラテン語ではユリア、その夫はスペイン語ではセプティミオ・セヴェロですが、ラテン語のセプティミウス・セウェルスと表記するといった具合です。

ローマ帝国ユリア・ドムナの銀貨

小説自体はスペイン語ですが、随所にラテン語が出てくるので、巻末に一七頁にわたってラテン語の語彙集が付されています。

物語は、ギリシャ人医師ガレヌスの述懐で始まります。この医師は一二九年頃から二〇〇年頃にかけて生き、古代における医学の集大成をした医学者で、その学説はその後ルネッサンスまでの一五〇〇年にわたりヨーロッパとイスラムの医学を支配し続けたとされています。臨床医としての経験と多くの解剖により、体系的な医学を確立し、古代における医学を集大成しました。良く知られる逸話ですが、かつてアリストテレスが「心は心臓にある」としていたものを、彼は「心は脳に宿る」と主張しました。医師として、皇帝マルクス・アウレリウス、コンモドゥス、セウェルスの宮廷でつかえました。

この小説で彼は冒頭に登場し、まずユリアとセウェルスの出会いを語ります。ガレヌスがこの物語の語り手、つまり狂言回しを務めているのです。

セプティミウス・セウェルス（一四六～二一一）は、北アフリカのレプティス・マグナで生まれ、終生カルタゴ訛りのラテン語を話したとされています。初めてのアフリカ出身のローマ皇帝でした。ユリアに初めて会ったのは、一八四年、三八歳の時で、ユリアは一四歳でした。彼は軍人として順調な出世をとげ、シリア属州のゼウグマに駐屯する軍団長でした。凝っていた星占いに則り、エメサ市を訪れ、その土地で信仰される太陽神の神官の娘に会ったのです。美貌で聡明な娘でした。セウェルスは二年後に妻と死別すると、ユリアの父に求婚状を送りました。二人は結婚し、相思相愛で生涯を終えるのですが、ローマの皇帝と皇后には政略結婚が多く、終生このような深い愛情で結ばれた例は他に見られないと言われています。

ガレヌスは、ユリアの生涯を述べるには、彼女が夫とともに五人の敵、即ち三人の皇帝と二人の僭称皇帝とどのように戦ったかを述べるのが適切だと考えました。皇帝コンモドゥス、皇帝ペルティナクス、皇帝ユリアヌス、僭称皇帝ニゲル、僭称皇帝アルビヌスです。

最初の敵　皇帝コンモドゥス

（在位一八〇年から一九二年十二月三十一日迄）

ユリアの最初の敵は皇帝コンモドゥスでした。彼が皇位に就くまでのローマは、優れた五人の皇帝のもと五賢帝の時代と呼ばれ、空前の繁栄を極めていました。ネルウァ、トラヤヌス、ハドリアヌス、アントニウス・ピウス、マルクス・アウレリウスの五人の賢帝です。マルクス・アウレリウスは、ローマで最高の倫理書と評される『自省録』を残し、哲人と言われた皇帝でしたが、不出来のコンモドゥスを溺愛し、世襲で皇帝にしてしまいました、

コンモドゥスは、最初の数年は無難な統治をしていましたが、一八二年に実姉ルキッラによる皇帝暗殺未遂事件が起こり、首謀者たちの粛清をしたのを契機に猜疑心の虜になり、暴君に変身してしまいました。政治は側近に任せ、コロセウムや大競技場での剣闘試合や馬車競争などに熱中する日々を過ごし、自らも優れた身体能力を誇り競技にも参加しました。一九二年に彼は、ローマという都市名を今後はコロニア・コンモディアナに変えること、各月の名称を、従来のヤヌアリウス、フェブルアリス云々と言うのを廃止し、自らの一二の

名前を月の名前にすると発表しました。アマソニウス、インウィクトゥス、フェリックス、ピウス、ルキウス、アエリウス、アウレリウス、コンモドゥス、アウグストゥス、ヘルクレウス、ロマヌス、エクスペラトリウスというのが彼の名前で、その一つ一つを月の名前にしたのです。十番目にヘルクレウスと言うのがありますが、彼はギリシャの英雄ヘラクレスの生まれ変わりを自任していたのです。

その前年の一九一年にローマで大火がありました。平和神殿やウエスタ神殿、図書庫などが焼け、ガレヌス医師の著書の殆どが焼失しました。当時夫のセウェルスは三軍団を率いて、パンノイアに総督として駐在、ユリアは二人の息子や妹のマエサとともに、いわば人質としてローマに留まっていました。ブリタニア総督アルビヌス、シリア総督ニゲルも同様ローマに妻子を残していました。

ユリアは子供たちと妹を連れてローマを脱出し、夫と合流することを試みました。城門が近衛軍団に見張られているのを見て断念しましたが、この逃亡未遂は秘密警察に見つかり、皇帝の知るところになりました。

一九二年夏、コンモドゥスは、コロッセウムで大イベントを開催、ユリアは元老員たちと同様、出席を強いられました。まず、アフリカから運ばれてきたライオンや豹や駝鳥、スペインからの巨大な熊がアレーナに放たれ、コンモドゥスが得意の弓矢で次々に殺していきました。

次に、元は軍人でありながら負傷し障害を負った者たちが闘牛士の装いでアレーナに引き出され、これを自らも闘牛士を装ったコンモドゥスがひとりひとり殺していきました。

最後の出し物が、ヘラクレスの第七の功業ステウムパロスの鳥退治でした。皇帝が自慢の弓の腕前を披露するというものです。的にされたのがユリアでした。円形劇場の上段に二人の子供とともに位置していたユリアに向けて、矢が放たれたのです。矢はユリアの髪をかすめて飛び去りましたが、その間、彼女は恐れを見せず、微動だにしませんでした。動けば屈服したとみられると思ったのです。昂然とその場を去りましたが、館の自室に入ると激しく嘔吐しました。

コンモドゥスは側近からすらも恐れられるようになり、愛妾のマルキアと近衛軍団長の共謀により暗殺されてしまいました。一九二年十二月三十一日のことで、こうしてローマ帝国のネルウア・アントニヌス朝は断絶しました。元老院は直ちにこの皇帝を「記憶抹消刑」に処し、肖像は破壊されました。

第二の敵　皇帝ペルティナクス

（在位一九三年一月一日から三月二十八日迄）

コンモドゥス死後、元老院は直ちに次期皇帝の選出を始めました。最初に候補に挙がったのは老齢の元老院議員のクラウディウス・ポンペイウスでしたが、彼は頑なに拒絶しました。彼は皇帝マルクス・アウレリウスの第一の忠臣で共同皇帝となるよう勧められましたが、これを断り、皇女ルキッラの夫に、つまり女婿になれとの勧めには断り切れず受けましたが、夫妻は至って不仲で、ルキッラによるコンモドゥス皇帝の暗殺謀議にも加わらなかったので、粛清を免れた経緯がありました。皇帝になればいずれは身に危険が及ぶと分かっていたのです。

次に皇帝に推挙されたのは、元老院議員のペルティナクスでした。しかし彼は皇帝に就任したものの、近衛兵たちの期待を大きく裏切りました。彼は財政逼迫の中、まず地方の維持にあたる軍団兵の待遇改善を重視し、新皇帝の就任の際には、支払われることが期待されていた近衛兵への特別祝い金の支給を後回しにしてしまったのです。

ガレヌスは、この皇帝ペルティナクスをユリアの第二の敵だったと断定しました。彼はユリアに直接に危害を加えた訳ではありませんが、ガレヌスの見るところ、この皇帝は、その無気力によりすべての者を新たな狂気と暴力の渦に巻き込みました、ユリアはそれを洞察し、ようやく逃れることができたと言うのです。

彼女はパンノニアに駐在する夫に救出を乞うため、ギリシャ人医師ガレヌスに密使になるよう要請します。その対価として、ガレヌスが大火で失った文献の再構築のために協力を惜しまないことを告げました。彼は、パンノニアまで旅し、セウェルスにユリアのメッセージを伝えました。そのメッセージは、たったの一言〝ガルバ〟でした。判じ物の様でしたが、これは暴君ネロの後を継いだ皇帝の名前です。ユリアと常にローマの歴史について語り合ってきたセウェルスには容易に解読できました。吝嗇ゆえに軍や民衆の期待を裏切り、その結果殺されてしまった皇帝ガルバとペルティナクスを同じだと断定し、治世のゆるみを突いて自分をセウェルスの元へ脱出させて欲しいと暗示していたのです。

セウェルスは、直ちに副官をローマに向かわせました。副官はユリアに会い、彼女と二人の息子、妹のマエサとその娘を連れ出します。ローマ市の城門は見張られていますので、彼らは船でティベリス川を渡りました。そこに待機させておいた八十人の軍団兵で一行を護り、一行を無事にパンノニアに届けました。ペルティナクスは結局、就任からたったの八十七日目の一九二年三月二十八日に、祝い金の支払い遅延を不満とする近衛兵に殺害されてしまいました。首を切り落とされ、槍に刺されました。妻と息子は、ペルティナクスが皇后にも次期皇帝（カエサル）にも任命していなかったので助命されました。

第三の敵　皇帝ユリアヌス

（在位一九三年三月二十九日〜六月一日迄）

次の皇帝も近衛軍団が選ぶことになったのですが、その選出方法は前代未聞の「皇位競売」でした。紀元一九三年三月二十九日、近衛軍団の兵営を巡る防壁の下で行われた競売に赴いたのは、先帝ペルティナクスの妻の父で、首都長官だったスルピキアヌスと、同じく元老院議員ながらも、奴隷売買の権利などで巨万の富を築いていたユリアヌスの二人でした。二人は言い値を競り続けましたが、最終的にスルピキアヌスが全近衛兵への二万セステルティウスの支払いを約束した際、ユリアヌスは二万五〇〇〇セステルティウスを支払うと宣言し勝利しました。

この新皇帝選出には、帝国の辺境を護っていた総督たち、すなわち、パンノニア総督のセウェルス、ブリタニア総督のアルビヌス、シリア総督のニゲルの三人の怒りは激しいものがありました。

そのなかでも、任地がローマに最も近く情報の入手も早かったセウェルスが、早くも一九三年四月九日には自ら皇帝に名乗りをあげました。それに続いて、アルビヌス、ニゲルも、それぞれ配下の軍団兵に押され皇帝を名乗りました。セウェルスはユリアヌス、アルビヌス、ニゲルを同時に敵に回すことの困難さは分かっていました。その時、妻のユリアが、アルビヌスに皇帝継承者を意味するカエサルの地位を与えると申し出ては如何かと提案し、この申し出はアルビヌスが受諾するところとなりました。これに対抗し、ユリアヌスは、元老院を招集、セウェルスを国家の敵だと宣言する決議をさせました。更に、腹心の部下で秘密警察の首領をセウェルスの陣営に送り込み、甘言をもって近づき暗殺することも試みましたが、ユリアが、彼はかつてコンモドゥス皇帝の下で彼女の動向を探ってい男だと見抜き、難を逃れました。

セウェルスは、パンノニア駐在の三軍団のうち二軍団を率いてローマを目指して南下、北イタリアの小さな川の畔に至り、ユリアにこれがルビコンだと教えました。ルビコン川は、昔カエサルが、統治を任されていたガリアとイタリア本土の境界線だったこの川を渡って本土に攻め入る決断をした地だったのです。カエサルが、逆境を跳ね返し、最早後戻りのできない地点に至ったその場所に、セウェルスも至り、こうして内戦が始まったのです。

この川を超え、アリミヌムに着きました。これはローマに至るフラビア街道の始点でした。そこへユリアヌスの使者が来て、ユリアヌスが共同皇帝となることをセウェルスに伝えましたが、セウェルスは「自分はすでに皇帝である」と言い、この妥協案を拒否、使者の首を切り落とし、籠に詰めて送り返しました。彼は、幼馴染で忠臣のプラウティアヌスと義弟のアレクシアヌスを王宮に送りこみ、ユリアヌスを殺害しました。しかし、皇妃と娘は助命しました。

第四の敵　僭称皇帝　ニゲル

セウェルスは、こうして無血でローマに入ったのですが、前皇帝から引き継いだ近衛軍団には信を置けませんでした。これまでのように彼らはいつ皇帝を裏切るか分かりません。この時もユリアが夫を助けました。策略を授けたのです。セウェルスは、近衛兵たちをローマ城壁の外に集合させました。彼らは報償の受け取りを期待して集まったのですが、彼らを取り囲んだのは多数の軍団兵でした。近衛兵たちは、武器を置き、鎧も脱がされ、ローマから立ち去る様命じられました。逆らう者はその場で処刑されました。セウェルスは、軍団兵の中から腹心の者たちを選りすぐって、新たな近衛軍団を組織しました。

このようにローマを完全に把握したのち、セウェルスはオリエントに向かい、シリア総督のニゲルと戦うことにしたのですが、ギリシャ人医師ガレヌスは喜びました。オリエントに同行すれば、彼が希求して已まない、アレキサンドリアの医師エラシステロとへロフィロの書籍を入手する絶好の機会になると思えたのです。

初戦は一九四年の春、ビザンチンにほど近いペリントゥスで行われ、ここで勝利したニゲルは、セウェルスに共同皇帝に着くよう提案する書簡を送りましたが無視されてしまいました。

小競り合いの後、決戦の場となったのはイッソス平原でした。シリアの大都市アンティオキアの近くの平原で、ここでは奇しくも五百年前にアレキサンダー大王がペルシャ王ダリウスを敗走させた古戦場でした。軍勢から見ればニゲルが圧倒していたのですが、セウェルスは、騎馬兵の一隊を敵の背後に送り敵勢を挟み撃ちにしました。地形から見れば困難で、あり得ない戦略を敢行したセウェルスの大勝利に終わりました。ニゲルは隣国のパルティアに逃げ込み保護を求めようとしましたが、ユーフラテスを渡る前に追手に捕まり首を刎ねられました。

セウェルスは、その首をまだ抵抗を続けているビザンチンの城壁から中に投石機で放り込ませました。アンティオキアも降伏し、彼らは多額の金銀財宝を支払うことで、惨殺は免れました。ここでユリアがセウェルスに、自分の故郷エメサに立ち寄るよう要請し、そこでは大歓迎を受けました。ところが臣従国のオスロエネ国とアディベネ国が、ローマの内戦による混乱に乗じて謀反したとの知らせが入りました。セウェルスは直ちに鎮圧に向かう途上、砂漠の砂嵐に遭遇しましたが、この地域生まれのユリアの適切な指示で、兵は壊滅の危機を乗り越えることができました。すると兵たちは、ここまで適切な助言で皇帝を支えてきた皇后を讃えるため、ユリアに「軍の母」mater castrorum という最高の称号を与えるよう、セウェルスに懇請しました。

ニゲル陣営で最後まで抵抗を続けてきたビザンチンが、一九六年秋ついに陥落しました。降参したアンティオキアと異なり、ビザンチンは徹底的な虐殺、略奪の対象となりました。

ここでユリアがセウェルスに、まだ八歳の長男バシアノ（後の皇帝カラカラ）に、皇位継承者を意味するカエサルの称号を与えるよう要請しました。このことは、すぐにブリタニアのアルビヌスの知るところになり、彼は自分に与えたと同じカエサルという称号を息子に与えたのは、セウェルスの裏切り行為だと断定、激怒し、両者の戦いは避けられない情勢になりました。セウェルスがユリアに、「これはそなたが求めた、そなたの戦いだ」と言ったのも無理からぬことでした。

第五の敵　アルビヌス

ブリタニア総督のアルビヌスは裏切られたと知り、支配する三軍団の支持を得て皇帝を僭称しました。。ドーバー海峡を渡って兵を進め、現在のフランスのリヨンに本陣を置きました。彼は三軍団を掌握するほか、スペインの一軍団の支持を得ていました。しかし期待していたゲルマニア軍団はセウェルス側についてしまいました。

この時、妻のサリナトリックスが秘策を授けました。ゲルマニア総督の買収ですが、味方に付かせるのではなく、セウェルスの陣営に留まったまま、戦闘に際してはサボタージュするよう仕向けたのです。さほど戦わぬまま敗走しても、裏切り行為は疑われぬまま、アルビヌスを利することになります。

一方ユリアもアルビヌスの毒殺と言う秘策を夫に授けました。ギリシャ人医師ガレヌスの調合した遅効性の毒薬、つまり飲んでも効果が現れるのは二日後になる薬を副官に持たせ、アルビヌスへの講和の使者を装い、リヨンに送り込みました。宴会の際、配膳係を買収し、肉料理にこの毒薬を盛りました。毒見役の試食では毒薬の効果はまだ出なかったので、アルビヌスが口にしかけましたが、その直前に、妻のサリナトリックスが、配膳係の些細な動きを不審に思い追及したため、この毒殺は未遂に終ってしまいました。使者はその場で殺害されるところでしたが、サリナトリックスはそれを敢えて止めて、「自分の毒で死ねばよい」と言い、大量の毒入り肉料理を食わせました。使者は、遅効性の薬なのでまだ効果がないにも拘わらず、苦しみ悶える演技をし、隙をみて馬を奪って逃走、セウェルス陣営に帰還し、ガレヌスの解毒治療で一命を取り留めました。

両者の決戦が迫る中、ゲルマニア軍団がアルビヌスとの打ち合わせのとおり、アルビヌス軍を攻め、その都度すぐに敗走する偽装を三度繰り返しました。ユリアはこれはゲルマン軍団のサボタージュだと見抜き、セウェルスにこの軍団は危険なので、北方へ退却させるよう進言しました。そして戦いの後には、この軍団長を裏切りにより処刑させました。

決戦は一九七年二月十九日に始まりました。両軍とも五〇万を超える拮抗する兵力で、激しく戦い、夜になりました。するとアルビヌスがセウェルスに使者を送り、共同皇帝となることを提案してきましたが、ユリアは拒絶するよう進言しました。そして彼女は「私たちは帝国を手に入れるために戦っているのではありません。もっと重要なものを得るために戦っているのです」と言ってセウェルスを驚かせました。彼女が続けて言うには、「私たちは王朝を確立するために戦っているのです。」つまり一代の皇帝ではなく、子孫に引き継がれるセウェルス王朝を立ち上げることが目的だと語ったのです。これを聴いて、セウェルスは、アルビヌスに、明日戦場で会おうと返事しました。

二月二十日には戦いは激しさを増し、セウェルスは、自ら近衛兵を率いて前線で戦おうとしましたが、そこで敵が作っておいた落し穴に乗馬もろとも落ちてしまいました。この落し穴は形状が百合の花に似ているので、百合と呼ばれる代物ですが、そこには沢山の尖った杭が打ち込まれていて、穴に落ちた人馬は杭に刺されて絶命する仕組みになっています。セウェルスはしかし、馬は死んだものの自身は奇跡的に傷を負わず、助け出されました。

猛烈な反撃に転じたセウェルス軍に押され、まずスペイン軍団が逃亡し、それを見てアルビヌスは全軍のリヨン城壁内への撤退、籠城を命じました。全戦場を支配下に収め、セウェルスは本営に戻り、「そなたのおかげで、帝国を勝ち取り、王朝を築くことが出来たな」と言い、ユリアを抱擁しました。

翌日、セウェルスは、リヨン場内の兵士たちに、アルビヌスを見捨てて、ブリタニアの陣営に戻れと呼びかけました。内戦で戦ったのは敵といえどもローマ軍の兵士ですから、無駄に死なせたくなかったのです。セウェルスは、残されたアルビヌスの首を切らせ、乗馬し、首のない体を踏みつけました。妻のサリナトリックスも斬首される瞬間までユリアを罵っていましたが、ユリアはこの宿敵の斬首に立ち会いませんでした。そんな処刑には立ち会うほどの重要性がないと考えているのだと、サリナトリックスに思い知らしめたのです。

こうしてセウェルスとユリアは、ローマ帝国唯一の皇帝、皇后になりました。ローマ帝国第二〇代の皇帝で、セウェルス王朝の開祖となったのです。

その後のユリア

この小説はユリアの幸せの絶頂で終わりますが、歴史は続きました。塩野七生の『ローマ人の物語』、モンタネッリの『ローマの歴史』その他で彼女の後半生を追ってみました。

セウェルスは、その後もパトリア王国に遠征、ローマのフォーラムに凱旋門を建てたりしましたが、二一一年二月四日、遠征先のブリタニアのヨークで病死しました。享年六十四歳、ユリアは当時四十一歳。長男のカラカラと次男のゲタが共同皇帝になりましたが、二人は不仲で、同年十二月にカラカラはゲタを殺害しました。ユリアはその後も息子を支え内政を取り仕切っていましたが、二一七年にカラカラは、マルティア遠征中に近衛兵に暗殺されました。すぐに近衛軍団長のマクリヌスが皇位につき、ユリアはアンティオキアに幽閉され、食を断って死を選んだとされています。四十七歳でした。美貌と知性に恵まれ、相思相愛の夫にも恵まれましたが、あまりにも出来の悪い息子二人を生んだのが命取りになりました。ところで、このカラカラと言うのは綽名です。ガリア地方の長袖付きの長衣のことで、彼はこれを愛用していたことからこう呼ばれました。歴代のローマ皇帝の中でも、カラカラは、ネロ、カリギュラ、コンモドゥスと並ぶ暴君で、様々な暴虐行為が知られています。

私は七十二歳の時ラテン語の勉強を始め、都内の某大学のラテン語中級講座を七年間聴講しましたが、そこで読んだ原典は、キケロ、カエサル、ウエルギリウス、リウイウス、ホラティウス、タキトゥス、ネポス、サッルスティウス、セネカ、ルカヌス、ペトロニクス、ヒエロニムスでした。勿論それぞれを僅かずつでしたが、セウェルスやユリアの活躍した紀元二世紀を扱ったものは皆無でした。日本語で読んだ本でも、紀元二世紀を扱ったものは殆どありません。その意味では、今般この本でこれまで関心の薄かった時代の出来事を垣間見ることができて喜んでいます。

註　ローマ帝国の王朝とは

日本の万世一系の天皇家とは異なり、ローマ帝国では、いくつもの王朝（Dynasty）が起き、消滅しました。

夫々の王朝では皇帝の血統や外戚関係により支配が継承されました。初代皇帝アウグストゥス（紀元前27年―紀元14年）が起こした王朝はユリウス・クラウディウス王朝と呼ばれていますが、これはアウグストゥスの養父ユリウス・カエサルのユリウス家と、アウグストゥスの養子で2代目の皇帝になったティベリウスの属したクラウディウス家に因んだ名称です。セウェルスは第20代目の皇帝で、セウェルス朝を建てたのですが、それまでに、王朝としては、フラウイウス朝、ネルウァ＝アントニヌス朝が興亡しました。その間、王朝を建てずに終わった皇帝たちもいました。

二つの顔をもった天皇・後水尾

恩田統夫

【目次】

（はじめに）

後水尾《ゴミズノオ》は実に奇妙な天皇である。二つの顔をもっている。影が薄く高校の教科書にも載らないほど知名度は低いが、知れば知るほど異なった顔が浮き彫りされ、いぶし銀の如き輝きが見えてくる。天皇として先帝たる父や徳川の将軍たちと激しく闘った「闘」の顔と上皇として学問・芸能・帝王教育に精魂を傾けた「文」の顔の二つである。

後水尾は一五九六年後陽成《ゴヨウゼイ》天皇の第三皇子として誕生した。母は後陽成の女御（正妻）、関白太政大臣豊臣秀吉の猶子《ユウシ》（家督相続を前提としない養子）中和門院近衛前子《サキコ》。一五歳で父の譲位により第一〇八代天皇となった。江戸時代に即位した初めての天皇で、将軍の娘を女御とした最初の天皇でもある。

私がこの天皇に注目したきっかけは後水尾という名前で歴代天皇に水尾という名前がないからだった。天皇には生前名前はなく、死後事績に相応しい諡号《シゴウ》が贈られる。天皇によっては生前に己の諡号を決めておくこともある。後水尾の場合がそうで、生前に諡号を遺言している。父には遺言はなく、崩御直後「後陽成」を新天皇後水尾も了解し朝廷が加後号を贈った。歴代天皇名には「後」の付いたものも多く、過去に実在した天皇の名前に「後」を付けている。理想の御代と称えられる「宇多→醍醐→村上」の三代は中世の「後宇多→後醍醐→後村上」の三代に引き継がれたのはその典型である。

誉れの高い尊崇する天皇にあやかりたいという後世天皇の願望が込められている。

調べてみると、第五六代清和天皇は譲位後出家し隠棲したのが丹波の国水尾村の地であり、そこに陵もあったため退位後水尾院と呼ばれていた。水尾は「清和」の異称であった。この清和天皇は八七六年第一皇子に譲位、それが陽成天皇である。この天皇は禁中で殺人を犯す等の乱行狼藉を繰り返し、在位八年で退位させられた評判が悪い天皇である。

つまり、後水尾は、先帝たる父には史上評判の芳しくない帝の名前に後を付け「後陽成」を諡号とし、六三年後自らには源氏の祖である賢帝の名に後を付け「後水尾」の諡号を遺言している。水尾院は陽成天皇の父であったことから諡号の上では、実際の二人の親子関係を逆転させており、不自然である。この二つの諡号選定には父を貶める後水尾の意図が隠されていたとしか思えない。関連する何冊かの書に当ってみたが、諡号による貶めを唱えている見方は見当たらなかったし、諡号につき言及する書も少なかった。斯種テーマは研究者にとってはタブーなのであろうか。

だが、私にはどうしても「貶め」としか考えられず、この謎に強い関心をもった。なぜ後水尾は父に陰湿で意地悪な追号をしたのか、この父への鬱屈した心理はどのように醸成されてきたのか。参考文献を読み進むにつれ、後水尾の奇妙な言動にはこの諡号問題に限らず、人生の随所で遭遇する。後水尾の波乱に富んだ生涯を振り返ってみたい。

一、父後陽成と二人の天下人との対峙

一二世紀末に武家政権誕生以来、「権力は将軍、権威は天皇」という公武の棲み分けがなされていた。応仁の乱を境に下剋上の戦国時代に突入すると、この枠組みは完全に崩壊する。将軍は跋扈する戦国大名に対する統制力を失い、権力は分散する。弱肉強食の世に天皇の権威は無用となり、天皇は戦国大名に所領を次々と略奪され、権威は失墜し、経済的にも困窮を極める。天皇は金のかかる即位式、大葬等の朝儀さえできない事態が頻発した。

一〇〇年余り続いた戦乱の世も天下布武を掲げた信長により、漸く、天下統一が実現した。天下人は権勢誇示のため天皇との密着ぶりを利用する。信長の後継者となった秀吉の時代となるとその動きが特に顕著となる。頂点に立った秀吉は下剋上の世を終焉させ、権力基盤を固めるため朝廷をも併呑する自らの権威付けを考えた。一方、天皇は天下人と協調することにより、天皇の権威の再興を狙った。

第一〇七代天皇後陽成が即位したのは、正にこんな時代であった。後陽成は在位（一五八六〜一六一一）中、秀吉と家康の二人の天下人と対峙する。二人の後陽成への対応は対照的だった。秀吉は天皇を尊崇し丁重な協調路線で厚遇した。

家康は天皇を高圧的に管理し、屈服させて冷遇した。二人の対応ぶりを検証してみたい。

（一）秀吉との協調的関係

一五八二年、秀吉は本能寺の変直後の天王山の戦いで光秀を破り、信長の後継者の地位をほぼ手中にした。だが、依然として毛利・徳川・北条等強力なライバル大名が残り、天下を窺がっていた。この天下人は出自が百姓身分でもあり、天皇による権威付けで権力基盤の強化を目論んだ。八五年秀吉は内大臣に任じられる。翌年正親町天皇の譲位希望を受け容れ、孫の一五歳後陽成を天皇に据える。自らは前関白近衛前《サキ》久《ヒサ》の猶子となり、藤原姓を得て初の武人関白に就任した。秀吉は八六年には太政大臣に昇進し豊臣姓が付与された。さらに、近衛前久の娘前子を自らの猶子とし後陽成の女御として入内《ジュダイ》させ、天皇の外戚の地位に就いた。後陽成・前子の子供、第三皇子が後の後水尾天皇である。秀吉は天皇を経済的に支援し、禁裏御料一万石を保証した。

一五八八年天正一六年四月、後陽成は聚楽第に行幸する。秀吉は朝廷の古例を詳細に調べた上、室町将軍の例を破り、自ら鳳輦《ホウレン》（天皇専用の豪華な輿）に乗り禁裏まで天皇を迎え、天皇の裾をとり鳳輦に乗り移るのを助けた。秀吉はじめ公家、家康・利家等全国から集められた諸大名等の行列は聚楽第に向かう。先頭が聚楽第に着いてもなお後尾は禁裏を出ていない程の長大な列。秀吉は御所から聚楽第までの天皇の警護に六〇〇〇人の武士を動員、天皇には黄金百両をはじめ金銀財宝を惜しみなく与えた。後陽成は聚楽第から還御の翌日、秀吉の正室北政所を従一位に叙した。日野富子以来のことである。秀吉は天皇の威を借りこの五日に亘る大饗宴で豊臣の権勢と栄華を天下に知らしめた。後陽成は秀吉の諸大名に服属を強いる一大イベントに協力した。

秀吉は藤原氏の摂関政治や平氏政権の例を学び、官位叙爵の利用による自らの権威の強化を図り、関白の豊臣家世襲を前提とする「関白政治」を展開した。征夷大将軍には任じられなかったが、至高の官位「太閤」と呼ばれるまでに出世した。薨去後は豊国大明神の神号が与えられ、正一位の神階に叙せられた。後陽成は秀吉を神に祭り上げた。

（二）家康との疑心暗鬼の冷たい関係

次の天下人家康との関係は一変した。家康の対応は権力基盤が秀吉に比べ格段に盤石となり最早天皇の利用価値はないと判断したからなのか、親豊臣・反徳川の天皇がいつかは大阪城に籠る豊臣方と連携するのではとの疑心暗鬼からなのか、終始高圧的で天皇を厳しく抑え込むものだった。天皇はやることなすこと邪魔され、面目を潰され、不満と怒りだけが残った。三つの事件から検証したい。

（1）幕府による朝廷管理の強化

関ヶ原合戦三ヵ月、家康は自ら執奏し、秀吉創出の武家関白を否定、空席だった関白に九条兼孝を還任させ、関白の豊臣家世襲の可能性を除去してしまう。一方、天皇は関ヶ原合戦直後家康を慰労の綸旨で労い、一六〇三年には征夷大将軍に任じ、家康は江戸に幕府を開いた。五大老の一人の地位から脱した家康は、位階上も秀頼よりも上位となり、武家の棟梁として名実ともに権力の頂点に立った。

しかし、家康の反応は冷たかった。幕府と朝廷の連絡役は、幕府任命の京都所司代と朝廷任命の武家伝奏の役割となっていたが、家康は前者に最も信を置く切れ者板倉勝重を任命、天皇の行動を監視させ、豊臣側との連携を牽制した。また、後者にも旧知の公家広橋兼勝を任命してしまう。朝廷の窓口役武家伝奏は朝廷任命の伝統を無視、強引に任命権を剥奪してしまった。以降、禁裏（御所）は殆どの案件で武家伝奏を通し将軍の承認を得なければならなくなった。さらに、幕府は古来朝廷の専権事項だった大名等武家への官位叙位と年号改元等の権限も奪ってしまう。天皇の反家康感情が一段と強くなるのも当然の成り行きだった。〇五年、家康は将軍職を秀忠に譲り、征夷大将軍職の徳川家世襲を天下に知らしめた。自らは大御所となり、政治の実権は握り続ける。天皇は唯々受け入れるより他なかった。

（2）意に沿わない官女密通事件（猪熊事件）処理

一六〇七年、当時かぶき者と呼ばれていた公家衆、その中には天下無双の美男子といわれた猪熊教利等多数の上層公家が含まれていたが、禁裏女官と密通していたことが露見した。これは朝廷を揺るがし、後陽成の逆鱗に触れた。禁裏の乱れが朝廷の権威を凋落させることを恐れ、かつ、天皇寵愛の女官も係わっていたからでもあった。天皇は関係者全員の「死罪」を勅命する。しかし、公家の法に死罪はなく、幕府が公家の管理統制に関心を示し始めていたこともあり、京都所司代は事件の詳細を捜査、結果を駿府に報告、幕府の裁可を仰いだ。大御所家康は、関係者が余りに多いこと、天皇実母の女院からも「寛大なご処分を」との嘆願も受けており、「死罪公家二名、流罪女官二名・公家六名」で穏便に決着させてしまった。後陽成は自らの勅命が無視され、面目丸潰れとなった上、朝廷内でも女御、女院、摂家衆等の支援も得られず孤立感を深めた。この事件が幕府による公家衆統制を強化するきっかけともなった。

（3）無視された後陽成の譲位構想

後陽成が家康と最も激しく葛藤したのが、自らの譲位問題だった。当時、皇位継承には特別な法的規定はなく、概ね天皇の意向によりその皇子の一人を皇位継承予定者として初めは儲君《チョクン》（立太子礼前の皇嗣）、次いで皇太子に据えていた。中世以来、生前譲位が通例で、譲位の時期は天皇の意向や周囲の思惑によって決められていた。問題なのは、この時代、天皇にも朝廷にも譲位や後継者選定に関する最終決定権がないことだった。このため、幕府と天皇・朝廷との思惑が複雑に絡み合いしばしば紛議が生じていた。

一五九八年秀吉薨去後二ヵ月、二七歳の後陽成は体調不良（体の腫れ物）を訴え、譲位希望を表明し、後継者に学問・教養のある聡明で信頼している実弟八条宮智仁親王を指名した。余りに唐突な申し出に側近たちは困惑、「そもそも譲位が必要なのか。するなら儲君一宮（第一皇子）では」と考え、武家伝奏を通じ家康をはじめとする五大老の意向を確認する。家康は、秀吉が嫡男鶴松誕生前にこの八条宮を一時自らの猶子としていた（秀吉は関白の後継者に想定していた）ことも承知しており、八条宮への譲位には反対だった。他の大老や側近にも反対意見が多く、家康は最終的に「譲位無用」と天皇の申出を却下した。院政の復活による復権を目論んでいた天皇は面目を潰され強い不満が残った。

その後、天皇は後継者候補の一宮と二宮の二人の親王を次々と門跡寺院仁和寺に入室、出家させ、皇位継承者から排除する。一宮は儲君だっただけに周囲を驚かせた。この結果、第三皇子六歳の三宮（後の後水尾）が儲君となった。三宮は気性の激しいが繊細な心の持主だった。幼い後水尾は、母は違うが長く一緒に暮らした二人の兄が次々と禁裏を離れていってしまうことに強い寂しさを覚え、心を痛めたに違いない。一方、外戚の座を狙う家康にとってこれは好都合だった。年長の一宮や二宮には相応しい入内候補の子女が徳川家にはいなかった。この時点で、家康は徳川の娘の入内相手を儲君三宮に絞ったことが考えられる。

一六〇九年暮、天皇は二回目の譲位、三宮への譲位意向を幕府に伝達し、即位式への家康、秀忠の上洛を求めた。家康は「三宮は徳川の娘の入内相手、何れは天皇にしたいが、未だ一三歳、ちょっと早過ぎる」と考えた。幕府は「今は多忙。大御所も将軍も参列できない。お望みならどうぞご勝手に。それより元服が先では」と、天皇の気持ちを逆なでする無礼な返答をする。幕府の経済的支援がなければ、即位式などできる筈がないことを見越しての返答だった。天皇は憤懣やる方なしだった。取り敢えず、「承諾」と返答するも元服式の準備など何も着手しなかった。幕府は「元服は？」と督促、天皇は「即位と元服は同時」と押し戻す。天皇が「同時」に拘ったのは、理想の御代と称えられる延喜の例、「宇多から醍醐への譲位」を意識したからだった。すったもんだの挙句、側近の説得もあり、一〇年末、先ず三宮の元服式が行われ、三ヵ月後の翌年三月譲位の儀が執り行われた。天皇にとっては、孤立無援の中での我が子後水尾への譲位となり、日程も幕府目論見通りとなり、惨敗だった。家康は仙洞料（上皇の禄高）二千石を寄進、禁裏御料（天皇の禄高）は変わらず一万石。上皇の生活費は天皇時代に比べ五分の一に減額された。後陽成にとっては家康に対する強い憤りが募った。四月即位式が行われ、後水尾天皇が誕生した（天皇一五歳、上皇四〇歳）。家康は参内し祝意を表した。後陽成は生前譲位が前帝に続き認められたものの、期待した院政の復活は認められなかった。

後陽成は家康と激しく対立し敗れ、朝廷内でも孤立し、怒りの矛先を我が子後水尾に向けた。後水尾には何の咎もあったわけではないが、家康の力によって皇位についた天皇であることは間違いなく、後陽成は釈然としなかった。徳川のイメージがどうしても後水尾に重なり、後水尾に対する憎悪の念が消し難く心の中に残った。これが後に父子の間に激しい葛藤を生じさせる大きな原因となった。

二、先帝後陽成との不和

一六一一年、新天皇後水尾が誕生した。徳川幕府開闢後八年、二代将軍秀忠就任後六年、大阪の陣での秀頼・淀君自害による豊臣一族断絶の四年前に当る。幕府は大御所が実権を握り、有能な幕閣も揃え、盤石な幕藩体制を構築しつつあった。家康は禅宗僧崇伝や天台僧天海の二人を知恵袋として重用、朝廷政策についても統制強化の方策を練る。二人は三つの諸法度制定の他、キリスト教禁制、朱印船貿易等政治・外交面でも深く関り、黒衣の宰相と称せられた。一方、朝廷では上皇と天皇の関係は稀に見る仲の悪さで、連携を欠いていた。この脆弱な体制は上皇崩御まで続いた。

即位直後から上皇と天皇は相互に出入りは殆どなく、関係は断絶していた。常軌を逸した二人の不和が最初に露見したのは皇位引継ぎ問題だった。譲位に伴い新天皇に譲られるべき禁裏の書物、宝物、調度品等が長期に亘り引き渡されていなかった。新天皇の後見人に任じられた女院（後陽成の母、新上東門院晴子）はこれを知り家康に内々に訴える。家康は「院が悪いのでは」と伝える。これを聞いた上皇は益々怒って態度を硬化させる。こじれにこじれ、年末、京都所司代が正式に駿府の家康に報告する。翌年二月、家康は「院は前代から相伝したものは新帝に譲り、上皇時代のものは院のものに」と裁可した。即位後一年半経過した一二年七月、漸く、日常品や書物などの一定の品物が後水尾のもとに届けられた。ところが、天皇に渡るべき道具類の全てが引き渡されたわけではなかった。女院と京都所司代が引き渡しを強く迫ったものの引き渡しは実現せず、ついに、将軍秀忠側近天海がその意を受け院と天皇に和解を勧め、漸く、翌年初長持ち三棹が天皇に渡った。

譲位から六年経った一七年六月、病気がちだった上皇は持病の腫れ物が悪化急激に体力を弱める。天皇は日頃の不和があればなおさらのこと、積年の不和を断ち切りたいと何度か見舞いを試みたが、上皇は頑なに息子の見舞いを拒んだ。八月には危篤状態に陥る。天皇は臨終場面では何としても自らの思いを伝えたいと枕元に寄り添い院の手を取った。落涙数行、気付け薬を取り飲ませる。しかし、上皇は天皇を正視せず、「御覧ぜしめ給わず」で崩御した（四五歳）。後陽成は最後まで後水尾を疎ましく思っていた。

朝廷は新天皇の裁可も得て「後陽成」の諡号を追号した。

何故、後陽成と後水尾の仲はこんなに憎しみ合う険悪なものになったのか。不和の最大の原因として、二人の経済力の違いを指摘する研究者もいる。当時天皇をはじめとする禁裏の禄高は幕府の匙加減で決められていた。譲位後、上皇の禄高二千石、天皇の禄高は一万石となった。未だ、四〇歳の上皇は収入を天皇時代の五分の一に減額され、子供は男女合わせ二十人余り、とても養育費にも足りず、生活が苦しかったのは事実だ。確かに、禄高の大小という経済的要因から上皇が天皇を一方的に恨むこととなったかも知れない。しかし、これでは双方向的な不和関係のうち、天皇の上皇に対する奇妙な鬱屈した心理を説明できない。

幼いながらも儲君として譲位問題等父の対幕交渉を傍で見続けてきた後水尾には、幕府に抵抗するだけで何の成果も得られず全て叩き潰されてきた父の拙劣な振舞に強い物足りなさを感じていた。また、親豊臣・反徳川の気持ちが強い院とそれほどでもない天皇、神経質で体の弱い父と気性が激しく身体も頑健な天皇等々考え方や性格の違いも大きかった。これ等様々な要因が絡み合い、二人の心には消すことのできない隔たりが生じてしまったのではないか。後水尾にとって決定的だったのは、臨終場面で、目に涙を浮かべ手を取る自分から視線を外し続けた父の冷たい仕打ち、憎悪の視線であり、これは決して忘れることも、癒すこともできない心の深い傷となって残ってしまったのではないか。

三、岳父秀忠との激闘

「織田がつき、羽柴がこねし天下餅、座りしままに食うは徳川」という狂歌があるが、徳川の幕藩体制は家康・秀忠・家光の三代で盤石なものとなった。朝廷への対応も、家康は戦国大名の生き残りでもあり疑心暗鬼の警戒心を緩めなかった。秀忠は天皇の岳父となりホットな面も見せるが、短気で武威をことさらひけらかす局面も多かった。家光は、太平の世が定着、自信に溢れた親政で長幕関係を協調路線に転じた。この三人の将軍との後水尾の葛藤を見てみたい。

（一）徳川和子入内《ジュダイ》…大御所の宿願と岳父の厳しさ

徳川和子《マサコ》は一六〇七年、父秀忠と母御台所お江与（浅井長政・お市の三女、淀君の妹）の五女として誕生。千姫や家光の実妹で後水尾よりは一一歳年下である。豊臣秀吉が猶子とした近衛前子が後陽成の女御として入内した前例もあり、将軍家子女の入内は誰もの頭に思い浮ぶ縁組となっていた。武家の棟梁となった家康にとっても孫娘を入内させることが宿願となっていた。家康が具体的に儲君三宮（後の後水尾天皇）相手の入内構想を固めたのは和子の誕生の時で、直後に朝廷にその意向を伝えていた。当初、後陽成は「先例なし」と認めなかったが、家康からの再三の要求についに内諾を与えた。「和子入内」は京でも江戸でもあちこちで噂され、和子四歳の一二年には幕府と摂関家との間でかなり突っ込んだ入内交渉が行われていた。当然、これは後水尾の耳にも入り、正直、「会ったこともない。気が進まない」とは思ったものの、上皇が既に内諾している以上幕府の意向には逆らえないと観念していた。一四年、後水尾は正式に和子入内の宣旨を発し、家康と秀忠はそれを受諾し、晴れて二人の婚約が成立した。しかし、入内は必ずしも順調には進捗せず、延引せざるをえない事態が次々と勃発する。

（1）大阪の陣（冬の陣一四年一一月、夏の陣一五年五月）

難攻不落の大阪城に籠る豊臣秀頼は一大名に成り下がったとはいえ、依然反徳川のシンボルであり、無視できない存在だった。家康は安穏としてはいられなかった。七三歳を過ぎ余命短い身として、長い間喉元に突き刺さったままのとげを何としても抜かなければならない。その期限が迫っていた。当然、入内問題は頓挫する。

一六一四年末、崇伝の入れ知恵で方広寺鐘銘に難癖を付け、これを契機に豊臣方を戦闘に引きずり込み、六ヵ月を要したが、秀頼・淀君を自害に追い込み豊臣一族を殲滅させた。慎重で狡猾な家康は戦いに入る前、天皇に「秀頼追討の綸旨」を要求していた。豊臣家は天皇家の外戚でもあり、家康の勝手な弱い者いじめに加担することはできない。剛毅な後水尾は峻拒した。「承久の例もある。隠岐へ島流し」と家康は激怒するも、側近の知恵袋天海に制止さている。

大坂の陣終了後、家康は朝廷に秀吉の豊国大明神の神号を剥奪させ、豊国神社自体も廃絶させた。さらに、幕府は元和に改元、改元四日後、崇伝起草の三つの法度を定め、夫々「公・武・寺」三権門を管理・統制する法を整備した。禁中並公家諸法度は武家政権四百年の歴史上初めての天皇を規制する法律となった。

（2）元和偃武と家康・後陽成の死

応仁の乱以来の戦乱の世は漸く終焉、平和の世を迎えた。元和偃武二年目の一六年家康薨去（七五歳）、宿願和子入内を目にすることはなかった。翌年後陽成崩御（四五歳）。

（3）秀忠を激怒させた「およつ御寮人事件」

一六一九年、「およつ御寮人事件」という厄介な事件が持ち上がる。典侍（妃）四辻与津子（およつ御寮人）が後水尾の第一皇子賀茂宮親王を出産した。およつは二歳年上の後水尾初恋の寵妃であった。これを知った秀忠と御台所は「娘を嫁がせようと女御御殿造営に着手したのに、側室に子供を生ませるとは何事か。しかも皇子とは」と激怒する。この時後水尾は即位後七年経った二三歳、側室の存在は少しも不思議ではなかった。天皇は、「我等の不行跡、将軍の意に沿わないなら、大勢いる弟の一人を即位させれば済む。我等は落髪、逼塞する」と譲位の意思表示をする。後水尾が何回か繰り返すこととなる「譲位表明」の一回目である。さらに、およつが第二子懐妊の事実も判明、女梅宮を出産する。恐妻家秀忠はおよつの振る舞いは宮中の不行跡だとし、およつの兄弟等六人の公家を公家諸法度を適用し遠国に配流した。天皇は憤激し側近に宸翰を渡し、二回目の天皇退位の意向を表明した。「どうせ朕が不器用（能力がない）」と強い怒りをぶっつける。禁裏には「秀忠無道」という悪評が広まり、朝幕間に暗雲が漂った。

秀忠は事態打開のため、京都所司代板倉勝重を罷免、その子息重宗を登用し、歴戦の強者津藩主藤堂高虎を交渉役に抜擢した。高虎は大坂の陣で家康を危地から救い三二万石に加増され、外様ながら将軍の信任が厚い老武将だった。高虎は「公家には金、帝には脅し」のやり方を胸に禁中に乗り込み、公家衆相手に「幕府の言うことが聞けぬなら、天皇を配流し、自分は腹を切るまで」と恫喝する。恐れをなした朝廷はその日のうちに折れる。和子入内期日は「将軍次第」とする天皇の意向が示され、二〇年六月の入内が決まる。高虎の強談判の裏には入内実現時天皇憤激の公家配流の撤回とおよつ母子の宮中からの追放という裏取引があったという。事実、和子入内直後公家全員が赦免され、およつは落飾（剃髪し仏門に入ること）、賀茂宮は夭逝（三歳）、梅宮も落飾し薄幸の人生を歩む。賀茂宮の死については幕府が殺害したのではという疑念が後水尾の頭を過った。

（二）譲位問題　…　秀忠との不屈な闘い（五回の譲位意向表明）

和子入内以降、一六二三年には秀忠は将軍職を退き大御所となり、和子の三歳年上の兄家光が将軍職に就任。同年末和子は待望の第一子女一宮を出産する。二四年には和子は中宮に冊立され、二五年には女二宮を出産する。二六年には後水尾の二条城行幸が実現。さらに、同年末には待ちに待った皇子（第二皇子）が誕生した。入内後六年、正に念願成就、朝廷も幕府も、和子も後水尾も秀忠も、ともに喜びに包まれた。早速、親王宣下が下され高仁親王と命名された。

こんな中、二六年、天皇は四年後（三〇年）高仁親王に譲位をすることを秀忠に申し出た。後水尾三回目の譲位の申出だった。幕府は将軍家外孫の即位であり、朝幕融和の象徴としてこれを承諾した。後水尾には天皇より自由が利く上皇になって朝廷の繁栄を図りたいという思いがあった。それに後陽成の譲位時の悲劇を目の当たりにして譲位の主導権を幕府に握られたくなかったのであろう。

ところが、二八年五月、高仁親王が亡くなった。僅か一歳半での夭折だった。後水尾は悲嘆にくれ、秀忠の落胆も大きかった。一気に暗雲が二人の間に立ち込める。二人の「四年後譲位」という合意が宙に浮いてしまう。丁度この時期、紫衣事件での幕府の強硬方針に後水尾が強く反発、朝幕間は緊張、天皇の譲位決断に大きく影響を与える。

親王の死後二ヵ月、後水尾は、「武家伝奏から京都所司代」という表のルートを使わず、和子を介し女一宮への譲位の意向を直接秀忠と家光に伝える。約束の三〇年より一年早く女一宮に譲位したいという四回目の譲位表明だ。幕府は困惑する。「和子は未だ二二歳と若い。今も懐妊中、二人目の皇子出産はまだ期待できる」との思いを抱いたのであろう、秀忠と家光は「時機尚早」と天皇の譲位を思い止まらせた。ところが、同年一二月何と待望の和子二人目の皇子第三皇子が誕生する。天皇は直ちに予てからの約束通りこの第三皇子を叔父（後陽成の弟）八条宮の猶子に出してしまう。おまじないのための猶子であったとする説もある。ところが、この皇子も生後一〇日足らずでまたも夭折する。

二九年五月、天皇は母中和門院前子を介し、「腫れ物の鍼灸治療のため譲位する。皇子誕生まで女一宮に皇位を預けたい」の二点を幕府に諮問し、文書をもって返答するよう求めた。五回目の譲位申出である。玉体を人為的に傷つける鍼灸治療は古来天皇には好ましくないと考えられていた。武家伝奏は早速江戸に飛んだ。秀忠は同意しなかった。同じ頃、幕府は紫衣事件に関連し僧沢庵らを東北への流罪に処していた。

後水尾の焦燥感は募る。妊娠中であった和子は九月に出産、今度は皇女（女三宮）であった。一〇月、家光の乳母ふくが女三宮出産見舞いの名目で参内、和子と面談した。秀忠が後水尾の真意を探らしたのであろう。無位無官の一介の武家の女性が参内を強行、天皇に面会を求めるとは「何と無礼な」とは思いつつも後水尾は母中和門院同席でふくと対面する。朝廷は参内前にふくに「春日局」という名称を与えていた。天皇には不快感が残った。公家衆は「帝道、民の塗炭に落候」と憤慨。自尊心を傷つけられた天皇は譲位の意思を固める。

十月、女一宮の内親王宣下を行い興子と命名した。皇位継承者は親王（女性の場合は内親王）になる必要があり譲位に向けての布石だった。だが、京都所司代等幕府役人は天皇のこの意図に気付かなかった。

二九年十一月八日、何の前触れもなく、天皇は禁裏に公家を緊急招集し、興子内親王への譲位を決行した。京都所司代にも通告しない突然の譲位敢行だった。女帝は奈良時代の称徳天皇（孝謙天皇が重祚）以来八六〇年振り。幕府は驚いたものの手の施しようもなく、沈黙せざるを得なかった。

後水尾はやっと思い通りの譲位を実現、七歳の女帝明正《メイショウ》天皇が践祚した（三種の神器引渡し）。この譲位敢行は紫衣事件や春日局参内事件等が契機となったことは間違いないが、譲位だけは自分の意志で完遂したいという父の時代より抱いていた悲壮な思いが心の奥底にあったのであろう。

この突然の譲位の翌日十一月九日、後水尾は中宮和子の院号を東福門院と定めた。何の連絡もなく譲位を敢行された京都所司代は憤激するも江戸からは何の反応もなく、周章狼狽するばかりだった。江戸の秀忠の意向は「天皇への復位」であったが、紫衣事件での後水尾の対応に激怒、「上皇を隠岐に配流」と口走った。家光は紫衣問題では「理は上皇にあり」とこれを強く諌めた。この間、東福門院は父秀忠に後水尾の意志を弁明しつつ譲位を認めて欲しい旨の書状を書き送っていた。幕府は一ヵ月半の沈黙の末、漸く、十二月二七日秀忠は京都所司代宛「叡慮次第」（御意の通りに）と返答。譲位を正式に追認した。ここで、秀忠は大権現様家康宿願の外戚の地位を手に入れることができた。

六ヵ月後三〇年七月、秀忠は即位に関する幕府の基本方針を朝廷に伝達、本件に終止符が打たれた。即位式の日取りは九月中旬、政務は五摂家による合議制、院御料三千石（後陽成は二千石だった）と決めた。また、天皇お気に入りの武家伝奏を罷免し、上野寛永寺に六ヵ月間幽閉した。そして、後水尾の院政は認められなかった。大御所秀忠と後水尾との関係は危機レベルに達した。以降、後水尾を欠いた五摂家合議制による朝議は公家の位階昇進での意見不一致から停滞、問題化する。一方、東福門院和子の努力もあり、明正天皇の即位式、上皇・女院の新造御所への転居、後水尾の弟高松宮と秀忠の養女亀姫の婚姻等が無事執り行われ、表向きは両者の関係の修復が図られてはいた。

だが、後水尾は岳父秀忠とはどうしても胸襟を開き信頼し合う仲とはなれなかった。上皇には長年抱いている一つの疑念があった。和子入内来十年に亘り側室たちには皇子が生まれないし、入内前に誕生したおよつ所生の第一皇子賀茂宮は夭死する。和子以外の腹違いの子供たちは殺害或は堕胎させられているのではとの疑念が拭えなかった。後水尾は艶福家で、生涯七人の女官（和子＋側室六人）に一九人の皇子と一八人の皇女計三七名の子女を儲けた。和子は入内後秀忠薨去までの十二年間七人の子供を出産したが、この間側室からは姫宮たった一人。三十七名の皇子女の誕生は、入内前はおよつの子二名、入内後秀忠薨去前は八名（和子七名、側室一名）、秀忠薨去後は二七名（全員側室所生、内皇子一六名）となる。どう見ても不自然で尋常ではない。後水尾のこの秀忠に対する疑念は確信に近いものとなっていた。

（三）紫衣《シエ》事件の発生　：　後水尾はキレた

天皇による二六年の二条城行幸や二七年の徳川外孫高仁親王への譲位意向表明もあり、朝幕の関係は極めて良好に推移していたが、長くは続かなかった。ぶち壊したのは二七年に発生した紫衣事件だった。天皇は秀忠と激突する。

紫衣とは紫色の法衣や袈裟をいい、鎌倉期以降宗派を問わず高徳・解脱の僧に朝廷が着用を勅許してきた。特に、大徳寺、妙心寺等有力寺院では自由に住職を決め、天皇が自動的に紫衣を勅許するのが慣わしで、これが朝廷にとっては収入源の一つだった。一方、幕府は朝廷と大寺院への統制強化を目指していた。具体策を建言したのが南禅寺や建長寺住職を経験、家康の信任厚い紫衣保有の金地院崇伝だった。一三年に「勅許紫衣法度」を制定、勅許は幕府の事前承認を要すると定めたが、長い間空文同然だった。一五年には「禁中並公家諸法度」を定め、天皇が濫りに紫衣や上人号を定めることを禁じ、天皇も規制の対象に加えた。臨済宗五山別格の有力寺院は当初よりこの宗教統制に強く反対だったし、天皇も法度を気にせず。従来慣行通り幕府に諮らず紫衣着用の勅許を十数人に与えていた。

ところが、二七年幕府は法度を厳格に適用しこの発行済勅許状は無効である旨宣言し、十数名の僧侶より法度違反の紫衣を取り上げるよう京都所司代に命じ、天皇には厳重な注意を与えた。朝廷は強く反発、大徳寺や妙心寺の高僧は京都所司代に抗議書を提出した。紫衣事件が勃発した。

二九年七月、幕府は態度を硬化させ抗議した大徳寺の沢庵宗彭・玉室宗珀、妙心寺の東源慧等・単伝士印等首謀者四名を東北に配流した。天皇の帰依・師事する禅宗高僧が処罰され、天皇の秀忠に対する嫌悪の念が極度に強まった。

勅許を取り消され後水尾は面目を著しく失墜、「古来例のない凌辱」と嘆き、同年十一月譲位を強行した。

この事件は幕府の法度は天皇の勅許より優先すること、「将軍は天皇より上」を天下に知らしめることとなった。

(四) 院政 … 朝幕協調路線へ舵を切った家光

三二年一月、秀忠が薨去した(五四歳)。激しく対立した後水尾ではあったが、幕府の要請に応じ秀忠の院号を「台徳院」とし、正一位を追贈した。家光から増上寺内の御影堂に掲げる秀忠の院号額への宸筆をと望まれ、これも快諾した。家光も余り仲のよくなかった父秀忠の桎梏から解放され、新たな親政を展開できるようになり、幕府権力の強化と幕府機構の整備に努めることとなる。

家光は悪化していた朝廷との関係の修復にも動いた。先ず、家光は秀忠薨去後の三二年、紫衣事件に連座した配流僧沢庵を赦免した。三四年、三〇万人の供奉人を引き連れ、「御代替の御上洛」を行う。上洛は三回目だった。参内した家光は姪の明正天皇や後水尾上皇、妹の東福門院和子に会う。朝廷は家光に太政大臣に推認の内名を伝えるも家光は若年を理由にこれを固辞した。翌日、摂家衆、親王、門跡、公家衆と諸大名を二条城に招き饗応し、京中全戸に銀五千貫を下賜した。さらに、後水尾上皇に院御料七千石を献じ、これで院御料は一気に三倍強の一万石となった。さらに、「官位昇進以下の朝政何事も院の御はからいたるべきよし」と、秀忠が認めなかった後水尾の院政を認める朝廷政策の変更を断行した。後水尾は再び朝廷トップの座に就いた。さらに、四一年には紫衣勅許の制限も緩和した。

四、中宮「和子」との持ちつ持たれつの関係

(一) 和子入内と長幕関係

ここでちょっと重複するが時代は遡る。一六二〇年、和子は後水尾の女御として入内する。五月八日江戸出立、二八日二条城到着、六月一八日かつてない規模の新造禁裏女御御殿に入る(同時に造営された新内裏の紫宸殿と清涼殿は後に仁和寺に下され、金堂(国宝)、御影堂(重文)として現存する)。行列を見物しようと二条城から御所までの沿道は前夜から人で埋まり、京都近郊譜代大名が警備、一六〇棹の長櫃などの道具類の行列が先行。和子の乗る牛車は女房衆の乗る輿を先頭に前後に騎馬の公卿・殿上人、所司代等の武士、輿に乗った関白・大臣等を供に進む。その行粧の豪華さは京の人々の目を十分に驚嘆させた。秀忠の上洛はなかった。夜、天皇と初めて二人は対面(天皇二四歳、和子一三歳)。和子からは天皇に袷百と銀千枚が進上された。「七〇万石要した」といわれる大層な費用をかけた儀式だったが、帝への献上は「些少千万」と禁裏は受け止めた。朝廷・幕府双方とも禁裏・武家夫々の作法の違いから様々な行き違いがあった。幕府は女御付武家、与力、同心等五〇名余りを女御御所に常駐させ和子の世話、警護を担当。禁裏内幕府初の橋頭保となる。禁中は和子大歓迎という雰囲気ではなかった。一方、不慣れな和子に気遣いを忘れなかったのは姑中和門院だった。

二三年は慶事が続く。正に元和偃武の日々だった。年初、和子の妊娠判明。秀忠は将軍職を嫡男家光に譲り家康に倣い大御所として政治の実権は手放さない。六月、父秀忠と三歳年上の兄家光は上洛し参内、入内後初めて和子と再会、秀忠は上機嫌だった。八月、将軍宣下の儀式が伏見城で盛大にも催され、家光が正式に第三代征夷大将軍に任じられた。禁裏御料は一万石加増され、二万石となった。幕府の後水尾融和策である。十一月、待望の第一子、女一宮(後の明正天皇)を出産、和子は一七歳となっていた。

二四年一一月、立后の儀式が行われ和子は中宮に冊立された。天皇の正妻の称として女御よりはさらに高い名称で、後醍醐天皇時代以降中絶の名称と儀式とを復活させた。翌二五年二月第二子を出産するも、またしても姫宮であった。

二六年三年九月、後水尾は二条城へ行幸。二条城は関ケ原戦後家康上洛時の宿所として家康の命で板倉勝重により〇三年に築城され、今回の行幸のため大規模な修理、増築が行われていた。行幸に先立ち秀忠は参内、中宮御所で三年振りに天皇、和子の親子三人が顔を合わせる。この行幸は、秀吉の聚楽第行幸を意識し、やはり、四泊五日に亘る一大デモンストレーションだった。

行幸当日、先ず和子、中和門院前子、そして二人の姫宮が先に秀忠、家光の待つ二条城に入った。次に、将軍徳川家光が大行列を従えて天皇を迎えるため参内した。家光は行幸のお礼を述べて二条城に引き返した。天皇は四泊五日の二条城行幸のため鳳輦に乗り、関白らを従えて二条城に向かった。二条城では、初日は内々の祝宴、二日目は舞御覧、三日目は和歌御会と管弦御遊、四日目は猿楽、五日目に禁裏御所に戻った。家光は天皇に白銀三万両、中宮と女院に白銀一万両を、秀忠は天皇に黄金二千両、中宮と女院に白銀一万両を進上した。

この行幸は天皇や朝廷が所望したものではなかった。徳川と天皇との円満な関係、徳川の財力と権勢とを天下に誇示することを目的とする幕府主導のもの。実戦での卓越した実績のない、生まれながらの将軍の家光には、全国から動員された諸大名を従える姿を天下に見せることに意味があった。幕府の饗宴は黄金づくめだった。玉座、調度、茶道具、風呂釜も全て黄金製で小堀遠州調整のものだった。宴後全て天皇に進上された。行幸終了後、天皇は秀忠を太政大臣に、家光を左大臣に任じた。

二条城行幸が行われたとき、和子は三人目の子を懐妊しており、同年一二月、待望の皇子高仁が誕生する。入内から六年後、朝廷も幕府も、天皇も大御所もともに喜びに包まれた。京都所司代は単騎で御所に駆けつけ、祝意を表し、御所では宴会が開かれ、関白以下の公家が祝い酒に沈酔した。秀忠の喜びは格別で名刀「鬼切」を皇子に贈った。

翌二七年四月、後水尾はこの高仁親王への譲位の意思を固め、皇子が四歳となる三〇年には譲位する意向を幕府に伝えた。幕府は応諾、早速、譲位後に後水尾と和子の住む仙洞御所と女院御所の造営に着手した。

ここまでは、正に、順風満帆、全てがうまく展開していた。その後事態は一変、暗転する。既に見てきた通り、後継者高仁親王の夭折、女一宮への譲位申出と秀忠の拒絶、四僧都遠国追放処分の紫衣事件、第三皇子誕生と夭折、天皇の女一宮への譲位強行など天皇と秀忠との間に厳しいギスギスとした危険を孕んだ出来事が続くこととなる。

この難局を破綻させることなく乗り切れたのは、朝廷と幕府との間の緩衝材となった和子の存在が大きかった。気性が激しい夫と居丈高に振舞う父との間をとりもち何回奔走したことか。自分の役割を十分に理解し、完遂したと認められ、和子は中宮、さらには国母（天皇の母）として、禁裏で大きな存在感をもち続けることができた。因みに、和子は実子明正時代に加え三人の後継天皇も猶子とし四代に亘り国母であり続けた。歴史上、稀な例である。

和子が朝幕間をとりもった事例は、後水尾の譲位及び院政の復活、後西天皇の即位（幕府は伊達家との関係から反対したが和子が説得）、焼失御所の再建、修学院離宮造営費調達等数え上げたらきりがない。夫やその一族に気配りを示し、終生夫を支え続けた。持ちつ持たれつ緊張した生涯だった。

（二）政略結婚のギブ&テイク

家長が当事者の意向を無視し政治利用の目的で決める結婚を政略結婚とするのであれば、後水尾・和子の結婚は正にその典型であった。歴史上天皇との政略結婚の目的は二種類見られた。皇統への己の血を献上する型と、皇胤を己の血統に下賜願う型の二つである。前者には、摂関政治で一時代を築き成功した藤原氏の外戚化狙いの例がある。後者には、源頼朝がその実娘を入内させ生まれた親王を将軍として鎌倉に迎えることを試みた例だが、二度とも失敗している。家康は皇子を将軍に迎える意思など全くなく、徳川の血を皇統に注入させ外戚となり、徳川家の権威に箔をつけることが狙いだった。一方、天皇は権威の再興と経済的基盤の強化を探った。双方のやり取りを検証したい。

（1）朝廷が幕府に与えたもの

後水尾は徳川将軍のため官位昇進面で尽力した。先ず、征夷大将軍職の徳川家世襲を認めた。位階については、家康と秀忠は将軍在職中従一位右大臣、大御所時代には太政大臣に昇進させた。薨去後三人には正一位太政大臣を追贈。家康については、家光が強力に押し進めた「家康神格化」に全面的に協力、家康を祀る東照寺に宮号宣下し、東照宮に格上げし、家康に「東照大権現」という神号を与え、皇祖神と同格に引き上げた。これを宸筆した扁額を日光東照宮に寄贈している。また、女御和子を南北朝後醍醐天皇時代以来となる中宮冊立のための「立后」の儀式を行った。これは徳川家を摂関家と並ぶ家格に引き上げたことを意味する。東福門院時代は天皇四代に亘り和子を「国母」の地位につけた。天皇は家光の「寛永の行幸」を秀吉の「聚楽第行幸」に劣らない規模で豪華絢爛なものに盛り上げ、徳川の威光を天下に知らしめるのに貢献した。

（2）幕府が朝廷に与えたもの

かつて、天皇も公家も広大な荘園を保有する荘園領主だったが、戦国時代に殆どを失い、経済的には零落した。以降、天皇や公家の台所を支えたのは天下人だった。徳川時代、朝廷への経済的支援は天皇には「進上」、公家には「知行」という形式がとられた。公家は知行を与えられ、領地を介し将軍との主従関係に組み込まれた。天皇の場合、進上は「目上への寄進」を意味し主従関係はむしろ逆だった。

一六〇一年当時、天下人は天皇や公家、地下官人たちの朝廷を構成する人々を全面的に経済面で支え、その総額は五万六千石だったが、時代とともに漸増、一七世紀後半には一一万六千石に達している。天皇の禁裏御料は秀吉の時代一万石が保証され、上皇、中宮、女院にも別途御料があてがわれた。幕府は御所の造営・修理、譲位・即位礼・葬儀等の臨時経費を別途全額負担した。当時日本全国の石高は三〇〇〇万石、徳川家四二〇万石であったことを考えると、禁裏御料一万石は極めて些少である。戦国の世と比べれば漸増し安定はしてきたが、天皇家は質素な生活を強いられた。因みに、当時一万石は極小大名、二千石は貧乏旗本の禄高、京都所司代の役料は一万石であった。

和子入内時、禁裏（天皇）御料は一万石、和子御料（化粧料）一万石、仙洞（上皇）御料二千石であった。和子は天皇と同石高の御料であり、その優遇振りが分かる。秀忠、家光時代に禁裏御料二万石、仙洞御料一万石に夫々加増された。和子はさらに必要に応じ幕府に無心しており幕府の朝廷支援は、実際はもっと格段に大きかった。例えば、度重なる御所の消失による新御所造営費や長年に亘る別邸・山荘や修学院離宮の造営・修復など時には和子の口添えもあり、幕府の支援を得ている。政略結婚により、朝廷の経済的基盤が各段に強化されたことは間違いない。

（三）「国母」東福門院

入内直後姑とのカルタ遊びや所司代発案の盆踊りや花火を楽しむだけの無垢な少女であった和子は、入内後一〇年、七人の子女を儲け逞しく変貌を遂げていた。二二歳で中宮から女院となり、以降、国母東福門院和子として、あるいは女院御所の主人公として存在感を示した。国母とは天皇の生母を意味する尊称で、生母が側室だった後光明・後西・霊元の三天皇を即位前に猶子とし、実子明正を含め天皇四代約五〇年間国母の地位を保った。三天皇の実母には死の直前国母の称号が夫々密かに与えられただけだった。幕府が和子に過度に気遣った対応だったのであろう。

後水尾には秀忠存命中和子以外の別腹には一人の皇女を除き子供は産まれなかったが、岳父秀忠亡き後は遠慮や妨害が無用となった故か、側室との間に次々と二五人余りの皇子・皇女を儲ける。和子にすれば唯々静かに見守るだけという苦痛も味わった。東福門院時代は和子の生活も「出産」から「文化」活動へとその重心が移っていった。

将軍家という強い経済的バックボーンがあった和子は絵画や茶の湯を楽しみ宮廷サロンの中心的スポンサーとなり、寛永文化を開花させた。茶道を好み、手先が器用で得意の押絵を楽しみ、小袖の着用を宮中に持ち込んだのも和子だった。派手好きな和子が尾形光琳・乾山兄弟の実家雁金屋に注文した小袖は寛文小袖として今に伝わる。

晩年二人は円満で上皇の頻繁な修学院離宮御幸に同行、独り身の皇女などを誘うことも多かった。朝幕を背負う二人は夫々互いの心情を理解し、我慢し合い、不満を漏らすこともなかった。和子は入内後一度も江戸に帰ることなく、後水尾より二年早く一六七八年、七一歳で崩御した。

五、皇子・皇女たちへの心遣いと不安

後水尾は三七人の子宝に恵まれた。五五歳での落飾後も五人の子を儲けている。この皇子・皇女のうち四人が天皇となった。和子とは一〇年間に二人の皇子と五人の皇女を儲けたが、秀忠期待の皇子は二人とも夭折。徳川の血は女帝明正天皇一代で途切れ、皇統には残らなかった。後水尾は八〇年の崩御まで四代に亘り、上皇として天皇を支え禁裏に君臨した。幼い天皇養育に力を注ぎ帝王学を授けた。歌壇の頂点にあったこともあり、朝廷内部では隔絶した存在感を誇った。多くの子女のうち、第一皇女梅宮と天皇となった四人の皇子・皇女への思いを検証してみたい。

(1) 文智女王（一六一九〜九七）

後水尾第一皇女幼名梅宮。母およつは和子入内を一時延引させたおよつ御寮人事件で責めを受け、秀忠により禁中から追放処分された。梅宮も親王宣下を受けられず、薄幸の生涯を送る。母と別れた梅宮は祖母中和門院を中心に一族に庇護され、鷹司家に嫁ぐも三年で離縁。後水尾が帰依する禅僧一糸文守のもとで剃髪し出家（二二歳）。父娘は仏の道を通じ情愛を深めた。一時後水尾造営の修学院離宮に草庵（円照寺）を営む。東福門院の計らいで円照寺に二百石の領地が付与されるも、大和に隠棲。家光一七回忌法要の導師を務め、東福門院の死に後水尾と二人で立ち合う。薄幸の娘への親の心情が読み取れる。父の死も看取った。

(2) 明正天皇（一六二三〜九六、在位一六二九〜四三）

後水尾第二皇女。母は和子。一六二九年六歳で父の突然の譲位で即位。唯一の徳川家外孫天皇。女帝は奈良時代の称徳天皇以来。在位は一四年間だが、最初から皇子誕生までの中継役だったため、父は天皇必須の帝王学の修得を求めなかった。当初幕府は摂政五人の合議制で朝政を行い混乱、六年後後水尾の院政を認めた。後醍醐以来初の朝覲行幸で二回父母を訪ねる。我儘な一面もあり、幕府より行動制限を受けたが、父母は洛北への外出に誘う気づかいを見せた。寛永文化のパトロンの一人。生涯独身で長寿だった。

(3) 後光明天皇（一六三三〜五四、在位一六四三〜五四）

後水尾天皇の第四皇子。母は園光子。東福門院和子の猶子となり即位。形式的には徳川氏は天皇の外戚の地位を保った。後水尾の少年天皇にかける期待は大きく、「御教訓書」を与え「驕心、短慮を戒め、柔和であれ」と天皇の心得を諭した。英邁で闊達。根っからの学問好きながら、巌烈な性格で酒豪。朱子学の藤原惺窩に深く傾倒。和学より漢学を好み、和学を重んじた後水尾は和歌に力を入れよと戒めた。疱瘡のため在位一二年、二二歳で突然の崩御。期待の後継者だっただけに、後水尾の落胆は大きく、耐え難い淋しさを感じた。この寂しさを紛らわすため、洛北の山荘への御幸が頻繁となる。これ

が修学院離宮の造営に繋がってくる。後光明は真言宗泉涌寺に土葬で葬られた。古代持統天皇以来仏式の火葬が伝統であったが、大変革だった。この変更は儒教の影響による。以降天皇の土葬が定着する。

（4）後西天皇（一六三七〜八五、在位一六五四〜六三）

後水尾天皇の第八皇子。母は櫛笥隆子。東福門院の猶子。後光明天皇には皇子がなく、後光明の猶子となっていた霊元天皇が成長するまでの間の中継ぎ役として帝王教育を受けないままの即位となる。父の影響で和歌の才に恵まれ、古典の造詣も深かったが、治世中、明暦の大火、伊勢神宮・大阪城の炎上、諸国の洪水・地震等忌まわしい出来事が頻発、人々は天皇の不徳を責めた。幕府の申し入れもあり、在位九年に満たず、本命後継者霊元に譲位した。

（5）霊元天皇（一六五四〜一七三二、在位一六六三〜八七）

後水尾の第一九皇子（出家後五八歳時誕生）。母は園国子。生後四ヵ月で後西の後継者を約束され、一〇歳で即位。既に七〇歳近い高齢の後水尾には教育と監督は荷が重かった。「古風を守り今様は棄てる。伝統を重んじ学問に精励する」等の方針を定め年寄衆に養育を依頼するが、少年天皇と近習公家の不良行為の噂を耳にし、上皇は最後の力を振り絞り武家伝奏に禁裏の公家近衆の監督・統括する組織づくりを依頼し、天皇の方針決定を含む朝廷の統制を役目とする「議奏」が禁中に設置された。以降、年寄衆は天皇の養育係りから議奏として天皇の御前を管掌し、幕府から役料が支給される幕府の役人となった。英邁で有職故実に明るく、能筆家で歌道にも優れ、朝廷の儀礼再興にも取り組んだが奔放で意志の強い性格から対幕交渉では明確な自己主張を貫いた。上皇時代幕府の反対を押し切り、大嘗祭、立太子礼を復活させた。後水尾亡き後一旦始めた院政が余りに強引に過ぎたため幕府に停止される憂き目にも遭う。

七八年六月和子、八〇年八月後水尾が夫々崩御。晩年上皇が最も心を悩ませたのは幼い霊元天皇の行儀と振舞だった。自分が築いてきた朝廷秩序と対幕府関係が揺らぐのではとの心配である。後水尾の辞世の句にこれが窺える。

ゆきゆきて思えばかなし末とほく、
みえしたか根も花のしら雲

六、寛永文化の立役者としての躍動

生涯を通じ葛藤した後水尾がその本領を発揮、自由奔放に躍動し最も光り輝いたのが文化面だった。和子、明正上皇、叔父八条宮、実弟関白近衛信尋等と宮廷サロンを率いて寛永文化が大きく花開くのに貢献した。寛永文化は桃山文化と元禄文化の狭間の寛永年間（二四〜四四）を中心とした前後五〜六〇年間、正に後水尾が活躍した時代に栄えた貴族的古典的な文化で、京に花開いた最後の文化ともいえる。

サロンは仙洞御所、女院御所、文化人でもあった板倉重宗京都所司代邸、鹿苑寺などでも開かれた。上層町衆、宮廷文化人、大名などが参集、茶の湯・絵画・立花・能・連歌・文学などの達人と交流。後水尾は父譲りの学問好きで、感性豊かな鋭い観察眼に恵まれ、特に和歌・文学・書・立花など天賦の才を存分に発揮していた。和子は将軍家の財力をバックにパトロンとしてサロンを財政面で支えた。

（1）和歌　：　古今和歌集の読み方や解釈の秘伝は代々二条西家が伝承してきた。当時唯一の伝承者細川幽齋（藤孝）が関ケ原の戦いで石田軍に包囲され秘伝の断絶が危惧されていた。後陽成は勅使を派遣し救済、弟の八条宮智仁親王にこの秘伝の受伝を命じ、断絶を防いだ。後水尾は三〇歳でこの叔父八条宮より古今伝授を相伝され、宮廷歌壇の第一人者になり、最高指導者として和歌御会を頻繁に主催する。後に、後光明に伝授し、その後さらに霊元に相伝され、御所伝授が実現した。これが現在まで引き継がれ皇室固有の儀式となっている。現在でも、恒例の歌会始めの朗詠などに御所伝授の作法が偲ばれる。後水尾の御製には秀歌が多くその数は二千首に及び、歌集「鷗巣集」を残す。

（2）学問（古典、有職故実の研究）　：一五年幕府は禁中並公家諸法度を定め、第一条で「天皇は学問第一」と規定。以降、御学問講（帝王学講）に学問・芸能が一段と重視された。後水尾は特に違和感はなくこれを励行。生来好学で、古典学では源氏物語、伊勢物語を愛読、順徳の「禁秘抄」や後醍醐の「建武年中行事」は熟読書だった。後水尾自身「後水尾院年中行事」を残し朝儀復興に貢献。ご宸筆の「御教訓書」の中では「武家専権の世にあっては心を慎むことが肝要。学問は必須」と若い天皇を諭す。この天皇の姿は現在の象徴天皇のかたちに繋がる。現在の皇室の帝王教育には醍醐、花園と並び後水尾の宸記が教材となっている由。

（3）仏道修行　：　後水尾は仏教徒で禅に帰依、譲位後幕府への憤懣から一段と仏道研鑽に励む。一糸文守や沢庵・隠元に師事。五一年五六歳で突然出家する。出家に反対し続けていた家光没後半月での断行だった。幕府への何の通告もない出家に幕府は譲位時同様「恣意専断」と怒る。

（4）その他文芸　：　三〇回も開かれた立花会では池坊専好と並び称せられた腕前だった。画才も優れ、書も見事で、日光東照宮や増上寺に御宸筆の扁額が残る。本阿弥光悦、俵屋宗達、野々村仁清、小堀遠州、角倉素庵等と交流。

（5）建築　：　後水尾が晩年最も力を注いだのは修学院離宮の造営である。自ら選んだ洛北の地に一木一草まで心をくだき精魂込め五六年に完成させた。後光明崩御後は寂しさを紛らわすため東福門院や皇子・皇女を引き連れての洛北御幸が頻繁となる。天皇や上皇は幕府から厳しい外出制限が課せられていたが、後水尾は京都所司代の特別の許可を得、崩御までの二五年間に九十回以上の修学院離宮御幸を実行した。

造営費用の過半は和子が調達した。叔父八条宮智仁親王造営の桂離宮とともに、寛永文化を代表する名建築・名庭園である。幕府も東に日光東照宮を造営した。

七、その治世の歴史的意義

作家隆慶一郎は後水尾を主人公とする未完の遺作を「花と火の帝」と題した。立花など芸能を愛し気性が非常に激しかったからであろう。本稿では私は花を文、火を闘と表現した。「闘」と「文」の二つの顔をもった天皇は果たして歴史上どんな評価を受けうるのか。治世を総括してみたい。

（一）「天皇の歴史」の中での江戸時代の位置付け

一三〇〇年余りの天皇の歴史の中で、江戸時代は「その存在感が最も希薄で活動の足跡も最も目立たない時代」、これが一般的な印象である。しかし、幕末二〇年だけに限ってみれば様相は全く異なる。孝明天皇は反幕勢力に担がれ高い政治的権威を身につけ、徳川将軍をも超える強い力をもつに至り、大政奉還と明治維新に繋げた。最後の二十年も勘案すれば、「天皇にとって最も浮き沈みが激しかった時代」というのが江戸時代のより正確な評価となろう。

（1）戦国時代に「家業は儀式」と言わるまで零落した天皇を相手に、幕府は禁中並公家諸法度で天皇の務めは「学問第一」と定めた。その上で、武家公卿は徳川家だけ、天皇の官位叙任は公家に限定（武家官位は幕府）、公家の武家伝奏命令違反は流罪、紫衣勅許の乱発禁止等も定め、幕末まで変更しなかった。このため、天皇の役割は、「官位・改元・暦」に限定され、天皇の外部接触や禁裏家計も京都所司代の管理下に置かれた。禁裏御料の出入りについては厳しく管理されていたが、所司代配下の役人禁裏付が禁裏御料余剰金を市中で民衆への高利貸付金として運用している事実を知った後水尾は、「神代よりなきこと」と嘆いた。

（2）朝幕関係の基本は天皇から将軍への「大政の委任関係」であり、正に、形式だけではあったが、征夷大将軍位も含め官位は全て天皇の名前で叙任されていた。首の皮一枚で残ったこの形式こそが幕末に大きな意味を持つこととなるとはこの時点で誰も気付いていなかった。

（二）後水尾治世の歴史的評価

その歴史的意義については、影が薄く目立たないものの子細に検証すると意義深い実績が見えてくる。

盤石な統治体制を築いた徳川の将軍たちとギリギリの葛藤を続け、天皇の最低の権威は死守した。その戦法は策を弄さず直球一本槍で摩擦も大きかった。武に頼らず、政に係わらず、文を磨き、民を思い、天たる矜持も失わなかった。また、晩年は文化にも精魂を傾けた。結果、現憲法が想定する象徴天皇像の魁ともいえる先見性を示した。
（1）「政治的」には「闘」の顔をもって、家康・秀忠・家光という天下の大将軍と不屈の闘いを演じた。後水尾には金も力もブレーンもなく孤軍奮闘に近かったが、「譲位」を武器に、「激しい気性」をエネルギーに、「和子」を人質に、無手勝流に戦った。多くの権限は剥奪されたものの決定的な破局は避け、最低限の権威は保持した。形式的ではあるが、最高の権力者たる征夷大将軍の任命権、「究極の権威」は確りと握り締め手放なさなかった。これが二百年後に徳川を打ち負かす大きな武器となる。勿論、後水尾は意識してはいなかっただろうが、江戸時代の天皇が残した最も貴重な遺産といえよう。しかも、憎き「葵」の血は明正天皇一代限りで途絶えさせ、皇統の「菊」の純血を守った。また、長らく途絶えていた「院政」を復活させ、皇位の生前譲位も慣例化させ、皇位継承者選定でも幕府の容喙を抑えた。相当程度政治的権威も回復させるのに成功した。
（2）「経済的」には、天皇家は相当の経済的基盤を回復させた。和子入内を機に禁裏収入は寛永年間には天皇三万石、上皇一万、女院和子一万計五万石となり、急速に豊かになり、天皇の権威回復に貢献した。修学院離宮や桂離宮は朝廷の残した貴重な歴史的文化遺産となった。これ等造営は天皇の財力の回復を象徴するもので、鎌倉時代以降久し振りの天皇家に係わる「箱物」歴史的文化遺産となっている。
（3）最も評価したいのは「文化」の顔での奮闘である。政治との関わりは慎み、不執政の姿勢で古来天皇家の伝統である学問・和歌・儀式・有職故実等の研鑽に努め、これを深化させた。戦国時代経済的理由で廃絶されていた多くの朝廷儀式の復興に尽力した。前述の「朝覲行幸」「立后の儀」の他「神宮例幣使」（毎年伊勢神宮への勅使派遣）を復活させ、古今伝授も「御所伝授」の朝儀として定着化させた。
さらに、上皇として「天皇のあるべき姿」に関する後継天皇の養育にも精魂を傾け江戸時代の天皇像として定着させるのに成功した。この結果、文化に内在する天皇像を具体的行動で示し、図らずも、現日本国憲法が規定する象徴天皇の「かたち」を具体的に実践することとなった。

（三）後水尾の個人的足跡　…数多くの奇妙な記録を残す

後水尾は天皇在位一八年、上皇として五一年間の計六九年、朝廷で屹立した存在感を誇った。歴史上稀な長寿だったことに加え、際立った気性の激しさや、天賦の文化的素養とセンスの良さもあり、幕府の強い規制下にありながら天皇個人として数々の奇妙さも目立つ足跡を残している。
①史上初めての「将軍の娘」を娶った。
②計三七人の子女を儲けた（十九人の皇子と十八人の皇女）。
③自らの皇子・皇女四人を天皇にした（史上最多）。
④満八四歳の長寿だった（昭和天皇を除けば最長寿記録）。

父、対峙した四人の徳川将軍（家康・秀忠・家光・家綱）、七人の妻のうち一人を除き誰よりも長生きし、一三人の子の死を看取った。とにかく、異常に長寿だった。

⑤天皇として初の古今伝授を受け、初の御所伝授を実施。

⑥幕府に五回も譲位希望を表明した（幕府は全て反対）。

⑦七回御所焼失を経験、都度、幕府に再建させた。

⑧天皇一八年、院政四六年計六四年の「治天の君」は力のない形式的なものながら、史上最長記録である。

（おわりに）

最後に、諡号の謎につき私なりの結論を述べたい。この謎を解く確たる史料は歴史書からは見つけられなかった。後陽成も後水尾も自らは諡号につき何も語っていない。後陽成が意識していた天皇は醍醐だった。後陽成と陽成の二人には共通点は全く見当たらない。むしろ違いの方が目立つ。後水尾と清和については、ともに第一皇子ではなく多くの兄を押しのけ即位したこと、在位期間が同じ一八年であったことなどの共通点を諡号選定理由とする側近や研究者の記述は目にした。確かに、二人にはこの他にも退位後落飾したこと、皇妃の多さ（清和三〇人、後水尾七人）という些細な共通点もあるが、これ等が「後水尾」と遺言した理由にはならないだろう。歴史家は確たる史料で実証された史実に基づいてのみ叙述する。私は一介の市井の歴史愛好家、自由に想像力を働かせことが許されるだろう。

父への諡号は臨終場面での父のつれない仕打ちに二二歳の火の如く激しい気性の持主だった後水尾が感情を高ぶらせとっさに「後陽成」を選定したのではないか。陽成は史上悪名高い帝である。一方、六〇数年の冷却期間はあったが、死を目前に自らの諡号は、「父二分、徳川八分」での葛藤人生を振り返りつつ冷静かつ思慮深く「後水尾」の諡号を選択した。水尾（清和）は陽成の父であり、源氏の祖である。この二つの諡号によって、後水尾は自分を疎んじた「父」にも、自分を辱め苦しめ続けた源氏長者を自称していた「徳川」にも、死後の世界では、序列上自分を上位に位置づけ、二人を超克できると考えたのではないか。自らの諡号を親子逆転が容易に分かる「後清和」としなかったところに僅かながらも父への配慮が窺がわれるものの、後水尾は最後まで父も徳川もどうしても許すことができなかったのではないか。そう解釈してこそ「諡号」の謎が素直に説明できる。

（参考文献）
『後水尾天皇』（熊倉功夫著、中央公論新社）
『後水尾天皇』（久保貴子著、ミネルヴァ書房）
『徳川和子』（久保貴子著、吉川弘文館）
『天皇の歴史（第五巻）』（藤井譲治著、講談社学術文庫）
『天皇の歴史（第六巻）』（藤田覚著、講談社学術文庫）
『花と火の帝（上・下）』（隆慶一郎著、講談社文庫）
『天皇125代と日本の歴史』山本博文著（光文社新書）
『歴代天皇総攬』（笠原英彦著、中央公論新社）
『朝日　日本歴史人物事典』（朝日新聞社）
『ウィキペディア』（WEB辞典）
『日本歴史大事典　全三巻』（小学館）
『日本史年表』（山川出版社）

大相撲十一月場所テレビ観戦記

根本欣司

本来、福岡で今年の掉尾を飾るはずの十一月場所は、コロナ禍によって、夏の名古屋場所に続いて東京両国に移しての開催となったが、二横綱、二大関休場と興趣を欠いた場所となった。場所後、横綱審議委員会は白鵬・鶴竜に「注意」の決議を出した。これは「引退勧告」につぐ重い決議で、朝青龍がこれによって引退し、「注意」の下の「激励」を受けた稀勢の里も翌場所に引退したことは記憶に新しい。来年の初場所は二横綱にとってまさに正念場となる。そんな中で、優勝決定戦にもつれ込んだ大関貴景勝と小結照ノ富士の健闘は称賛される。取り口が全く異なる両力士であるが、怪我を克服して勝ち進み、本割では照ノ富士が、決定戦では貴景勝が圧勝した。そしてインタビューで語ったそれぞれの思いは、学生相撲から転身した力士たちには感じられない苦労がにじんで好感がもてた。とりわけ照ノ富士は、大関から序二段まで番付を落とすという過去に経験した力士がいない地位からの復活は劇的であり、感動的であった。しかし、彼の膝は相撲を取り続けている間は完治するのは難しかろうと思う。そのことは本人が十分承知しているはずだ。だからこそ、インタビューでは「前の地位に戻りたい」と言い、決してその上の横綱とは言わない。翻って貴景勝は「その上を目指す」と言わざるを得ない。彼は組んだら十両相撲という自覚があるから押し相撲一本で上を目指すこと以外にない。背負った重さを胸に来場所に備える好漢二人に声援を送り、土俵際に立つ二横綱と学生相撲出身の二大関の捲土重来を期したい。

山崎正和、その哲学の形成

――『劇的なる精神』と『リズムの哲学ノート』を中心として（下）

村井睦男

はじめに

本誌前々号と前号において、山崎哲学の始まりからそれが展開され、リズムの哲学に至るまでのプロセスを筆者なりにまとめて紹介してきた。山崎正和氏が構築された哲学は、近代哲学の構造を真正面から批判するもので、それと異なる新しい理解（哲学）を目指すものであった。

氏の哲学の営みは、あたかも常識のごとく受けとめられてきた近代哲学の基礎を問い直し、実際に人々が常識的とさえ了解しているものと現実は異なっているのではないかという疑問と気づきからその修正を主張するものであった。すべては「私」が頭脳で整斉とコントロールするものであるという決めつけ（観念論的な主観主義）に対して、すべては身体が感じ、身体が発信するという本来人間が太古から引き継いできた基本的な経験に引き戻って認識する世界こそがあるべき姿ではないかというものである。しかし、山崎氏はこの長期間に定着してしまっている近代哲学の基本を変革することは、革命的でもありきわめて困難を伴うであろうことから、最終的には新しい哲学を従来の近代哲学と併存させる方向を主張されているのである。

17世紀のデカルトの主張「我思う、故に我あり」への批判がその後相次いで起こったにもかかわらず、世界の情勢はデカルトを肯定し続け、実情は哲学的に必ずしも根拠が明確でない自由と平等原理に基づいた世界へと展開されてきた。しかし、今日、現実に人々は生活実感のなかで、近代哲学の下で当たり前の前提と了解していたことが、実際にはその理解がどうも違っていたのではないかと感じ、あるいは発見（気づき）する人々が増加してきているのは確かなようである。

日常見られる書籍や雑誌・新聞情報などにおいて、新しい山崎哲学に類似した現象や考えを発見し、或いは「はっとして」思いついた事例の記録が数多く見られるようになってきている。筆者自身そのような事例に関心があって、そのような記録に行き当たる都度収集を試みてきた。今回はそれらの事例についてその幾つかを紹介することとしたい。すべてのケースが山崎哲学の考え方に適合するものではないかもしれないが、新しい哲学に繋がる発想と経験が見られることから、ここに紹介する事例に加えたものもある。

数多くの人たちがそれぞれの思索の営みの中で、新たな気づきを体験され、それらを言葉に載せて表現されている。これは知的な仕事をされている人々に限定されるものではなく、日々大自然のもと、生活のなかで生命のリズムを感じている人も多く、これは多くの人々のなかで日常頻繁に起こっていることかもしれない。しかし、ここに挙げた事例について、個別に山崎哲学の考え方と対比して批判的に云々するものではない。これまで常識的とさえ思い込んでいたことから解放され、異なった世界があるのではという素朴な疑問から出発するケースも多く、それらを積極的に紹介したいと考えたものである。

事例1　松浦寿輝氏の主張とロヴェッリの記憶と時間の存在

松浦寿輝氏が著書『平面論』のなかで、ヴァルター・ベンヤミン（ドイツの文芸批評家・哲学者1892～1940年）のいう「アウラ」の意味とマルセル・プルーストの『失われた時を求めて』について論じているが、その位置づけについて。それと、たまたま最近読んだカルロ・ロヴェッリ『時間は存在しない』のなかで偶然にもプルーストの『失われた時を求めて』が取り上げられていることを見つけた。これらはそれぞれの立場から説明がなされているが、その説明がどのようなものであるか先ず紹介し、その後に今回の関心事である山崎哲学の観点から考えてみたい。

（1）松浦寿輝氏の『平面論』は「近代」の始まりが1880年代であったという氏のユニークな主張の根拠として論じられている事例のなかで紹介されているものであるが、その大前提となっている「近代の始まり」議論についてはここでは関係ないので言及しない。

ヴァルター・ベンヤミンは「複製技術の時代における芸術作品」の運命について語っているなかで、それが宿命的に喪失していかざるをえないものとして、すなわち、踏破しがたい絶対的な距離の彼方で一回かぎり起こる現象が身に帯びている輝かしい聖性といったものに触れてそれを「アウラ」と称している、と松浦氏は説明している。松浦氏が言及しているベンヤミンの主張は次の通り。

「アウラの定義は、どんなに近距離にあっても近づくことのできない唯一性の現象、ということである。ある夏の日の午後、寝そべったまま、地平線をかぎる山並みや、影を投げかける樹の枝を眼で追う――これが山並みの、あるいは樹の枝のアウラを呼吸することである。」（前掲書27頁から）

これについて松浦寿輝氏は『平面論』のなかで次のように述べている。

ベンヤミンが「アウラ」の体験を、視覚というよりむしろ触覚の現象学として記述していることは重要だろう。「呼吸」の一語が、単なる知覚と認識の道具でもありえよう視線を、もう一度肉体の内分へと引き戻す。「アウラ」とは、いわば価値化された「遠さ」である。問題は、主体がこの「アウラ」とどう関わるかというその関わり方にあるのであり、そこにおいて重要なのは「アウラを見ること」ではない。彼にとって本質的なのは、「アウラを呼吸すること」なのである。はるかに遠いものを、その還元不可能な遠さは遠さとして保持しつつ、しかしなおみずからの躰の皮膚と生々しく触れ合うところまで引き寄せようとすること。「遠さ」を「近さ」として体験するという不可能な夢とも言い換えうるものだ。なるほど「どんなに近距離であっても近づくことのできない」ものが「アウラ」なのである。「眼で追う」というこの視線の運動が、「山並み」から「樹の枝」へと近づき、それがついに自分自身の肉体の表層へと回帰してきたとき、視覚というよりむしろ触覚の装置と化したそのまなざしによって運ばれてきたものを、彼は「アウラ」と呼んでいるのである。……近づくことのできないものを引き寄せる。むろんこれはもとより不可能なことであり、ここではそれをあえて可能ならしめようとする熾烈なファンタスムが、「呼吸」という肉体的譬喩によって辛うじて近似的に表現されているにすぎないのである。（同上28―29頁）

この「アウラ」に関連して、松浦氏はもう一つの異なった種類の「イメージ」があるとして、マルセル・プルーストの『失われた時を求めて』のなかの一つの挿話について述べている。この挿話は次のように説明される。

ノルマンディ海岸の保養地バルベックに「わたし」が実際に滞在するようになって迎えた二度目の夏の出来事である。パリから長い時間列車に揺られ、疲れきってバルベックのホテルに辿りついた「わたし」は、寝室で靴を脱ごうとするのだが、半長靴のその最初のボタンに指が触れた瞬間、亡き祖母の思い出がどっと蘇ってきて「わたし」をうろたえさせるのだ。むろん愛していた肉親との別れは辛い体験ではあったけれども、祖母が死んだのはもうかなり以前のことでもあり、喪の悲哀も、その当時ひと通り味わった後、月日の流れの中で徐々に薄れてゆき、もう半ば以上癒されていたつもりだった。引き金となったのは、かつて祖母が、この同じ海辺のホテルの寝室で、その時もやはり疲れ切っていた「わたし」をいたわりつつ靴のボタンを外してくれたというささやかな記憶の蘇生である。今不意に蘇ってきた祖母の思い出は、本流のように「わたし」の心を満たし、またそこから溢れ出し、この圧倒的になまなましい祖母のイメージの現前を前にして、「わたし」はただ茫然自失するほかない。「わたし」は生前の祖母に対して十分に優しい心遣いを示さなかった自分を責めながら、両手で顔を覆って激しくすすり泣くのだ。（同上34―35頁）

しかし、松浦氏はこの「わたし」を突如襲ってきた「心情の間歇」体験は先の「アウラ」と果たして同じものと考えたのだろうか。氏は、これは「イメージ」として明らかに氏が近代の特徴と主張している「等距離性」とも「再現性」とも全く無縁の「イメージ」であると主張している。

ここでプルースト的な「わたし」を襲うのはたった一度しか生起しない特異な出来事なのではない。「心の間歇」とは記憶の甦りであり、そのかぎりにおいて二度目の出来事そのものにほかなるまい。祖母の不在を、その実際の逝去時に味わったのとは比べものにならないほどの悲哀の情とともに実感させるものは、実のところ、この繰り返しの同一性そのものなのだ。……『失われた時を求めて』の世界は、みずからの意味を「事後的」にしか開示しない存在や物事で満ち満ちている。「事後的」な開示をもたらすものは、この場合、想起の行為にほかならないが、それは思い出そうとして思い出す意志的な身振りなのではなく、ごくごく仔細で偶発的な信号との遭遇が引き金になって人を不意打ちする受難のごときできごとである。（同上46―47頁）

（2）もう一つの事例としてプルーストの『失われた時を求めて』について触れているカルロ・ロヴェッリの『時間は存在しない』のなかでの箇所を紹介しておきたい。本書は最近日本で翻訳出版されたもので著者はイタリアの宇宙物理学者、現在の量子力学理論のなかでも最前線で「ループ量子重力理論」を主導している一人で、日本でも知られている「超ひも理論」と並んでその有力候補といわれている。彼の理論では、時間そのものが〝量子化〟されていて時間は存在しない。（量子論的な宇宙は、「時間が経つにつれて膨張する」という形ではなく宇宙の大きさと物質の状態の相互関係として表わされるという説明。）

著者ロヴェッリは、「しかし人間には過去から未来に向かう時間の流れが当たり前の事実のように感じられる、その理由は何か」を問い、答えとして「著者は、アウグスティヌスやフッサールの主張を引用しながら時間が経過するという内的な感覚が、未来によらず、過去だけに関わる記憶の時間的非対称性に由来する（以下傍線は筆者による）ことを指摘する。その上で、記憶とは中枢神経系におけるシナプス結合の形成と消滅という物質的なプロセスが生み出したものであり、過去の記憶だけが存在するのは、このプロセスがエントロピーの増大の法則に従うことの直接的な帰結である」と論じてい

る。（本書の解説者・吉田伸夫氏の解説による）

著者は、脳の機能に関して最近得られた知見の一つについて次のように述べている。

人間の脳全体がニューロン同士を繋ぐシナプスに残された過去の痕跡の集まりに基づいて機能している、という事実がある。脳のなかでは何千ものシナプス結合が絶えず形成されては削除され、特に寝ている間に、それまでに神経系に働きかけてきた事柄のぼんやりした像が残される。絶えずわたしたちの目に流れ込む何百万もの細かい情報が記憶に残らないことを思うと、確かにぼんやりしているが、そこには世界がすっぽり収まる。（前掲書182頁）

そして、プルーストの『失われた時を求めて』に関して著者は次のように述べている。

冒頭のところで若き主人公が、毎朝、底知れぬ深みから立ち上がる泡のように意識が立ち現れる瞬間に、目眩とともに戸惑いながら再発見したのはこれらの世界だった。マドレーヌの味わいからコンプレー村の香りを思い出した主人公の前に開けたのは、これらの世界の広大な領土だったのだ。……ここで注意をしておきたいのは、この作品がこの世界の出来事ではなく、一人の人間の記憶のなかにあるものを語っているという点だ。冒頭のマドレーヌの味わいから最終編である「見出された時」の「時」という最後の言葉まで、この作品はまさに、主人公の脳のシナプスの間にある、乱れて曲がりくねった複雑な流れそのものなのである。（同上183頁）

自分たちが属する物理系にとって、その系がこの世界の残りの部分と相互作用する仕方が独特であるために、また、それによって痕跡が残るおかげで、さらには物理的な実在としての私たちが記憶と予想からなっているからこそ、わたしたちの目の前に時間の展望が開ける。あたかもあかりに照らされた、小さな空き地のように。

時間は私たちに、この世界への限定的なアクセスを開いてくれる。つまり時間は、本質的に記憶と予測でできた脳の持ち主であるわたしたちの、この世界との相互作用の形であり、わたしたちのアイデンティティーの源なのだ。（同上185頁）

以上とりあげた2つの事例について、山崎哲学に照らしてどのように理解すればよいのだろうか。

（1）ベンヤミンの「アウラ」については、松浦氏自身が深く分析し解明されているようにこの感情は一瞬自然界の全てを包含している全身へうけとめる恍惚、これはベルクソンの「純粋持続」に当たるもの、あるいは一種の仏教でいう「悟り」の瞬間に通用するようなものではないかとも想像される。コメントにあるようにこれは全身で受け止め、受容しているものと考えられる。メルロ＝ポンティから山崎氏に繋がる身体全体による受容の事例として解釈できるのではないだろうか。ここでは「私」が頭で考えるというのは全く捨象される。

（2）松浦氏の『失われた時を求めて』の解釈

松浦氏は、プルーストの「心の間歇」はベンヤミンの「アウラ」とは基本的に異なっているものであるが、この存在の確立は認められる。しかし、これが突如として出現する感情の爆発は、やはり身体全体の総合的な反応の結果であると考えられる。「アウラ」とは若干異なってはいるが身体全体の反応として考えられ、それはあくまでも脳中心のものではなく身体全体での受容の結果と考えるべきものであろう。まず手に触れる靴紐、靴そのもの、祖母の優しい声かけ、夕刻の穏やかな空気の中での長旅の疲労感などあらゆる感覚機能による身体的受容である。山崎哲学によれば、記憶の大部分はゲシュタルトの「地」の領域にあるが、それがある身体的な刺激によって突如鮮明な記憶として現前するということになるのであろう。その記憶が鮮明であればあるほどあたかも現実であるかのように激しく感情を揺さぶるのである。

（3）ロヴェッリの『失われた時を求めて』における時間の解釈について、彼が主張する最新の「量子力学理論」では、われわれが当然のごとく生活の基盤においている時間の存在、時間感覚の所在はないことになっているが、それがなぜ新理論のなかでも完全に抹消することができないのかと問うなかで、彼が見出したのが、過去の記憶のなかに時間が認められるということであったと理解される。しかし、過去の無数の出来事についてすべて記憶のなかにあって、ひとえにわたしたちのニューロンに残された過去の痕跡のおかげであるとしている。これは自然科学の方法論の立場から見た結論であろうが、シナプスに残された記憶という見方に対しては、山崎哲学の観点からは次のように批判可能であろう。即ち、それらを支えているのはすべて感覚機能の複雑な総体が繋がって機能しているというのは、シナプスに記憶として記録されるその前段階では、身体のあらゆる箇所の機能が最初に働いておりその総合的な記憶の全貌を身体全体が受容し、反応しているからであると考えるべきではないだろうか。

事例2　次に取り上げるのは、雑誌「文藝春秋」に掲載された「対談　作曲の極意を知りたい」のなかでの解剖学者 養老孟司氏と作曲家 久石譲氏とのやりとりの一部である。

養老氏が氏の最近の著作『遺言』において目や耳に光や音が入るのを捉える「感覚所与」とその意味を見出してそこに価値を置く「意識」について述べられているが、久石氏がそれに関連して質問し話題にしている。

養老氏は、解剖学者で長年人体を対象として扱ってこられた立場から、絶対音感のように「違い」をきちんと捉える感覚か、言葉のように「同じ」を追求する意識か、その時に応じてどちらかを消すようにしていると述べ、人体でも昆虫採取の時の虫でも具体的な現実を扱うときは、理屈を全部外してそのまま受け入れるようにしているとも述べられている。
石井氏と養老氏のやり取りを紹介する。

久石氏「伺いたかったのは、感覚と意識のその関係です。作曲という行為を日常的にしているといつもこの二つの間を行き来します。決定的な原動力になるのは意識なのか感覚なのか」

養老氏「それはどちらでもないでしょう。レベルが違う。情動の中心は深くて、脳で言うと辺縁系にあります。……理屈では語れないから、僕もずっとそこをしゃべるのは避けています。しゃべることは理屈にすることだから、必ず落ちる感覚がある。」

久石氏「音を選んでいく行為はすべて感覚によるものです。とはいえ「音楽」とするにはそれを意識的に、立体的に組み立てる行為が必要になる。作曲家は、それを有機的にまとめなくてはいけない。作曲とは意識的なものと感覚的なもののあいだを絶えず行き来しながら作っていく行為なのです。」

養老氏「ソクラテスが「書かれた言葉」を嫌ったのは、実際の状況が消えれば感覚世界が失われるからだったと直感的にわかります。だから「対話」だったのでしょう。それを無視して平気でやったのがプラトンで、だからプラトン以来、ことばの学問ができていく。」

久石氏「それは音楽でも同じですね。譜面ができたことで、譜面上で作曲家が組み立てを行うようになった。……今や、音楽家の基本は譜面なんですよ。クラシックの音楽家にとって最も重要なことは、目で譜面を読む能力です。実質的に作業の半分以上は「目から入れた情報を交換しているだけ」となりかねない状況なのです……指揮者にとって指揮するということは、譜面に感覚所与を生じさせることなんです。感覚と意識の両方を駆使しながらしているのです。……しかも音というのは必ず時間の経過を伴い、論理的であり複合的になります。」

最後に養老氏が「古池や蛙飛び込む水の音」を挙げて、ここに「意識」と「感覚」がすべて凝縮されていると述べ、見事に時空があり、運動も入っており、世界が全部凝縮されている、というところで対話は終わっている。

しかし、ここで話題となっている「意識」と「感覚」の関係はどのように捉えられているのだろうか。会話の中で石井氏が「感覚」と「意識」の関係を問い、原動力となるのはどちらなのかと問うているのに対して、養老氏は「どちらでもないでしょう。次元が違う。」と明確に答えておられ、さすがと感じる。養老氏は重要なポイントを指摘されたことになる。「情動の中心は深くて……」と述べておられる。人の感覚は身体全体を通して受容しているのに対して、私たちの脳の機能はそれを後付けで解釈し構成しているだけであって、この二つは全く次元の異なるものである。音楽や絵画など芸術に関する分野ではまずは身体全体での受容の感覚が重要であって、言葉はその後付けに留まる。そうであるからこそ、最後に養老氏が示された芭蕉の句は意味を持つのであって、残念ながら二人の意識の位置付けは合致しないままに終わっている。

養老氏は、『遺言』という著書を著されているが、このタイトルからは今時の書籍として一般に誤解して受け止められる懸念がある。というのはマスコミ的な見方をすれば、高齢化が進んでいる現在、老人が承知しておくべき「遺言の考え方・仕方・書き方」の手引と早合点してしまう可能性があるからである。筆者も最初そのような感覚にとらわれた。真実は、養老氏がこれまでの医学の学問的キャリア形成のなかで獲得された自然科学の方法論に基づく考え方についての重要性（近代哲学が常識化していることに対する警鐘ともいうべきもの）を多くの人々に理解・認識を促すことの大切さをご自身の『遺言』として残しておきたいという意図からであったと理解している。ここでは感覚所与と意識との関係に限定するが、本書でどのように述べておられるかを指摘しておく。

> 感覚所与には意味がない。世界が変化したということを、とりあえず伝えてくれるだけである。意味は与えられた感覚所与から、あらためて脳のなかで作られる。……感覚所与は、都市生活では最小限にされる。都市では環境は統制され、できるだけ変化がないようにするからである。……意味を持たないと思われる感覚所与を排除して、意味に直結するような感覚所与だけを残す。……夢中になってテレビの映像を見ている、スマホの画面を見ている、ということになる。……直結しない情報は、まさに無意味として、はじめから捨てられる。（前掲書38頁）

> 客観とは何か。感覚所与に依存することである。自然科学ではそれを実験という。現物、現実、モノなどというのは、ヒトの側から見れば感覚所与のことである。……
>
> 自分の外に、自分がいようがいまいが、唯一客観的な世界が存在している（と信じている人がいる）。（しかし）世界をとらえているのは、あくまでもあなたの五感である。
>
> 化学実験の場合でも、感覚所与は通常直ちに意味に変換

されてしまう。（同上41頁）

感覚所与と脳内の意識が対立していると考えたことがあるか。ほとんどの科学者にとって、外界の実在はほぼ自明の前提である。ここでは私はその前提をとっていない。科学実験とは、自分の側から見れば、自分の感覚と意識の乖離を、感覚優位で解消することなのである。「もの自体を知ることはできない」という、カントに尋ねるまでもない。しかし、外界の実在は脳が納得していることで、別に「証明」されているわけではない。にもかかわらず、感覚所与を外界の実在の証拠として捉えてしまう人がいかに多いか。……自然科学が追っているのは、意識が正しいか、感覚所与が正しいか、ではない。内部の意識と、感覚所与と、両者の存在を認めた時に生じる、両者間の最良の対応関係なのである。（同上43―44頁）

解剖学という主として人体を対象とした医学の立場から、当然のことながら自然科学が厳しく律してきた方法論に法ってその世界の中で長年研鑽を積んでこられた養老氏の隅々にまで浸透しているものの感覚による受け入れ、まず身体による反応と理解、認識は、明らかに近代の哲学が主張してきたものとは異なっているのである。これまでにも養老氏は、自然科学の方法論に従い若い頃にトレーニングを受けた人たちのぶれていない基本的な思考方法から得られた結果に出くわすたびそれを評価されている一般事例に遭遇することがあった。本論の最後の事例で述べる斎藤亜矢氏のケースなどはその一例である。

事例3　次の事例として、「私」中心の哲学に対する批判の例とリズムに関して語られている例を紹介する。

人間中心主義（すべては「私」が考え、意識し、判断しているとの主張）に対する批判が20世紀以降、学者・識者によってなされる事例が増えてきているが、現在においてもそれが明確に主張されているケースに遭遇する場合がある。最初にその一つの事例として河野哲也氏の主張を紹介する。河野氏はリズムについても言及されている。今一つはリズムに関して論じられている磯部忠正著『「無常」の構造』から紹介する。筆者のこれまでに目に触れるもののなかでは、リズムに関して真正面から論じられているものは比較的少なく、山崎哲学のいくつかの特徴のなかでは、感覚の身体全体での受容や脳の機能と身体の機能の連携、芸術的な感覚と身体の関係などの事例が比較的多く見られているが、それらの気づきや主張の端々に実はリズムを感じられているケースも多いことがわかる。

（1）最初の事例は、立教大学教授の河野哲也氏の著書『ひとは語り続けるとき、考えていない』からの紹介である。河野氏は幼児教育の段階から哲学を前提とした教育が重要であるとの考えに基づき対話による手法を国際的な連携のもとに実践しておられる教育者であり哲学者である。また、哲学プラクティスの手法の中でも、哲学ウォーク（歩きながら哲学対話をする）という実践にも力を入れておられる。著書の題名の『人は語り続ける時、考えていない』というのも同氏の哲学的考察に関係しているもので、人は饒舌に話している場合、その話の内容についていちいち考えながら、或いは思い出しながら話しているのではなく、どこからともなく次々と話の続きが湧き出していることを指摘されているのである。

河野氏のいくつかの主張を次に紹介しておこう。

心理学でも認知科学でも、現在の心の科学はどこかでデカルトの心の概念を受け継いでしまっている。もちろん、デカルトの精神実体論、すなわち、心とは身体から独立した非物質的な塊であるという考えは、現代の科学者の多くが拒否するだろう。しかし、他方で、思考を生み出す言語を備えた心が脳の中に存在しているというデカルトの心の概念は、かなりの数の研究者が暗黙のうちに受け入れているテーゼではないだろうか。しかし、対話と思考が徹底的に身体的な活動であるならば、デカルト的な心の概念はそれを説明するにはふさわしくない。（前掲書161頁）

私は、心を古代ギリシャの「プネウマ」（気息、風、空気、息吹、生命の呼吸など）として捉えたり、東洋的な「気」の概念で捉えたりするほうが適切ではないかと考えはじめている。心とはすなわち呼吸ではないかという考えである。……呼吸はさまざまなリズムと持続を持ち、身体の内部の状態と外気とを、そのリズムと持続で一定の状態に保とうとしている。それは外界の存在の一部を取り込み、己を形作り、活性化する。この呼吸に象徴される循環とリズムにこそ、心と呼ばれるものの本質がある。（同上162頁）

私たちが考える内容も、自分の意図では制御できず、身体的で環境に左右されてしまうものである。心とはすなわち身体のリズムであり呼吸であるという考えを提案するのは、心はトポス（ギリシャ語で「場所」「話題=トピック」）に入ることで働き出すからである。であるとするなら、私たちは、よくよく対話するためには、身体がどのように働くのか、環境と身体の相関について真剣に留意しなければならないはずである。（同上162頁）

河野氏は、哲学ウォークについて興味ある事実を説明している。即ち、哲学者と散歩の結びつきについてこれはかなり本質的と述べている。多くの哲学者たちが散歩を好み、散歩しながら思索し、友人と議論した事実を示している。古代の哲学者、エンペドクレス、プラトン、アリストテレス、ディオゲネスの例を挙げ、近代になっても、ルソー、カント、モンテーニュ、ホッブス、ニーチェ、キルケゴール、エマーソン、ソローなど散歩者を挙げればきりがないと説明している。本誌前号の拙稿（中編）において触れたように、日本で古くから「思いつき」や「ひらめき」が起こる機会として「三上」の例（外国では「3B」の例）を挙げたが、昔から哲学者が散歩を好んだ理由は歩きながら突然浮かぶアイデアであったように思われる。思い起こせば京都に南禅寺から銀閣寺に至る疎水べりの山道が「哲学の道」と呼ばれていて、今では大勢の観光客がぞろぞろ散歩する観光スポットとなっているが、かつて京都の哲学者先生たちがよく散歩されているのを見かけたことから名付けられたと伝えられている。

河野氏の主張については、山崎哲学における考え方に近いように感じられる。河野氏が到達されている地点が先人の哲学思想の影響を受けておられるのかどうか筆者は理解できていないが、いわば、われわれの呼吸が心であると指摘されている点については、山崎哲学と最終的には同様の結論に至るように思われる。河野氏がここでリズムについて述べられていることは非常に興味を覚える。

（2）次に、磯部氏が主張のなかでリズムに関して述べられているが、西洋の歴史的な状況と日本のそれとは大きく異なっていることを踏まえて、日本の状況がリズムの考えを生み出したと指摘されている。西洋の歴史と文化の成立は、自然との戦いあるいは自然の収奪であり、他民族との対決であり、他の個人に対する個人の自己主張が基盤にあったこと。そこに求められたのは、究極的な尺度としての絶対的心理であり、信仰的に依存しうるのは、絶対的な唯一神であったという歴史的な事情から、自我の確立が求められたことを説明している。それに続く氏の主張の引用である。

これに対して、われわれ日本人は、少なくとも弥生式時代前後からの約二千年、比較的温和な自然に恵まれて定住農耕を主としつつ、自然との戦いというような荒々しい生き方をしないでも暮らしをたてることができた。……日本人は、人間をも含めて動いている自然のいのちのリズムとでもいうべき流れに身をまかせる、一種の「こつ」を心得るようになった。己の力や意志をも包んで、すべて興るものも亡びるものも、生きるのも死ぬのも、この大きなリズムの一節であるという、無常感を基礎とした諦念である。……それと同時に、もう一つ見逃すことのできないことは、四季の循環の規則正しい、穏やかな自然に囲まれてわれわれの祖先は、自然のいのちのリズムを素直に、直感的に感

じとったということである。（前掲書4頁）

自然のいのちのリズムというような表現は、いかにも粗野な、非学問的なものである。

これを学問的評価に堪えうる概念にまで洗練することは、今のわたしにはできない。

一つには私の力量が足りないため、一つには無理に概念化することによって、この表現の持つ柔軟な包容力が失われることを怖れるためである。（同上5頁）

磯部氏の「リズム」については、日本の伝統的な「無常」の感覚をベースに湧き出てくる「リズム」を捉えようと試みられているが、これはやはり「意思」、「感情」、「認識」を踏まえた位置付けが必要となることから、その根源の解明にやや躊躇されており、さらに「自然のいのちのリズム」という表現は柔軟な包容力を持っており、それを解明することはこのイメージを壊しかねないという懸念を示されている。

磯部氏は遠慮がちにリズムを述べておられるが、山崎氏は『リズムの哲学ノート』の最後のところでリズムについて次のように述べて結ばれている。

認識の主体が丸ごと身体であるということは、認識の過程で理性と感覚の対立が起こり、感覚が理性の自由を妨げるといった恐れを根こそぎ排除してしまう。……そして何よりも哲学はこの世界の根源的な原理であるリズムを感じとり、リズムとともに生きることによって、その働きを如実に知ることができるはずである。リズムの特性の第一はそれがもっぱら顕現する現象であり、ひたすら感知することはできても、それを造り出すことはできないという事実である。第二に特色はそれを感じることが喜びであり、その認識が開放感に直結しているという不思議である。……哲学にとって、リズムはそれを知ることが最終目的となるような現象であり、裏返せば知ることをそれだけで完結自立させるような現象なのである。……リズムはたんに哲学者に認知されるだけでなく、常識社会に暮らす普通の人にも感知される。そしてリズムを知るということ、いいかえればリズムを体感しながら生きるということは、誰であれ認識者を自由にしてくれる。（『リズムの哲学ノート』245―246頁）

ここで山崎氏のリズムの意味を改めて示す理由は、これから示す事例の中でそれがリズムであると明確に認識されていないが、おそらくリズムであろうと感じられるケースがあるため、ここに氏のリズムの意味を念のため再提示した。

事例4　その他の事例について、これまで試みた対比的な取り上げではなく、幾つかの事例をその人物が語る一点のみについて四つの事例を紹介する。

（その1）　俳人　黛まどか氏の四国巡礼の経験（2019年11月12日　日本経済新聞〝こころの玉手箱〟から）

1999年に北スペインのサンティアゴ巡礼道800キロを歩いたことをきっかけに、歩いて考え、歩いて詠むことがライフスタイルとなった。歩くことは俳句の実作だけでなく、古典を解釈する上でも重要だと思っている。西行も芭蕉もみな歩いて詠んだ。歩くことそのものが詩的行為だと言ってもいい。歩行が刻むリズムは私たちの意識を現実から遠い過去へ、目に見える世界から不可視の世界へ、こころの表層から深層へと導く。その中で湧き上がる考えは日常とは違う回路を巡り、言葉もまた独特の調べを刻む。

金剛杖（空海）を仲介役に辺地へと分け入る。歩いていると、しだいに〝境〟が無くなっていく――境界とは人と自然、自己と他者、内と外、現在・過去・未来だ。自然の大きな命の連なりの一部として、花鳥風月と一期一会を果たす。その交歓は、私の俳句であり且つ生きる喜びでもある。

この例においても、歩く（巡礼する）ことによって詩の世界に関わる発想が次々と生まれる経験を語っている。西行も芭蕉もみんな歩いて詠んだのは詩的行為であったと述べている。哲学者の散歩好みも同様で、身体を自然の中に晒すことで新たな「思いつき」が現前する経験であり、これはあくまでも身体的現象から起こるものと考えられるし、一種のリズムの感受であろう。

（その2）　彫刻家（サグラダ・ファミリア教会芸術工房監督）外尾悦郎氏　〝問い続ける意志、石を穿つ〟（2020年1月5日　日本経済新聞）

あてもない渡欧先で出会ったサグラダ・ファミリア教会で、彫刻家の外尾氏はそれから40年以上、比類ない建築に向き合い、立ち塞がる難題を突き崩し穿ってきた。設計者アントニオ・ガウディと時を超えた「無言の対話」を続けながら。（小沢一郎氏 文）

外尾氏「ガウディには何一つ同じ作品はないが、でもガウディなんですよ。僕も自分なりの答えがいくらでも出てくる気がします。それをお見せしたい。」夜空の下でひとり石を彫っていると、ときに石の中に入って浮遊する感覚に包まれることがあった。

ノミとハンマーを握る手が考えるより先に動く。外尾氏

「こっちに入っていいかノックすると、石が『いいよ、いいよ』と導いてくれる。いつもとはいかないけれど、それは最高の仕事の仕方ですよ。」自然に寄り添いヒントを得たガウディの境地も、あるいはこうだったのだろうか。

10年、20年と長い年月を経て、ついに40年以上に及ぶ石と向かい合う孤独な探求の連続の後に現れる新しい境地、石との対話の経験は、全身全霊を石に打ち込むというまさに身体的な行為以外にありえないように思われる。石に向かい合っているときは感覚所与の中にあって脳（意識）は事後に確認的に作用するだけの世界である。芸術家の行動であってその時点では脳による確認はほとんど排除されているのである。

（その3）　大学教授、評論家　内田樹著『もういちど　村上春樹にご用心』（これは、内田氏が村上春樹論のなかで、特に村上春樹のアメリカ文学の翻訳について語っている部分の興味深い指摘である）

翻訳は他人の身体の上に「自分の頭」を接ぎ木するさまを想像するかもしれないが、そうではないのだ。他人の頭に自分の身体を接続するのである。自分の頭をもってしては他人の頭の中で起きていることを言語化することができないからだ。けれども自分の身体は他人の頭から送られる微弱な信号でも完治することができる。頭は「意味」しか受信できないけれど、身体は「意味以前」のものでも受信できる。頭は「シグナル」しか理解できないけれど、身体は「シグナルになる以前のノイズ」を聞き取ることができる。他人の頭から送られてくるのは、輪郭のくっきりした語や文ではない。

ノイズである。ある種の波動であると言ってもいい。その波動を私の身体が受け止める。するとその波動と共振する部位が発生する。とりあえずその響きは私の身体の内側で起きている私の出来事である。私自身の骨や神経が現に働いて、その共振音を出しているのである。自分自身の身体が発しているノイズであれば、それをシグナルに変換することはできる。おそらくそれが翻訳という仕事の本質的な構造なのだと私は思う。（前掲書182頁）

これは内田氏が村上春樹氏の翻訳に取り組む姿勢に関する対談記録を元に述べられているものであるが、翻訳の場合一つの言語から異なる言語へ移し替える作業であって、なおかつ変換さえすれば良いというものではなく、そこには対象となる作品が持つ重要な意味合い、雰囲気などが含まれていることから、ここで語られていることはきわめて重要なキーポイントである。村上春樹の翻訳作業はそこまでの配慮があってはじめて完成するということを、内田氏は的確に説明されている。翻訳作業は、脳の働きのみによるものではなく身体的感覚を総動員することの重要性が指摘されているのである。

（その４）日本の思想史学者　互盛央著『エスの系譜』からの引用

　本誌「前号」拙稿において少し触れたが、デカルト批判の絡みで20世初頭にドイツの心理学者フロイトが「私」に代わる不明の第三者を主語としてそれを「エス」と名付けたことを説明した。「エス」そのものを詳しく取り上げた互氏による『エスの系譜』において、ジル・ドゥルーズ（１９２５～１９９５年）の「私」も主体もない、他者も対象もないいわゆる「超越論的領域」について述べているので紹介しておきたい。

　この言葉（超越論的領域）を前にするとき、１７６５年にスイス西部のジュラ山脈の麓、ビエンヌ湖に浮かぶサン＝ピエール島でルソーが経験したものが脳裏をかすめる。湖の岸辺に赴いたルソーは、人目につかない岸辺に腰を下ろした。

　「そこでは魂にとって時間は何ものでもなく、いつでも現在が持続しているにもかかわらず、その持続を示すことも、いかなる継続の痕跡も、存在の感覚以外の欠乏と享楽、快と不快、欲望と不安といったいかなる感覚もなく、その存在の感覚だけで完全に魂を満たすことができる。この状態が続くかぎり、その状態にある人は幸福と言われうる。（ルソー１７８２年）」

　「現在」の「持続」だけがあって時間がない状態とは、いかなる主体もなしにただある状態、いわば「……がある（Es gibt…）」の「……が」ない状態である。

　それは「快」とも「不快」とも無縁である以上、そこに訪れる「幸福」は「不幸」と対になるものではない。だからドゥルーズは「至福」と書いた。（前掲書257頁）

　この指摘は想像するに、山崎氏の言われるベルクソンの「純粋持続」か、さらにその先にあるわれわれの感覚からすれば仏教でいう一種の「悟り」の境地に等しいものではないかと単純に想像してしまう。最初に触れたベンヤミンの「アウラ」の境地に重なるようにも思われる。

事例５　三者の経験に基づく新たな認識

　ここでは作家・劇作家・演出家である（故）井上ひさし、映画監督の大森立嗣、作家の佐伯一麦、それぞれ芸術や文学の各分野で業績を残されている三者三様の経験について披瀝されたものである。

（１）井上ひさし氏の場合

　これは井上氏のお弟子さんに当たる劇作家、「てがみ座」主宰の長田育恵さんがＮＨＫラジオの文化講演会で話されたのを録音で聞いた一部である。
井上氏は次のように厳しく要求されていたという。

現場、実地で聞き集めたものは、手に記憶させるように、或いは皮膚感覚に記憶させるようにしなさい。頭で理解していたのでは駄目です。頭で考えた登場人物ではなく、皮膚感覚で紡ぐその言葉を発することが重要です。……今日一日を自分の意志の力で過ごすようにしなさい。（2018年7月21日　NHKラジオ「文化講演会」長田育恵「劇作家の創作現場から～取材から台詞を紡ぐまで～」）

とも述べられていたという。演劇は舞台で演じる人と観客の間の呼吸が一致することで感動が生み出されると考えられるが、井上氏の言葉は氏の長年の厳しい試練を経て獲得されたもので、演技者は劇作家が皮膚感覚で紡いだ言葉を発することが重要であることを強調されている。また、「今日一日を自分の意志の力で過ごすように」ということばは、山崎氏のリズムに従った生き方を述べておられるようにも感じられる。

（2）大森立嗣氏の場合
大森映画監督は幾つかの話題作を生み出してこられたが、新しく映画「日々是好日」と題する茶道を題材に取り組まれた製作時の体験を語ったものである。

ゆっくり時間をかけてわかっていくという感覚が面白かった。……撮影前に初めてお茶を経験したが、動きが決まっている中で自分がこう見せたいというのが出ると、全部ダメといわれた。自分が見透かされた。これは俳優へのダメ出しに似ていた。余計なことはするな、というのは見ている人の方がよくわかる。だから主人公の主観ショットはやめた。客観的なショットでお点前の動きを切り取った。心の中の四季を表そうと決めた。雨音を聴き、松風を感じる。光で四季を表現する。茶室の中という制約があったからやりやすかった。（2018年10月1日、日本経済新聞　コラム「語る」）

身ぶりをひたすら追う。頭で考えず、体で覚える。五感で受け止める。それはこれまでの大森作品にも通じる感覚だといわれている。そこにはリズムがある。

（3）佐伯一麦氏の場合
佐伯氏は、自らの経験を中心にした私小説作家としての地味な活動が多くの賛同を得てファンも多い。これまでの作品『自画像』や『ノルゲ Norge』など高く評価されている。昨年出版された長編『山海記』は、東日本大震災を経験した後、同じ年に豪雨による土砂災害に襲われた紀伊半島を旅した経験に基づいて書かれたもの。旅した中でも印象深かったのが奈良の十津川村であった。小説で改めて向き合った十津川村は、明治期にも大きな水害に見舞われ、北海道に２０００人以上が集団移住している。旅は「巡礼」のような意味を持っていたと振り返る。

紀伊半島を再び訪れ、村の名所「谷瀬のつり橋」に立った瞬間、主人公を呼ぶ人称は「彼」から「私」へと変わる。その揺らぎには『私』を作っているのは自我だけでなく、それを取り巻く地誌的な様々なものだと気づいた」ことが反映していると担当記者は報告している。（２０１９年４月22日　日本経済新聞　コラム「語る」）

以上、井上ひさし氏の場合は、劇作家であり演劇の世界に長く身を投じてこられたことから、舞台演劇の真髄まで体得されていたことで、そこから出てくる言葉は、山崎正和氏が『劇的なる精神』で述べられていたものに共通するものがある。頭で考えたものではなく、身体で感じそれを身体で表現するということを意味されているのであろう。

大森立嗣氏の場合は、やはり頭で考えた動作ではなく、体全体で感じたものを自然に表現することの意味を強調されている。また、心のなかの四季を表現しようと思ったというのは、自然のリズムに従うという意味と思われる。

佐伯一麦氏の場合、ある場所に立った瞬間に強烈な感情に襲われ、突然これまでの「彼」が……」という表現が「私」という表現に変わる。それは「私」は自我だけのものではなく、自分を取り巻く地誌的なさまざまなものを包含しているものだということに気づかされたのは、自然の環境と過去に起こった悲劇が複雑に交錯し身体全体で感じた感情が、小説の主人公が突如「彼」から「私」に変わるという劇的な変化を強いるほどの経験であったことを物語っている。

事例６　ここでは三例を取り上げるが、特に「二項対立」に言及している興味ある意見と思われるので紹介しておきたい。二項対立そのものを真正面から取り上げて論じているケースは未だ比較的少ないように感じられる。それは筆者がこのテーマで本格的に論じた書籍などに出くわしていないということが理由であるのかも知れないが。

最初に取り上げるのは新聞のコラムに掲載された二例である。東北大学名誉教授の原山優子氏と詩人の四元康祐氏の場合である。三例目に紹介するのは一橋大学名誉教授の野中郁次郎氏の場合であるが、これは日本経済新聞の「私の履歴書」で一ヶ月に亘って連載された記録からの紹介である。

（１）東北大学名誉教授　原山優子氏の意見（２０２０年２月６日　日本経済新聞〝明日への話題〟から「節分に思ったこ

と」)

氏は節分の豆まきについて次のように述べている。

「鬼は外、福は内」って、「良いとこ取りの論理ではないか」とふと思った。人に例えて言うならば、嫌な人は排除し、自分に役立つ人だけ取り込むという自己中心的な発想に近い。特に、その根底にある黒白という二分法に引っかかる。この黒白は、作今の移民政策とも重なり合う。自国の経済成長に資する専門性の高い能力を持つ人に対しては優遇措置を施し、そうでない「その他」の人には厳しい条件を付するというアプローチを多くの国がとっている。……しかし、世の中の事象とそれを取り巻く環境は刻一刻と変化し、オセロゲームのごとく今日の黒はあすの白になる可能性を多分に秘めている。いつ何時、その他のスキルが貴重な存在になるとも限らないわけで、無駄と思われるものも含む多様な能力のポートフォリオを持つこと、そして様々な色を放つ潜在能力を育むこと、これこそが強みになると確信する。

ここには二項対立に対する解決の方法として貴重なヒントが示されている。二項対立の状況は永久に固定化し存続するものだろうかという疑問。対立を白黒とすれば、二色に限定した世界のみの対立と考えるのではなく、様々な色を放つ可能性があり、その潜在能力を育むことも重要であること。また、白黒は世の中の状況変化によって色が反対色に変化する可能性もあるという意見である。これは二項対立そのものの中に解決策が包含されているというより世の中の状況の変化、それによる人々の考え方の変化が起こることによって対象にある二極の変化が起こりうるので二項対立は固定化したものではないというもの。

(2) 詩人 四元康祐氏の意見(2020年2月7日 日本経済新聞〝くらしナビ〟から「帝国の橋の袂で」)

四元氏はヨーロッパにおける四半世紀に及ぶ生活経験のなかで感じられたヨーロッパの人々の考え方(行動)と日本人の特徴を対比して、それを「和」と「対立」、または「普遍」と「個性」といういわば二項対立の問題として述べておられる。個人の次元においてもヨーロッパ人は自我の主張が強く、しょっちゅうぶつかりあっている。対立を恐れず、妥協もしない。家族でも職場でも町内会でも然り、ドイツ人、イギリス人、フランス人とスタイルは違っても頑固さと饒舌は共通であると指摘したうえで、次のように述べている。

僕ら(日本人)が和の中に対立を溶かし込もうとするのに対して、彼らは対立を尽くした果てに融和を求める。「和」と「対立」を、「普遍」と「個性」と言い換えてもいいだろう。前者の和や普遍は母性の繭に包まれていて、後者の対立と個性は父権の剣を備えている。前者はやさしいが脆弱で、後者は強固だが血まみれだ。そのことと、言葉への信の置き方、そして日本の詩の原型が和歌にあり、西洋の詩の源に悲劇があることとは無縁ではあるまい。結局のところ、島国と大陸という地理の違いに行く着くのだろうか。この比較的狭い場所に、五十を超える国と、それ以上の数の民族がひしめいているという現実は、頭では理解したつもりでもなかなか肚には落ちてこない。

四元氏の意見は、地理的な制約の中における歴史的な変遷過程でこの二項対立が形成され、今日感じられるような「和」と「対立」、「普遍」と「個性」が見られると指摘される。ヨーロッパ人は大喧嘩をしてもあくる日にはけろっとして仲良く肩を並べていたりすることも指摘されている。彼らの世界の中では、対立を尽くした果てに融和を求める。それでは日本人の置かれてきた地理的状況の制約条件との融和は可能かどうかについては触れられていない。しかし、ヒントはある。「言葉への信の置き方、そして日本の詩の原型が和歌にあり、西洋の詩の源に悲劇がある」と述べられている点である。

原山氏および四元氏の感想は、一元的二項対立そのものの共通前提についての議論というより、個別事例に限定した具体的な二項対立例について興味深くコメントされた例である。

（3）一橋大学名誉教授　野中郁次郎氏の意見（2019年9月　日本経済新聞「私の履歴書」から）

野中氏は経済学者であり、近代経済学の原論を論じるというより経営の分野に関わった独自の分野を開拓され、多くの経営者からの賛同を得て評価を高められた人物である。自ら生み出した知識創造理論を、アリストテレスの「フロネシス」（賢慮）、ホワイトヘッドの「プロセス哲学」、フッサールの現象学といった哲学者の思想を取り込みながら補強してきているとも述べられている。氏は自ら創り出された「対立」と「協調」の二項対立にたいしては、「対立」と「協調」を両立させる「二項動態」の関係性が創造性の源泉であると明言される。

野中氏が少年時代に一度の危険に遭遇された時、「身体知」で危険を回避したと認識されている経験が今日まで氏の中で繋がっていると説明されている。少年の日の記憶に触れて次のように述べられている。

「身体知」について、無意識のうちに身体が何かを感じ取り、何とか危険を回避できた。無意識とは人間が生きるための本能と経験の集積体である。私は後に、こうした無意識の知（暗黙知）と、数値や文字で表現出来る「形式知」との関係を研究のテーマにするが、少年の日の記憶がどこかに引っかかっていたのかもしれない。

私が、理論を拡充する一方でケーススタディを重視し、「ドサ回り」を続けているのは、各企業が蓄積している暗黙知をこの身に「浴び」ながら、探り出すためである。……

人間の本質は、デカルトのいう「我思う、故に我あり」の一人称ではなく、共感する二人称の行為にある。二項対立ではなく、「二項動態」の関係性こそが創造性の源泉だ。他者との出会いを通じた自在な意味づけ、価値づけのただなかで、新たなアイデアや概念は湧き出てくる。「共創」に手抜きは許されない。

野中氏は、「無意識の知（暗黙知）」と「形式知」との関係を研究のテーマにしてきたと述べられており、暗黙知はマイケル・ポランニー（1891〜1976年）の「暗黙知」のことを指しておられる。これについては山崎氏が『リズムの哲学ノート』においてやや詳しく述べておられるので、少し説明しておきたい。

山崎氏がマイケル・ポランニーについて言及されているのは、ポランニーの「自由」についての考えを高く評価されているところにある。現在、社会的にも人々の間で自由について、それがあたかも哲学の中で重要なファクターとして地位を占めてきていることに対して、氏は哲学の立場からもともと自由意志について批判されてきた。しかし、認識と行動の新しい関係を示唆する考察は、すでに哲学界にも少なからず現れているとして、氏はポランニーの自由論を評価しその中で暗黙知論にも言及されている。（前掲書 頁240―241）

氏の説明によると、暗黙知の主体は理性でも意識でもなく、訓練され習慣づけられ、それ自体「自生的秩序」と化した身体であるとしている。この身体はそのまま認識の主体として働き、たとえば自転車の乗り方を乗りながら学習していたというように。あるいは、熟練工の技術のように言葉にならない暗黙の要素が含まれている知識を指している。（ここにいう「自生的秩序」についてポランニーの説明：たとえばアダム・スミスの「見えざる手」と同様の意味での経済的市場秩序を指すほかに、法的秩序、科学的秩序の三種類がある。）……暗黙知は身体が感じる「自生的秩序」と化した身体そのものが感じる知ということができる。

事例7　最後に紹介するのは齋藤亜矢氏の『ルビンのツボ―芸術する体と心』からの事例についての考察である。

齋藤氏の特徴は、二つの側面が影響していると考えられる。一つは、若い頃大学の研究室の人たちと野生ニホンザルの調査に行った折に、岩場で転落するという下手すれば即死となるほどの事故に遭遇されたこと。以後、頭より先にからだが反応してしまうという経験が後々まで強く残ったという。今一つは、氏の今日に至る学問的キャリアとして、理学→医学→芸術学→教育学の順序で、それぞれが学問的に立ち位置の異なる分野で研鑽を積んでこられていることである。理学、医学の分野では自然科学の方法論による初期のキャリア形成があり、その後に芸術や教育の分野に従事されたのであるが、初期の自然科学的方法論による影響が氏の考え方の中に強く浸透しているように感じられる。

氏は崖からの転落事故について次のように振り返っておられる。

　自分が恐怖を感じた体験をあらためて思い返してみると、たとえば、恐怖は頭より先にからだで感じるということ。原始的なシステムの方が、危険を察知してからの反応時間が短いからだ。見たものが「なにか」を認識するより先に、身がすくんで、冷や汗をかき、心臓がどきどきする。ふだん自分の心臓の動きを自覚することはあまりないけれど、このときばかりは心臓がその存在を主張する。自分のからだに、自分の意思や意識を超えた「自然」を感じるときである。また、恐怖の反応として、置かれた状況を正しく把握するために、感覚や知覚が鋭敏になるということもある。（前掲書65頁）

氏自身が経てきたキャリアプロセスについて、次のように述べられる。

　芸術の起源を探るために、認知科学の手法から、絵を描くこころの基盤について研究している。たとえば、進化の隣人であるチンパンジーと人間の子どもの描画行動を実験で比較するような研究だ。つまりテーマは文系的だけれど、アプローチは理系的。普段関わっている分野も境界域なので、自分が文系か理系かを意識することはほとんどない。（同上8頁）

　サイエンスとアート。相反する点はいくらでもあげられる。たとえば、普遍性と偶然性。サイエンスの実験では、条件をそろえれば毎回同じ結果になることが求められる。データは平均化され、一回きりの出来事は「外れ値」として扱われる。しかし、アートでは、偶然性がだいじにされ、平均値よりも「外れ値」にこそ光があてられるようなことが多い。……つまりサイエンスは、できる限り「わたし」を排除する。いっぽうでアートは、むしろ「わたし」がなければはじまらない。（同上9頁）

また、齋藤氏は多くのフィールドワークを経験されているがそれについて次のように語られている。

フィールドワークでは、文字通り、五感を総動員して自然と向き合う。直接目で見る。耳で聞く。鼻でかぐ。時には手で触ったり、舌で確かめたりすることもある。……「感性は、言葉や観念ではなく、からだを通した体験からしか生まれない」画家の横尾忠則さんが、ラジオでそんな話をされていた。ふだんの生活のなかで、わたしたちはついついからだを忘れがちだ。必要な情報の多くが、インターネットやテレビなどのメディア（媒体）を通して言葉で入ってくるからだ。でも、からだを通してしか感じられないものがたしかにある。

学生のときに屋久島やボルネオで、それを強烈に体験できたのは恵まれていたと思う。だからこそ、日々の暮らしのなかでも同じだと気づくことができた。（同上14頁）

齋藤氏が強調される二点、即ち、言葉による概念的認知の弊害と情動による身体の作用について述べているところを紹介する。

小さな子供が描くのは、丸だけで顔を描くような記号的な絵だ。「顔には、輪郭があって、目が二つあって、口がある」という、頭のなかにある表象スキーマ、つまり「認知」された「知っている物」を描いている。いっぽうで見た物を描く写実的な絵では、網膜に写る光の配列、つまり物を「なにか」として「認知」する前の「知覚」を描こうとする。ところが言葉をもった人間は、目に入る視覚情報を「知覚」すると、つねに「なにか」として言葉に置き換えて、概念的に「認知」してしまう癖がある。そこで、見えているつもりなのに描けないというジレンマが生まれるのだ。（同上96頁）

齋藤氏が大学学部時代に将来学問的な専門分野に進むことを目指された時に、既に理系の学問への進路が開かれていたと想像される。自然科学の分野でどの道を目指すにしろ、この学問の基礎的方法論の習得の期間では、仮に漠としたものであったとしても基本構造（基礎的概念）は与えられていたと推測する。このようなケースでは、おそらく高校あたりまでの教育過程では、物事の認識・理解の前提は、いわゆる常識化されてしまった感のある、感性と認識判断機能による二元的理解で、それらはすべて「私」が考え、理解していると受け入れてしまっていたと考えられる。しかし、自然科学の方法論によるトレーニングの機会を経験した人は、他の人たちと比較すればそれだけ早期に物事の理解について考えあるいは疑念を持つ機会を与えられていたことになると想像される。かなり多くの人々にこのような機会は与えられていたと推測されるが、それらの人々が必ず同様に疑問を持つに至るとは限らない。むしろそれら方法論について真剣に思考する人のみにその機会が訪れるということなのかもしれない。

おわりに

ここに示した事例では、山崎哲学が近代哲学を批判し、新しい哲学の構造が最終的にはおのずからそれがリズムの哲学を可能にするという世界全体の概念展開の道筋に繋がるというケースの事例というものではない。現実に日々の生活の中で個別の現象がこれまで半ば常識的に理解していたことが、それらの理解と異なった新しい発見、どうも違うようだという気づきの個別事例である。

これらの事例はその一部に過ぎないが、山崎氏が批判される近代哲学の構造に対して山崎哲学の基本構造が、そのまま日常生活の事例の中で納得的に受け入れられているケースが増加していることに気づかされる。これらの経験は一部の知的活動をしている人々に限定されるものではなく、普通に日常生活を送る普通の人々が広くリズムの世界を感じている経験事例も既に数多くあるはずであり、また今後も増加していくものと思われる。山崎氏が望まれたように、新しい哲学の構想が既存の哲学の枠組みとの抗争ではなく、共存する方向の中でここに紹介した事例のように人々の新たな気づきの事例がますます増加していくことを見守って行きたい。

参考資料

事例1　松浦寿輝『平面論』（岩波人文書セレクション　岩波書店　2012年）

事例2　カルロ・ロヴェッリ『時間は存在しない』（NHK出版　2019年）

「対談　作曲の極意を知りたい」（文藝春秋　2018年7月号　文藝春秋社）

養老孟司『遺言』（新潮新書　新潮社　2017年）

事例3　河野哲也『ひとは語り続けるとき、考えていない』（岩波書店　2019年）

磯部忠正『「無常」の構造』（講談社　1976年）

事例4　内田　樹『もういちど　村上春樹にご用心』（文春文庫　文藝春秋社　2014年）

互　盛央『エスの系譜―沈黙の西洋思想史』（講談社　2010年）

事例7　齋藤亜矢『ルビンのツボ―芸術する体と心』（岩波書店　2019年）

ホイス大統領とユダヤ人たち（四）

——公私のメッセージ、評論、故人の追想、ほか——

〔編訳〕秋間　実

12

亡くなった人びとに想いを

——ヴュルテンベルク＝バーデン州文部大臣あいさつ、一九四五年十一月二十五日、シュトゥットガルト州立劇場において——

ご列席のみなさま！

この日を、この時間をドイツ人にとっての一つの新しい伝統の始まりとさせましょう。わたしたちがきょうこの一二年の国内の戦いにおける犠牲者たちをしのぶとき、それは、いまそうでなければならずこれまでは可能ではなかったゆえに儀礼上の義務を果たす、ただそのためだけではありません。ちがいます！　ドイツ人たちはこのことを来年また二年後三年後にも再びするでしょう。と耳にすると、ぎょっとして、〈そうなの？　君たち、永遠にこれを行なうつもりなの？　実際またいつもこの残忍な諸行為を、強制収容所・拷問のこのもろもろの話を、このもろもろの名誉毀損を、このもろもろの殺害を、不正に次ぐ不正のこのもろもろを、想い起こすつもりなの？　実際またいつもこうした話をしようと思っているの？〉、と叫び声をあげる人がいるかもしれません。君たち、国民を別の思考・別の感覚へ連れ出すことはできないの？　国民はもうそうした話は聞くまいと思っている！　こうしたことすべてを実際また自虐と言うのではないの？

ぎょっとしたあるいは不機嫌なこの反論は、よく考えられたものと言えるでしょう。ひょっとするとうしろめたさがそのなかに隠れているかもしれません、ひょっとするとまじめな懸念も。しかしそのような熟考が、わたしたちを混乱させてはいけませんし、混乱させることはできません。わたしたちは、このような日に、それの永続的な荘厳さと気品とを与えようと思うのです。そうするのが当然でありそうしなければならないからです、——苦難にたいする・死者たちにたいする・殺された人びとにたいする敬意にもとづいてばかりか、わたしたちの民族の道徳的な将来のゆえに、です。生きているわたしたち・生き残ったわたしたちは、まだじきじきの印象のなかに立っています。もはや生きてはいないこの人その人あの人を識っていたのです。ご当人が落ち込んだ激しく持続的な苦悶について知っているのです。きょうもまたこの建て物のなかに、迫害を屈辱をこうむったかたがたが、牢獄で刑務所で強制収容所で苦難にさらされたかたがたが、たくさんおられます。その存在においてその語りにおいてそのはたらきにおいて、ひどかった年どしを告発される証人たちです。しかし、この人たちもわたしたちと同じくいつの日にかもはや存在しなくなります。もろもろの名まえと記憶とが色あせます。そうなると、こうしたことすべてが、かつてあったことに――忘れられることに――なりませんか？　ひょっとすると、ひと塊の材料が歴史家と長篇小説作家とに残されるかもしれません。しかし、まさにこれこそ生じてはならないことなのです。

ドイツ国民は、みずからを国民社会主義《ナチズム》の鎖につなぐことを軽く扱いすぎました、群れをなしてあまりにも軽く。軽く扱いすぎてはいけないのです。この鎖を身につけたのは由々しいことでした、国民には自分でこれをとりはずすことができなかったのです。国民はもろもろの邪悪な事物を、不快な夢をうしろに投げ捨てる、そのように軽く扱いすぎてはいけないのです。

追想の日（Denktag）は感謝の日（Danktag）、とか。たしかに。しかしこの日は、将来にとってのその民族政策上の意味を、いましめの日として警告の日として義務日として受け取るのです。みなさまはわたしが二〇分でこの時代の内的歴史を語ることをわたしから期待してはおられません。それは、ただ一グループだけが武器を身につけている、隠れた市民戦争〔内乱〕の状態でした。共産党の解散とともに、その指導者たちの逮捕――一部は一二年のあいだ自由を奪われたままでした――とともに、他のもろもろのグループとの戦いが続いて、ユダヤ人たちの迫害、労働組合の解散、教会にたいする敵意、他のこうしたことすべてが始まりました。いまやあの体制が、あの悪魔的な体制が、――相並んで、大衆のそそのかし・たらし込み・甘やかしを識っているあの体制が、――花咲きました。勲章・賞金・称号・表彰のあの連続が、ドイツ人の下層に呼びかけこれを引きつける・あまり重要でない職位（ポスト）の全序列が、咲きほこりました。そしてそのあとに別の体制が花咲いたのです。すなわち、テロル・尾行・家宅捜索・郵便物検閲・出頭命令・密告・尋問抜きの逮捕・身体の責めさいなめ・強制労働・殺害が・です。「逃走中、射殺」、これはまだ羞恥心が仮装されていた時代からのことでしたが、この羞恥心はまもなくあからさまな嘲笑として作用することになりました。のちには無言のうちに羞恥心なしに人が殺されることになったのです。

いつか或るときに、ほとんど平凡陳腐になったことば・わたしたちがあまり考えてみることのなかったことば「菓子パンと鞭《むち》」〔Zuckerbrod und Peitsche,＝「飴と鞭」〕が伝えられました。これこそ、この一二年のあいだドイツで統治したものだったのです。菓子パンの割り当て量はしだいに減らされていきましたが、鞭のほうは結び目と鉄の部分とが増やされて、一国民がそれの血なまぐさい殴打を受けてほとんど死にかけるまでになったのです。

全国民が、でしょうか？　そとの世界全体は、ドイツでこの時代に生きていて煮えくりかえっていた・さえない抵抗についていて、十分な観念をつくりませんでしたし、また、つくっていません。抵抗は、隊列が行進する街路へは向かわず、その憤激を奥の部屋で自身に食らい込ませていき、そして自分の突発を探し求めました。いつか――あとまだ長くかかるかもしれませんが――ナチズム支配に抗した反対運動と反対事業の歴史が書かれることになるでしょう。わたしにはそれをこの午前中に果たすことはできません。

いくつかのできごとがわたしたちのなまのイメージのなかに残っています。

その一つがあの共同謀議です。ドイツではそれについて知り語ることがもう死を予告したのでなにも知られていませんでしたが、航空省の将校たちと経済省の男たちとがロシア〔＝ソ連〕と接触しようと企てたのです。当時、一九四一年末、〔発覚して〕最初の首脳たちが砂のなかへ転がり入りました〔消し去られました〕。

そのあとにきたのが、南部のあの抵抗運動です。ミュンヒェンの学生たちが、ミュンヒェンから伝わってシュトゥットガルトまたハイデルベルクさらには他の諸都市の学生たちが、スターリングラードの失陥〔一九四三年二月〕の背後で国民を前進させようとする企てを行なったのです。〔二月二十二日に処刑された〕ショル兄妹のあの宣言は、もろもろの解放戦争の時代に発せられた布告のように、歴史のなかへともにはいりこむことでしょう。学生たちは、当時、この英雄的な企てのなかで、自分たちの昔からの使命に自身で立ち戻ったのです。

それからやってきたのが、はかり知れない悲運を伴なった〔一九四四年〕七月二十日です！　これは、ナチ党のプロパガンダが記述した〈功名心が強い連中と主流からはずされた将軍たちとが合流したのだ〉、というような話ではありません。あの人たちはまた、連合軍のプロパガンダがひところ欲したように、戦争の終結を早めることによってドイツ陸軍の伝統の一片を救うためにだけ集まった、のでもありません。たしかに、そのような動機もそこではたらいたかもしれません。この事件で歴史的に最も重要であったのは、社会民主党の若い活動家たち（わたしはここで友人レーバーをライヒヴァインを〔テーオドーア・〕ハウバハを想います）と、――みなさま、ルターの崇高なことばを引くことをお許しください――「ドイツ国民のキリスト教的貴族」との、出会いでした。陸軍元師〔ヘルムート・〕モルトケ伯爵の住まいであったクライスアウの城館のなかでこの男たち――若い社会主義者たちと〔甥孫ヘルムート・ジェイムズ〕モルトケ伯爵やヨルクやシューレングルクやヘフテンそのほかの人びとと

——が集まっていたことは、〈知る人ぞ知る〉ところです。事件の終わりではなくて意志が、事柄に即した解明のなかで、ドイツの一つの可能性を明確に規定したのです。わたしたちは、この可能性を事件の終わりとともに沒した状態にしておかないようにしよう、と思います。

この日の午前にスピーチをしてほしいという要請をお引受けしましたときにわたしは、わたしのところへこられたかたがたに、〈わたしたちのヴュルテンベルクの故郷と特別に関連があるなん人かの友人たち——かりに通常の時代に亡くなったのだとしたら、その功績を公式に正当に評価されていたでしょう、そうした友人たち——を追想することを許してほしい、そういう自由をいただきたい〉、と申しあげました。わたしたちはきょう、おくればせながら、そうした正当な評価を悲運の感じとともにとりもどします。

まず、ヴュルテンベルク大統領オイゲン・ボルツがいます。わたしは、シュトゥットガルトへくると、いつもかれを訪ねました。かれに屈辱を与えようとやってみる人たちがいましたが、内面の誇り高い姿勢を持ったこの男の自尊心は切り崩せませんでした。かれの情熱のなかで一二年間ずっと悪にたいする暗い憎しみがどれほど燃えつづけたことか、それはなにかすばらしいこと・なにか感動的なことでした。自分が愛している国民がどれほど墜落させられるのかを両手をしばられたまま眺めなければならなかったのには、かれは口では言えないほど苦しみました。自分の日がくるのを待ちました。その日はやってこないままでした。

つぎにくるのは、フリッツ・エルザスです。戦時中この都市で食糧管理の長でした。当時シュトゥットガルト市法律顧問でした。その後、ドイツ全国市町村協議会の部長たちの一人でしたし、ベルリーンの第二市長になりました。ドイツの社会的経済的自治体政治の第一の識者であり実務家だったのです。全一二年を通して外国への招きを受諾することをことわったのは、ドイツに自分と自分の子どもたちとの故郷があることを知っていたからです。善良で勇気のある友でした。〔カール・〕ゲーデラー（注）を自宅に泊めたことがあります。去年〔四四年〕の十二月にナチどもはかれを処刑しました。

（注）愛国的な保守的政治家でした。ライプツィヒ市長などを歴任しました。あの七月二十日事件では、ヒトラー殺害をめざすいわば実行グループとは一線を画していましたが、決起の全体計画のなかでは新政府の首班に予定されていました。八月九日に密告にもとづいて逮捕され、九月八日に民族裁判所〔特別法廷〕で死刑を宣告され、これは四五年二月二日に執行されました。

さらに、オトー・ヒルシュがいます。ヴュルテンベルク内務省の参事官で、のちにはネッカー運河（株）の部局長でした。故郷が限りなく多くお陰をこうむっている人間です。わたしはありがたいことに学生時代からかれと親しくしていました。かれの五〇歳の誕生日にかれにこう書きました、――〈「血と土地と」ということばにまあ意味を持たせるとしたら、ユダヤ人の血とシュヴァーベンの土地との出会いがなにか美しいもの・偉大なものをつくり出した、ということだろうね〉、と。すごく頭のよい人物、高貴な人物！　ヴュルテンベルクでの活動が終わらなければならなかったとき、ユダヤ系ドイツ人の全国代表団のかしらになりました。自分が日々危険な状態にはいることがわかっていました。そして、危険にさらされるこの状態のなかに、最後まで雄々しく雑音に耳をかさずきちんと身を置きました、――ついに連中がかれを呼び出してマウトハウゼン〔強制収容所〕で殺害するにいたるまで。

　わたしは、こうした名まえを挙げることができました〔そうしてさしつかえありませんでした〕。みなさまがたのうちのどなたも、言及してほしかった別の名まえを思いつかれたことでしょう、――たとえばヴァルター・ヘービヒとフリッツ・ラウなど、友人たちにはいつまでも忘れられない男たちの名まえを、です。しかし、大きな残酷な伝説をつくるのは、けっして個々の名まえではなくて、名もない人びとなのです。そして、この人たちの背後から、苦悩と苦しみとをこれほどにも見舞われた国民にとって可能であろうかぎりそれを埋め合わせる義務が、わたしたちの義務が、歩を進めてくるのです。あの伝説は、自由のために戦って苦しんだ〔名もない〕男たち女たちの手でつくられるのでしょう。

　この思考は、親類たち友人たちを失った大ぜいの人たちにとっては、日々に気分がわるい思考です。こんにち、人間たちの現在のもろもろの事情と懸念とを前にしてひょっとして寛大になりたいと思うかもしれない、そういう瞬間があります。そのとき、この人あの人にまつわる記憶が立ち昇ってきます。まだ四月二十一日にナチ親衛隊（ＳＳ）の或る機動襲撃班がわたしの五人から八人までの友人親族をモアビート刑務所で射殺したことをわたしが思い出すとき、同情と寛容とはやみます。つらくなり、ずっとつらいままなのです。

　しかし、この知からはそれでもその後、人を励ます相続財産もやってきて、これは歴史のなかへはいっていくことができるのです。わたしたちはシュヴァーベン的なもののなかになにか伝統のようなものを持っています。そうです、この伝統はなん人もの人たちにとっては牧歌ふうになりました。一八四八年（注）という年を受け継いでいるのです。わたしたちのうちのなん人も、たとえばアスペルク付近をクルマで行ったり「ラシュタット」という語が口にされたりすると、一種の誇りをもって、曽祖父やその兄弟がドイツの自由のために戦ったゆえにそこに坐し苦しんだのだ、と考えます。四八年代のこの伝統は、そのとき、取るに足らぬ寛大さとともに、失敗に終わった事柄のロマン主義のなかへはいったわけです。けれどもみな、先祖たちのなん人かがそこにいたことをやはりずっと誇りにしてきたのです。わたしたちはこのことを感じており、そして数年のうちに百年祭が祝われるときに、再び意識のなかへ取り上げることでしょう、――そこではロマン主義ばかりか生命の信じきった投入がたいせつだったのだ、ということを。

（注）　この年の三月に、ヴュルテンベルクをも舞台にして、民族的（国家的）統一や新聞の事前検閲の廃止（言論の自由）などを求めるブルジョアジー（市民階級）の革命的諸連動が展開されました。いわゆる三月革命です。

こうして、この一二年間の犠牲者たちにおいてもたらされたことも、後継者たちを励ます遺産になりますし、そうならずにはすまないのです。国民社会主義者〔ナチ党員〕たちは、自分では欲していなかったなにごとかをやってのけたわけです。人間の尊厳を踏みにじり、〔そのことを通じて、〕人間たちがお互いに政治的世界観的なちがいを、それどころか対立を・越えて尊敬しあうことを学ぶ、ということを、です。

強制収容所にいた友人たち知人たちと話すとき、〈犯罪者たちが自分たちに放たれたときにかれらから遠ざかって各自の政治的姿勢のなかで試練に耐えることが、自分たちの名挙げであった〉、とかれらが物語るのが、いちばんいやな話の一つです。

数日まえ、祖国の北部から、以前まったく有名だったドイツ国家人民党の一ジャーナリストから手紙をもらいました。なん年もかれのことを耳にしていませんでした〔たよりをもらっていませんでした〕。手紙のなかでは、刑務所内で〔かつてはいがみあっていた〕社会民主党の一大臣とこの上なく親密に友だちづきあいしていた、とあります。これは、以前は戦っていた人間たちが人間として識りあい尊敬しあうという、もっと大きくて重要なできごとの小さな切り抜きの一片です。手紙によると、刑務所には、まじめな聖書研究者〔＝「エホバの証人」〕、共産主義者、平和主義者、将校、自由思想家〔＝無神論者〕、カトリックの神父、プロテスタントの牧師、社会民主党の労働組合員、シュレージェンの地主貴族が、いっしょにいました。かれらはたしかに、すべての事柄で同意見、とはなりませんでしたし、そうなろうと思ってもいませんでしたが、お互いにしっかりした姿勢とはなにかを・学びあいました。そしてこれが、かれらが出獄したとき、もうけになったのです、失われてはならないもうけに。

しかし、刑務所から出なかった人たちが大ぜいいます。なくなったのです。飢え死にし、殺され、すさんだ道づれのための見ものとして絞首刑にされたのです。この人たちは沈黙しています。沈黙していますって？　死者たちの声は、聴かれることを求めているのです。それは戦勝諸国〔対ドイツ連合国〕でも聴かれることを求めています、ドイツのための証言をするために、です。すなわち、君たちのアナウンスが〈ドイツには抵抗運動がなかった〉といつでも言おうと思ったしときどきはまだそう思っているのは事実とちがう、という証言を、です。あの人たちは、死亡することによって、死を越えてドイツに一つの政治的な奉仕をしたいのです。――別なドイツがその殉教者たちのなかでいつまでも見えている、と告げる、という奉仕を。

　死者たちの声はわたしたちにも届きます。君たち犠牲者は、忘れられてはならないし、忘れられはしません。こんにち、無数の人びとが東と西とにおけるまた北と南とにおける兵士たちの墓のことを思うときにかれらを苦しめる、一つの残酷な問いがあります。兵士たちは無駄に死んだのか？　或る個人の犯罪的な意志と狂気とに命令されて死へ向かった足どりは、歴史的に無意味だったのか？　答えはもっとたしかな感情へ向けて閉じられはしません、推測と謎ときとの悲劇的な残余は、そのままです。

　ドイツ国内の政治的犠牲者たちと、そのかたわらで数十万それどころか数百万の苦しめられて死んだ異国の人びととは、国民社会主義の最も重い最も高価な犠牲となったものとはなにか、語っています。それは、汚物のなかへ落ちて沈み込んだドイツの名まえの栄誉です。怒ってしょげて恥ずかしい思いをさせられて、〈ドイツ史の最もいやな時代の無防備な同時代人であった〉と言明しながら、わたしたちは、自分たちとわが民族の名まえとをもういちど清める義務を感じるのです。

　罪なく苦しんで雄々しく死んだ人たちの記憶は、わたしたちがこれから過ごすことになる年どしに、静かな穏やかな明かりによってわたしたちの道を照らす灯《とも》し火となることでしょう。

13

ユダヤ教徒の新年のお祝い　おめでとう

一九四九年

九月二十四日の新年にあたり、〔ドイツ連邦共和国大統領として〕ドイツのユダヤ人たちに心をこめて「おめでとう」と申しあげます。

　わたくしには、教会堂の汚損と破壊との記憶を心によみがえられるとき、迫害と悪魔のような絶滅意志との年どしにどのユダヤ人家族も免れずにすまなかったすべての非人間的な悲しみを思いやるとき、まだたくさんのつらさがみなさまの心にこびりついていることがつよく感じられます。それは、わたしたちが、ドイツ民族の名まえ・わたしたちの民族の名まえ・わたしたち自身の名まえが或る乱暴な信念によってよごされたものだから悲しみをともにした、そういう時代でした。

ユダヤ人たちは、このことを忘れないでしょうし、誠実なドイツ人たちは、このことをやすやすと忘れてしまってはなりません。しかし両者はこのひどい遺産をいっしょに乗り越えなければならないのです。わたくしにとっては、「寛容（Toleranz）」という語はこの課題にたいしてほとんど弱すぎます。人間の尊厳についての知識は、一つの力にならなければなりません。他人をその信仰とその諸伝統とにおいて許容するばかりか、他人を尊敬して、人間愛において強固なものにされた共通感情がわたしたちの存在と運命との上に丸天井をつけるまでになる、それほどこの共通感情を強める力にならなければならないのであります。

一九五〇年

この年にもドイツのユダヤ系同胞たちに心をこめて正月のご挨拶をお送りすることを許していただきたい、と思います。

わたくしは、前年にも、物質的また精神的な苦しみと悲しみとの取り除きを見込んだ（また見込んでいる）もろもろの期待のほんの一部分しか満たされなかったことを、十分に意識しております。しかし、愛の力と真な公正の物差しとを知っているそのような人びとの善い意志と率直な感覚とを助けて、先に進ませましょう。そして、わたしたちすべてに平和の仕事における活動が保たれつづけますように！

一九五一年

新年のご挨拶をことしはユダヤ系ドイツ人の中央評議会の設立についての満足と結びつけることをわたくしは許されております。この団体の存立によって、ドイツにおけるユダヤ人教区にとって総括的な力が形成されたばかりか、ここから、ドイツのもろもろの州政府・官庁・さまざまな市町村当局とともにもろもろの必要な懸案処理と協議とにおける誠実な振舞いを見いだすことになる、そういう部署も育っていってほしい、と思います。

もちろん、このことを考えることによって記憶は、なかばは強制されなかばは許容されたユダヤ人たちの最後の「全国代表団」にさかのぼります。わたくしは、〔ベルリーンは〕シャルロッテンブルクのカント通りにあった事務所のことをまだ覚えています。そこでユダヤ人にかかわる事柄——総体的運動・個々人の運命が問題でした——を第三帝国に向きあって代弁する用意ができていた男たち女たちは、この建て物にはいったとき、確実に迫ってくる殉教という悲劇的な冒険のなかへ赴くのだということを知っていたのです。

わたくしには最近、全国代表団の長であって忘れることのできない州政府部長オトー・ヒルシュ――大学時代の友人で、ヴュルテンベルク州民で、自分がこれまでに出会ったなかで最も気高い人間たちの一人――のことを思い出す、いろいろなきっかけがありました。かれはそこで毅然として誠実に幻想抜きに、最後には殺人者の手がかれをも連れていくまで、耐え抜きがんばり通したのです。

なぜこの思い出を持ち出したのか？　それは、この思い出が、ドイツ人とそのユダヤ系同国人とユダヤ人そのものとのあいだの対決におけるつらい事柄のうちありありと思い浮かべられつづけたものを、生きいきと保っているからです。以前にもときどき申し述べたことですが、わたくしたちは、いく人もの人たちが好んで忘れたいと思って、あっさり〈ぼくたちではまったくなかったよ〉と言いたく思っていることを、それほど安易に片づけてはいけないのです。

しかしわたくしがこのことを申し述べるのは、昨年、ユダヤ系ドイツ人たちと、全世界からドイツへやってきた、部分的にはもどってきたユダヤ人たちと、交わした話しあいをもとに、つぎのことを知っているからでもあります。それは、悲しみと苦しみとを越えて〈過ぎ去ったことはなるほど忘れたものにしてしまってはいけないが、新たな開始に荷をかけすぎてもいけない〉、という知が育っている、ということです。

そしてこの新しい開始には、ユダヤ人とドイツ人とにとっての物質的および精神的公正を求めるよい意志とともに、つらいやりかたのなかでのこの先の埋め合わせの一片として作用させる、ことになっているのです。

〔ユダヤ人とドイツ人というこの〕同国人同士は、その経済社会史のなかで、とりわけしかしその精神史のなかでも、暴力行為になり犯罪であったものが一つの終わりになることが許されており終わりになることができるほどに、あまりにも密接に結びついているのです。

一九五二年

この日々に、長期にわたるむずかしい協議のあとで、ドイツ連邦共和国とイスラエル国家とのあいだの条約が締結されました。相互の交渉準備のもろもろの基本的な立ち場が取られたあとでこの協議を簡単に急速にすますことができなかったことは、いく人もの人びとを失望させました。しかし苛立ちは困難を見誤ったものです。なぜかと言うと、困難の複合体の道徳的性格がはっきりくっきり境界づけられていたし境界づけられているとしても、この複合体が一つの孤立した課題と見なされることはできず、むしろ信用政策上・経済技術上・経済法上の諸問題の枠のなかへ移動させられずにはすまなかったのだからです。わたしたちがこの成り行きについて語るのは、この条約もまた他のどのこのような企てとも同じくもろもろの期待を満たさないままに残すものであることを、確認するためではありません。個々人への補償（Wiedergutmachung）にかかわる諸問題は、まだ処理されていないかぎり、それを終了する立法上の返答を受け取らなければならないのです。

決定的に重要なことは、こんにち、基礎的なところで誠意のある歩み寄りへの意志がもろもろの誤解ともろもろの「予期せぬできごと」とを乗り越えて役に立った、ということである、とわたくしたちには見えます。わたくしたち自身の希望は、現実主義的な道が、わたくしたちがけっして誤認せずまた軽んじることのないあれこれの〈心に積もった恨み《ルサンチマン》〉をしだいしだいに越えて行く、ということです。

このことがわたくしたちに、過ぎ去った数か月に確かに欠けはしなかったすべての感情撹乱のただなかで、新しい年によい効果を発揮する利益として現れますように！

一九五三年

ユダヤ系国民のみなさまにことしも新年のご挨拶を申しあげます。

わたくしは、昨年もろもろの重要な前進がはかられたことを、非常に不幸な時代からのこされた多数の瓦礫をさらに除去することができたことを、よろこんで確認することができます。

ハーグ条約の関連諸法の批准が行なわれました。この諸条約にもとづいた最初の引渡しぶんがイスラエルへ向かう途上にあり、数日中にそこに到着するでしょう。

個々人への補償は連邦賠償法の議決によって促進されました。この法は、連邦共和国にとっての補償法の一本化をもたらし、まだ存在する法の抜け穴をふさぐものです。

きょう、わたくしは、昨年の或る日レーオ・ベックの八〇歳の誕生日を祝ったことをとくに思い浮かべたい、と思います。この抜きん出た男性のまわりに集まった顕彰と感謝の気持ちとは、氏がほかの人たちの代理としてドイツと人類とにたいしてなしとげた精神的および道徳的貢献についても向けられているのです。

わたくしは、意思疎通をはかるためのもろもろの門が開かれたことを目にする世界ユダヤ人会議会長のことばを歓迎いたします。わたくしの新年のお祝いはこの意思疎通に向けられているのです。

一九五四年

ユダヤ教徒の新年へ寄せた賀詞のなかで、わたくしは、昨年、ハーグ条約関連諸法の批准を指摘することができました。それの具体化が――わたくしが自分にくりかえし報告させているように――イスラエル国家にたいして或るよいしかたで軌道に乗ったことに、みな喜んでいます。最近ハンブルクで製造されたイスラエルの船が進水できたことは、わたくしには美しい印《しるし》であるように見えました、――航海の結びつける力が、このさい、経済的にだけ受け取られるのではなしに〔両国間の友好を〕象徴するものとして理解されますように！

そのような把握においてわたくしは自分の心からのお祝いを申しあげたいと存じます。

一九五五年

イスラエルに向けてのハーグ諸条約の実施において或る手続きが―わたくしの耳にするところでは―支障なく行なわれたということは、わたくしにとって満足です。もちろん、とりわけかつてのドイツにおける自由職業のメンバーであった人たちにたいしての個人的な補償にたいする回答には、まだ失望と苛立ちとがたくさん結びついてはいます。けれども、この分野においても必要なことと相応なこととが速いテンポで進められえるし進められるであろうと望んでよい、とわたくしは思います。

いくつもの会話をもとにわたくしは、精神的なさまざまな困窮を・また経済的なさまざまな困窮をも和らげることが、責任ある人びとにとって共通した任務として課されたままであることを知っています。このさい必要とされる道具は、分別のある忍耐と物事を進んでする熱意とです。すなわち、起こってしまったことは小さくできず意識から脇へやられてはならないのです。しかし、〈まさにドイツ的なものとユダヤ的なものとの出会いこそ、歴史における実り豊かさをも意味してきたのだ〉ということをいくつか知っている者はだれでも、右のことを心にとどめる準備が公然とできていることが、この先なにが起ころうともそれにたいしての一つの力づけになってほしい、と望んでいるのです。

一九五六年

去年の一二か月を回顧することを含んでいる新年の賀詞に、補償法の補足において連邦議会のまとまった意志が表現された、と満足とともに言いそえてよろしいでしょう。このばあい、議会であれほど活発であった執行諸機関への批判をそれが向けられた人びとが聞き落すことはなかった、と思います。

わたくしに事情が正しく見えているとすれば、昨年は、内面的で心情的な強化をいくつももたらしてもくれました。確かに、わたくしが友愛の日に、「政治的ポルノグラフィ」と名づけたあのジャーナリズムのなかで、憎しみと愚鈍との緊密な結びつけにもういちど機会を与えようといういくつかの試みが欠けてはいませんでした。国家は、みずからが布告するもろもろの自由権が市民的自由の敵たちによる濫用のなかで嘲笑されたり汚されたりしないよう、ひきつづき油断なく見張られなければならないでしょう。

ユダヤ人子ども保養施設の設立によって一つの明るく美しい地域において一つの場所――そこで新しいドイツの郷土感情が根を張り発展することができる、一つの場所――がつくられたのは、喜ばしいできごとです。ああ、破壊的な残忍さに故郷を奪われたどれほど大ぜいの人びとのなかに、郷土感情がしばしば感動的なそして同時に苦痛を与えるしかたですべての大陸において生きいきと残っていることでしょう！

一九五七年

年の変わり目は、回顧と見込みという両者に伴われます。わたくしは、〔一〕いわゆる「補償（Wiedergutmachung）」の拡大と速度を上げた事柄の取り扱いとによって、とりわけ高齢のユダヤ人たちのさまざまな生活不安が緩和された、〔二〕安全がたちもどってきたという感じが、いくつものわかりやすい苦しみを和らげて、個々の経済的な生活構築が多数の個人の・それとともに共同社会の・なしとげ力を強めた、と感じるように思います。そしていろいろな証拠がわたくしの手を渡っていきます。

以上の事柄は、もろもろの老人ホームの拡充とならんでいくつかの幼稚園と青少年保養所との創設が行なわれたという点に、とりわけ反映されています。

確かにわたくしたちの意識は、再び〔ユダヤ人〕墓地の凌辱という粗野を知らされたことにびっくりさせられはしました。これは、わたくしの意見では、自由世界における連邦共和国の名望の高すぎという以上に、わたくしの意見では、反ユダヤ主義特有のやりすぎという以上に、自由世界における連邦共和国の名望の高まりをまったく意識的に道徳的に損なうことになる組織的な行動と見なされずにはすまないことです。しかし、こうしたできごとを些細なこととしておこうと思うことなしに、わたくしは、連邦共和国全域における無数の舞台のうえで『アンネ・フランクの日記』が受け入れられていることが、だれにとっても代理になると把握される或る運命を前にした人間たちの、物言わぬ感動を映している、と思うのです。この感動は、苦しみと痛みとに満ちたこの領域におけるたぶん最も強力な心情的なできごとでしょう。このできごとを、あとまで影響を及ぼす不純物除去の力と解してさしつかえないでしょうか？　わたくしはそう思います。

一九五八年

このすべての年どしに『ユダヤ人一般週刊紙』のために書きしるしてきた新年の賀詞に、わたくしは、今回は或る個人的な思い出という色を与えることを許されています。

ニューヨークにおける三日間の六月滞在にさいして、「レーオ・ベック研究所」をも訪れました。これは、自分が尊敬するこの人の思い出に責任があると思った儀礼であっただけではなくて、わたくしには、ドイツ=ユダヤ関係・ユダヤ=ドイツ関係（もしこのように別べつの問題として並べようとするなら——そして、悪意のある歴史経過がこれを無理やり果たしたのですが——）をその精神史的位階において示し吟味し目に見えるようにありありと評価する、という課題がどう扱われたのか、史料にかんしても関心があったのです。

そこで設立以来の短い時間にどのような素材が収集されたことか！　それは「関係」文献として並べられている蔵書であるばかりか、わたくしをいちばん感動させたのは、「名のある〔=著名な〕」また「名のない〔無名の〕」人たちの教えきれないほど多数の自筆の履歴書を保管している大きな戸棚でした。〈ここには、おぼつかないものの脇に確かめることができたものを、ほとんど偶然的なものの脇に意識的に集められたものを、並べました〉、という説明がありました。ここには歴史家たち——時代の運動のなかで個々人の運命を把握し、時代の運動を具体的なものをもとに解釈することができる、歴史家たち——にとっての一素材が休らっているのです。

研究所の男たち女たちとよい会話ができた、とわたくしは思います。二、三のケースでは、昔の個人的な諸関係がよみがえりもしました。ここでは過去がまさに感謝の気持ち・誇り・悲哀がもとになって納棺されているのか、という問いが浮かびあがりました。作用する力としての精神的なものは、謎めいたしかたで不死です。わたくしは、心のこもった挨拶のことばにたいする自分の答辞のなかで、このことを表現しようとやってみました。

わたくしにとっては、この〈よその国〉で一つの恐しい運命が黒い紗をかけられた忠実さのなかでどのように精神的なものから見られるのかをこれほどじかに感覚的に体験することとは、なにか感動的なものを持つことにほかなりませんでした。わたくしは〔この体験〕をまったく確かに「使いこなした」とは申しません。それは、もろもろの過去のこうした保存保護の背後に限りのない人間的悲劇が存在していることを知っているからです。ひょっとすると、「高尚なものに高めること」(Sublimierung) という外来語が、わたくしがここで解釈しようとやってみている精神的=心情的な出来事にまだしもいちばん近づくのかもしれません。

この思い出は、賀詞を申し述べるのに正当な形でしょうか？　わたくしは、この思い出が正当な意味で理解されることを心から願ってやみません。

14

亡くなった人びとに想いを
――一九四九年十二月七日、〔ヘッセン州の州都〕ヴィースバーデンにおける〈クリスト教徒とユダヤ教徒との協力を促進する会〉の記念式典にさいして行なった演説――

淑女紳士のみなさま！

……

わたしたちはどうやら、諸時代のほとんど絶望的な断絶のなかに、合理的な目的技術と活気のない情熱との分裂のなかに、立っているようです。しかし、わたしたちがクリスト教徒とユダヤ教徒との話しあいについて語るときわたしたちの前にあるこの主題は、すでに一度立てられたことがあります。それも悪名の高い十八世紀において、です。十八世紀を心のなかで見くだすというのは、アメーリカ人たちが十八世紀から自分たちの力を手に入れたしまだ手に入れているのにたいして、わたしたちの時代・わたしたちの国の多数の安っぽさの一つです。

「啓蒙（Aufklärung）」という語は、ドイツでは、教養のある人びとの嘲りのことばになりました。わたしは、ヴォルテール・フランクリン・レッシングという名を挙げるだけで、わたしたちもまたまちがいなくこの時代・この十八世紀のおかげをこうむっているのだということについてもうなにがしかを言った、と考えます。まったくレッシングのような男の名が挙げられるときにこそ、――ひょっとするとみなさまはこれを月並みなこととお考えになるかもしれませんが、かれの名はこんにち挙げられなければならないのです、――センチメンタルな哀れっぽさに見えるにちがいないものが対話から削除されるのです。レッシングはすばらしく毅然とした男でした。そしてこの男がわたしたちの会話のために必要なのです。

わたくしは、教授モールゲン先生が言われたことを精神史的に補足しようとは思いません。先生がしかしゾンバルト（Werner Sombart, 1863–1941）から「気高い人間性と愛国心と一体を成している（Humanität und Nationalität zusammengehören）」ということばを引用されたとき、ここで問題になっているのはむかしのゾンバルトからの引用だと推測します。ゾンバルトは、一九三三年以後には、このことはもうまちがいなく言おうとは思いませんでした。モールゲン教授が、このことばを引用されたとき、わたくしには或る別なことばが、グリルパルツァー（F. Grillparzer, 1791–1882）のことばが、思い出されました。それは、「気高い人間性から愛国心を経由して獣性へ（von der Humanität über die Nationalität zur Bestialität）」というものです。これは、わたしたちが以前いつでも内面でなんとなく抵抗してきたことばです。なぜかと言うと、愛国心を信奉することをわたしたちが表明しているのだからです。グリルパルツァーのこのことばは、三月革命前期のハープスブルク王朝の国際法国家に由来します。この国家では、当時、愛国心のまかふしぎな諸力が沸きあがり、不穏な情勢が活気づいていたのです。この愛国心のまかふしぎな諸力が支配権を手に入れたら、どういうことになるのか？ グリルパルツァーのことばは警告のことばでした。この上なく恐ろしい予言のことばになりました。そして、最も恐ろしいのは、この予言の実現にさいして歴史がわたしたちの故郷を練兵場として選び出したということなのです。

事柄をひねくりまわして言いのがれすることには、意味がありません。ユダヤ民族に執行されたぞっとする不正は、〈わたしたちは、わたしは、君は、ドイツで暮らしていたから責任があるのか、わたしたちはこの悪魔的な犯罪に共同の責任がある（Mitschuldig sind）のか？〉という意味で話題にされなければなりません。

このことは、四年まえに、国内でまた外国で人びとの心を動かしました。人びとはドイツ民族の「集団的な過ち（Kollektivschuld）」ということを言いました。集団的な過ちという語とその背後にあるものとは、しかし、ここでは単純な簡略化です。すなわち、ユダヤ人であるという事実がすでに過ち現象を含んでいるのだとナチたちがユダヤ人たちを見なすのに慣れていた、あのやりかたのひっくり返しなのです。

しかし、なにか集団的羞恥心（Kollektivscham）のようなものが、この時から育ち、そのままになりました。ヒトラーがわたしたちに加えた最もひどいこと——そしてかれはわたしたちにたくさんひどいことをしました——は、かれとその仲間たちとがドイツ人という名まえをかれらと共通に担うという恥辱をわたしたちに強《し》いたという、このことではなかったでしょうか。

わたくしは、〈自分がここで言うことになることは、いく人もの人びとを怒らせるであろう〉、と存じております。つぎのもろもろの週にこれについて手紙を受け取ることになるでしょう。匿名の手紙を、また公開状をも。手紙を受け取ること、これは、わたくしの職務の一つのいわば受け身の職業機能になったわけです。しかし、自分のことばがこうした手紙の数をふやすことになろうとも、そのときでさえ、これがわたくしの邪魔になることはありません。

わたしたちは簡単に忘れてはいけません。そうしたほうがらくだから忘れたいと人びとが思う事物でも、忘れてはいけないのです。ニュルンベルク諸法(1)、ユダヤ人の星(2)、ユダヤ教《ジナ》の会堂《ゴーグ》の放火、ユダヤ人たちの国外への・不幸への・死への運送、これを忘れてはいけないのです。これは、わたしたちが忘れてはならず忘れることを許されていない、もろもろの犯罪構成要件なのです。

（1）一九三五年九月十五日の党大会を機に満場一致で可決され成立した、ユダヤ系ドイツ人たちを抑圧し無権利化する諸法律の総称。

（2）ユダヤ人が衣服に縫い付けさせられた星形の布切れ。

わたしたちがあからさまに語るこうした事象でぞっとするのは、こうしたことです。すなわち、わたしたちがかつて新聞で読んだこともある・ロシアでルーマニアであれこれ生じた・ポグロームで、人をおどろかして平静をかき乱す熱狂が問題であったのではなくて、些事に合理的に拘泥するひややかな残忍な行為が問題であった(3)、ということです。これが、このできごとへのとりわけドイツ的な貢献なのです。

（3）他民族とくにユダヤ人の大規模迫害・大量虐殺。

そして最も恐ろしいことは、この経過がいわば情緒的に進行していったのではなくて、これでも十分にまずいことですが、法律の条項を使っていて、長い時間にたいして一つの世界観になっているはずであった、ということです。いったいどんな「世界観（Weltanschauung）」だったのか？　これは、もろもろの道徳的カテゴリーを識らないがこれを代弁しようとした、もろもろの個人的な価値設定が人間と人間とのあいだにあることをなにも知らなかった、そういう生物学的物質〔実利〕主義（der biologische Materialismus）」でした。

みなさん、ユダヤ=ドイツ問題・ユダヤ教徒=クリスト教徒問題にたいして、わたくし自身の諸経験から、或る個人的な話をさせてください。

自分に付き添って自分の生活をいっしょに構築した自分の人生における四人ないし五人の親友たちのことを考えると、そのうちの二人か三人かはユダヤ人でした。わたくしは、かれらがユダヤ人であったので、もしくはユダヤ人であったにもかかわらず、かれらと親しくしたのでしょうか？　人間的な愛の火花が自分たちのあいだで跳んだものだから、かれらと親しくしたのです。わたくしがあっさり避けたユダヤ人たちもいました。この人たちがユダヤ人であったからではなくて、性に合わなかったからです。わたくしは、こんにちでもいく人もの人たち――このばあい「アーリア人」と言いましょう――を避けます。

（「アーリア人」というこの語は、無教養の突発がその諸カテゴリーをわたしたちに押しつけたことをじかに確証するものです）。

なぜわたくしはこのことを言うのか？　それは、わたしたちが、或る一般問題を前にしているとしても、つぎのことを把握しなければならないからです。それは、わたしたちが人間のグローバルな評点づけから抜け出なければならない、ということです。わたしたちはかならずしもいつもこう言ってはならないのです、――〈かれはフランス人である、要するに〉、〈かれはイギリス人である、要するに〉、〈かれはドイツ人である、要するに〉、〈かれはユダヤ人である、要するに〉、と。いいえ、そうはいきません。わたしたちは、人間と人間との関係のなかで、人間であることの一つの自由な評価をとりもどさなければならないのです。

さて、ユダヤ人問題は、過去としてわたしたちの前にありますが、道徳的な意味では焦眉の現在としてやはりわたしたちの前にあります。わたくしは、いわゆる「ユダヤ人問題」（もしそういうものがあるとすれば）を十分に理解している、と思っています。学生時代にはシオニストたち（Zionisten）(4)と親交があり、そして、ずっと親交がありつづけました。そのなかでわたしたちはつぎの問題を討議したのです。すなわち、〈歴史上のさまざまな諸国民の人間たちの共通な宗教の力から、新しい国民が再び生まれえるものか？〉と。「同化ユダヤ人（Assimilationsjude）」というあまり美しくない語で命名されていた人たちとも、親交がありました。この人たちは、人間を選別する過去の伝統から完全に免れていようとは思いながら、祭式と信仰とによるもろもろの拘束のなかにはずっと思ったし、ずっといたのです。

（4）パレスチナにユダヤ人国家を再建しようとする民族運動に従事している人たち。

わたしたちには、以前にはけっして立てられているとは見えなかった問題が見えています。それは、ユダヤ系の出であるクリスト教徒という問題です。この人たちはいまやこの上なく悲劇的な状況のなかへ――ひきもどされたのではなく――押し込まれたのです。それは、みずからのクリスト教信仰において、みずからのドイツ的な精神的な結び付きにおいて、実りゆたかな意味で純真《ナイーブ》になっていた、とりわけこのことが、突然、「過ち」であると評価されることになった、ということです。それがもとで、苦しみと個人的な絶望と人間的な不安定との前代未聞の流れが生まれました。

そもそも「ユダヤ人」という語をナチス時代にそうしていたようなしかたと暗示的なくりかえしとにおいて発音することが、責任を負わなければならないことなのでしょうか？「一人のユダヤ人」！　ユダヤ的なものにおける色彩に富んだ色あいについて、ユダヤ的なものにおける緊張について、あの人たち［＝ユダヤ系クリスト教徒たち］はなにも知っていませんでした。ユダヤ系ドイツ人たちの社会的構成についいても、なにも知っていませんでした。わたくしにはいくらかわかっています。わたくしは、ドイツのビーダーマイヤー（Biedermeier）の絵本[5]をもとに、ユダヤ人の小ブルジョア的な因習的で自主性のない人間たちを識っていますし、それと並んでもしくはそれにたいして、あの主知主義的なユダヤ人たち――しじゅうそしてそのときには歪められた形で描き出されました――を識っています。プラス記号とマイナス記号とのついたかれらの対決の精神的な実りゆたかさを識っています。わたくしは、こうした緊張からたくさんのものを手に入れました。それがわたくしだけではなかったことを、みずからをだますつもりがないならば忘れてはなりません。

（5）十九世紀前半のドイツの工芸・美術・文学・風俗に見られた簡素質実を旨とした様式を言います。

しばらくのあいだドイツ人たちは、自分ではだまさなかったとしても、だまされてはいました。

ナチス時代にいちど十九世紀芸術史が出たことがあります。〔画家〕リーバマン（M. Liebermann, 1847–1935）は、もちろん、そこに欠けていました。しかし、ひょっとすると一〇人か一五人かの偉大なドイツ人のうちに名を挙げられなければならないのかもしれない、〔画家〕マレース（H. v.Marees. 1837–1887）も〔彫刻家〕ヒルデブラント（A.v. Hildebrand, 1847–1921）も、欠けていました。この人たちがユダヤ人の母親を持っていたものですから、連中は、愚かさもいいところ、その業績の重要性をはじめから剥奪していたのです。

自然諸科学のノーベル賞受賞者の四分の一強は、ユダヤ系ドイツ人の名を担っています。わたくしたちは、或るドイツ人教授が――愚鈍であったのかもしれませんが――『ドイツ数学』を書いて、〈ユダヤ人思索者がつくり出したものからはなにも取り入れることはできない〉というテーゼを添えた、ということを体験しました。

こうしたことどもは、わたしたちが平静に表明しなければならない事柄です。と言う理由は、わたしたちがのんきに構えてこの〔負《ふ》の〕遺産を遠のけてしまうようなことはすまい、ということです。

ドイツはこの思い違いによって無限に多くを失いました。わたくしが集めることを許されているこの時代の奇妙な諸経験の一部は、この地球のすべての大陸から受け取る多数の手紙です。そのなかには、故郷を奪われたユダヤ人たちの多数の、多数の、手紙があります。

わたくしは、ハイルブロンのほとんどすべての市町村が、共通な故郷出身の一人の男〔つまり、わたくし〕が―全市町村は実際には関与していなかったのに―いまやこの場に立っていることを誇りにしている、と思います。

非常に心を動かすのは、――そしてわたしたちは、ユダヤ人であるかまたは二分の一ユダヤ人かであることだけを理由にして故郷を奪われたこの人たちのこころのなかで進行していることのいくらかをも、感じなければなりません、――こうした人たちの故郷へ向かう思いです（わたくしが受け取ったすべての手紙のうちただの一通だけが、辛辣《しんらつ》なことばを含んでいました）。ここドイツの風景でありその言語が自分たちの言語でありその風景も自分たちの風景であり自分たちの青春の思い出があり自分たちの成長した年どしが根を張っている、ここドイツに―自分たちの両親のお墓があるのです。このときしかしこの人たちが新聞で読むのは、こうしたお墓の石がひっくり返されること・ユダヤ人墓地の凌辱がいまでもまだ生じること、なのです。

さきごろわたくしはこのことについてつぎのとおり語りました、――そのような墓地凌辱は、ドイツにとって諸国民のあいだにおけるその地位をめぐっての闘争において負けいくさであるが、反ユダヤ主義とは関わりがなくて、ユダヤ人たちが協力者としてやっと少数存在しているこの国家の、諸民族のあいだでの地位を危険にさらそうとする人びとの意識的な政治的な悪たれである、と。

この人たちの状況――ドイツ史の一片とドイツの精神性のありかたとをいっしょに広めあってきて、いま言語とみずからの青春の思い出とを与えてくれた国にたいしてどのように立つのかがわかっていない、この人たちの状況――をその身になって考えるのは、わたしたちにとって非常にむずかしいことかもしれません。

これはかつて悲劇的な問いでした。すなわち、どのように成長したにせよやはりなんと言ってもドイツの一片を自分のなかで担っていた、自覚したユダヤ人の問いでした。

わたくしはきょう、イスラエルの〔宗教哲学者〕マルティーン・ブーバー（Martin Buber, 1878–1965）のような男《ひと》と楽しく話しあうことができるようになりたい、と思います。この人は、自覚的なユダヤ人で、宗教上の事柄におけるユダヤ人の精神的財産をふやした人であり、それでも最近四〇年のドイツの精神史からもあっさり除いて考えることはできず、その美しい言語とともにドイツ精神を豊かにする人にもなったのです。

ドイツにいるわたしたちにこうしたもろもろの問いが特別に出されています。しかしこれは全世界にかかわるものです。わたしたちがこれを最初にこの上なく真剣に受けとめなければならないのは、それが自分たちのところでこの無意味な悪魔的なしかたで取り扱われたからです。しかしほかの世界もこうした事柄を取り扱うという課題を持っており、わたしたち自身だけではありません。わたくしは、トルーマン〔アメーリカ合州国〕大統領が数週間まえに、〈来年の二月に、ユダヤ教徒とクリスト教徒、宗教的な特殊態度にさいしての合州国という大国における国民一体性、こうした諸問題が討議されることになろう〉と語った、このことばを正しく解釈しなければならない、と思います。それはすべての民族に、すべての教会に、かかわるものです。それにたいする最後の答えは、個々の人間のこころのなかで見つかります。

そして、さて、このような午後に、このような時間に、この対話に属する一つの名まえが挙げられないようなことがあれば、感謝と品位という感情があるのなら、わたくしには不正と見えることでしょう。そしてこの名まえはヴィクトリア・ゴランチ（Victor Gollancz）と言うのです。[6] わたくしはこの人と面識がありません。氏が書いたものをいくつか読み、氏のことをいくつも聞きました。しかし、精神的な質と独創性とにかんしてはどうであれ、はじめてかれのことを耳にしたとき、わたくしには、この人は「愛を注ぐ勇気（Mut zur Liebe）」と自分が名づけたいものがまだあることを示す一つのしるし（Zeichen）であるように見えました。

（6）イギリスの出版者また作者で平和主義者（1897–1967）。一九四五年に最初のイギリス人としてドイツとの合意（折りあいをつけること）を支持しました。一九六〇年、ホイスのこのスピーチの一〇年あまりのち、ドイツ書籍販売業の平和賞を受賞しました。

「愛を注ぐ勇気」ですって？　必要なものですか？　はい？　憎しみは心の怠惰に続くものです。安くて気がるなものです。愛はいつでも大胆な行為（Wagnis）です。しかし、ただ思い切ってすること（Wagen）のなかでだけ、手に入れられるのです。

15

一九五二年の博愛週間に寄せたラジオ放送スピーチ

〈「博愛週間」をトルーマン大統領がアメーリカ合州国でしたようにその趣旨のいくつかの詳しい説明で始めてください〉、と頼まれましたとき、わたくしは、冷静なリアリズムをもってよく考えて、〈お引き受けします〉、とお答えしました。

この週間は、クリスト教徒とユダヤ教徒との協力をめざす諸組織のドイツ調整評議会がきっかけを与えて、わが国で実施されるものです。こうした諸団体の活動と目標設定とには、わたくしは、その始まりからずっと事柄に即したまた個人的な共感を寄せてきました。しかし、つぎのような熟考が介入してきたのです、――言ってみれば技術的な制御が行なわれている現代においても、信念を――その価値内容を長い時間をとおして手に入れる信念を――一週間へ縮め込めるということができるのか、また、そういうことをしてよいのか、と。だれかが小なまいきに、〈一週間ですって？　ま、いいでしょう、一週間ということで。しかし、あとではまたもとのままですよ〉、などと口出しすることもありえましょうが……

そして、博愛をという促しは、クリスト教徒とユダヤ教徒との諸関係が揺らいでいるときにだけ、そしてまさにそのときに、発することができるのではないでしょうか？　クリスト教のもろもろの教会の内部の人びととももろもろのグループとの相互関係が、また、クリスト教のもろもろの宗派のあいだの相互関係が、問題であるときにも、同様に切実に必要ではないのでしょうか？　それはまたユダヤ教徒たち自身——近視眼的なこと・愚かしさ・もしくはものぐさな単純化によってだけ精神的=魂的一体性と受け取られる、ユダヤ教徒たち自身——についてもあてはまるのではないでしょうか？

そしてこの語〔博愛〕は、もろもろの政治グループにも経済関係者たちにも向けられずにはすまないのではないでしょうか？　目録は非常に長いものになりえましょう。

どの熟考もこのように、「博愛」とはなにかという問いがクリスト教徒=ユダヤ教徒複合体のなかで尽きるものではないことを教えています。

「博愛週間」にあってはつまりプロパガンダという事柄が重要なのでしょうか？　だれでも愛のために「プロパガンダ」することができるのですか？　わたしたちはこの語——かつては一つの教会的な制度であった信仰を広めるための聖省（Congregatio de propaganda fide）のおかげでその意味づけを得たこの語——にたいして疑い深くなりました。増悪のプロパガンダがありえることをわたしたちはたっぷり体験したのです、——自国民の内部での、わたしたちから他の諸国民への、他の諸国民からわたしたちへの。だれひとり、他人にたいしていつまでもなにか罪過がありつづけるということがあってよい、とは思いませんでした。このやりかたを内的に恥じている人たちも、なん人もいました。たいていの人たちはしかしこう言って満足していました——そしてこんにちでもこれに甘んじている人が多いのです、——乱暴ななぐりあいのあとで疲れきった悪たれ小僧たちが〈あいつが始めたんだよ！〉と言い切るように、です。

わたくしは、「博愛」というこの概念を耳にすると〈識ってるさ〉と肩をすくめる人がたくさんいることは知っております。これとともにフランス革命のことばファンファーレ「自由・平等・博愛〔訳注〕（liberté, egalité, fraternité）」は終わったことになります。そして博愛は、「兄弟」のくびが、最初は貴族と司祭とのくびが、のちには革命の主役であるダントンとロベスピエールとのくびが、刎ねられることによって確認されたのです。

〔訳注〕文字どおりには、兄弟間の愛のような親密な愛、ということです。ドイツ語の「博愛」(Bruderlichkeit) についても同様です。ベートホーフェンの『第九』交響曲の終楽章で歌われるシラーの頌詩「喜びに寄せて」に「すべての人間は兄弟になる」という一句があることは、ひろく知られていましょう。

このことを思い出させるのは、ひょっとすると適切ではないかもしれません。しかしわたくしは、〔ラジオの〕聴取者たちのあいだの懐疑的なかたがたに向かって意識的にそうするのです。自分に責任があると感じている（そして同時に権力を手にしている）仲間意識の美徳であると主張されて不正と血のにおいとを残したこの有名な博愛を、お前はたのしみながら言外に葬ろうとしているのだ、と思ったりしないでいただきたいのです。

しかし、まさしくこの懐疑的なかたがたにこそわたくしはいま問い合わせてよろしいのです、そしてほかの聴き手たちはつぎのことをごいっしょに熟考してほしいのです、——いったいだれがまたなにが、歴史上の証人または反対証人を呼び出すことなしに、これほど端的に博愛信念と名づけられているものの、反対勢力・敵対者であるのか、と。

君個人をもわたくし個人をも危険にさらすひとりよがり(Selbstgerechtigkeit)、ときおり自分の力の一部を無頓着な確信をもとに手に入れる信仰共同体、これがドイツ人を（よくも悪くも）危険にさらすのです。——フランス人をもイギリス人をもまたアメーリカ人をも。このひとりよがりをやめるなら、個人としても宗教グループとしても国家を形成した国民としてもやめるなら、そのとき、博愛の信念の大きな家——多数の多数の言語と、多数の多数の習俗とを持った人たちが住んでいる、この大きな家——にはいる敷居は踏み越えられているのです。

ユダヤ教史の専門家たちは、わたくしがいま言おうと思っていることにかんして、当然、〈お前はなにか不完全なことを・ひょっとすると的はずれかもしれないことを言うのであろう〉、と非難することになりましょう。しかし、わたくしがクリスト教の領域ではだれでも知っていてだれにでもわかる表現形式を頼りにして〈これはパリサイ主義（Pharisäismus. 独善主義）と言うものだ〉と言っても、どうか大目に見てください。他人—隣人であろうが兄弟であろうが外国人であろうが—と向き合っての、自分のほうがすぐれている・もしくはそれどころか自分のほうがよく知っているという、この精神態度また心の実体、これこそ人びとまた諸民族の病気なのです。

これは古くからある病気で、司祭医師にも治せませんでした。ついでながら、かれもまた人間でしたから、自身しょっちゅうこれにかかっていたわけです。治療過程は自己治療の事柄です。もちろん、偉大な人たちのもろもろの助言を利用することは有益でしょう。スピノザまたゲーテの、パスカルまたヘルダーの、ジェファーソンやリンカンやアルベルト・シュヴァイツァーの、簡潔な陳述を一種の精神的な薬剤であると価値を認めて消化する、ということ。しかし、こうした陳述を受け入れて一つの時代状況へ、一つの人間のありかたへ、投影すること、これだけではなにもやられたことになっていません。本質的には自己治療をめざす意志がたいせつなのです。そしてこの意志は或る種の勇気を要求します。

わたくしを寛容（Toleranz）の説教者と見なそうと思ったりしたら、わたくしをまったく誤解することになりましょう。この概念が多数の人びとにとってたいせつなものであることは知っています。わたくしはこれを自分のことばの貯えのなかへ取り入れませんでした。それはこの概念になにか、罰するに当たらないのでほうっておくという観念が、がまんして責任を課さないという観念が、つきまとっていたからです。不寛容をまさしく要求するもろもろの状況があり人びともいるのです。すなわち、冷笑的な法律違反者にたいして、また民族のもろもろの運命をもてあそぶ者またふいにする者にたいして、だれが「寛容で」いようと思い、またそれでさしつかえないのでしょうか？

正しい意味ではしかしこの語の前をひ弱な甘受者のあの雰囲気も飛び去ります。すなわち、ドイツ人たちのあいだで寛容理念の偉大な先任者と見られている男の名まえを言うだけでひょっとするとすむのかもしれません、——ゴットホルト・エフライム・レッシングです！　そしてこれで問題は片付いています。なぜかと言うと、この男《ひと》の本性にセンチメンタルなひ弱さではなくて戦闘的な勇敢な魂がさしこまれているのだからです。

博愛への向かう道は、こうして、しょっちゅう勇敢さの問題になるわけでしょう。それも、自分自身にたいする勇敢さ、思考不精になった受け継がれてきた思考の慣れに向きあっての、魂の怠惰に向き合っての、勇敢さなのです。また、凍ったまたは凍っていく諸概念の頭にはいりやすい公式世界に向きあっての、勇敢さでもあるのです。いわゆる人種学が、道徳上の自己責任と他人の人間的評価とを一つの学問的に変装した自然主義のなかで廃止することによって、なんという不幸を惹き起こしたことか！

これはさてわたしたちにとって過ぎたことです。過ぎたことでしょうか？　或るイデオロギー（もしくは、或る利害関心）のために他人を敵と思うやりかたが、いたるところで死に絶えずにいます。すなわち、「ユダヤ人」の代わりにその後「ブルジョア」あるいは「ブルシュイ」ということが言われて、かれもしくはかれの父親たちの仕事から早くも「人民所有〔国有〕」経営が生まれました。かれ自身はしかし強制収容所入りとなるか緑の境界を越えるかしなければなりません。もしくは、短絡的思考によって施設撤去（Demontage）

という語を政治用語集のなかへ書き込んだのでした。これは技術的=経済的不条理を手に入れる結果になりました。そしてわたしたちは、「博愛」という語が、損害賠償・補償の数百万・数十億について交渉されるであろうし交渉されなければならない場所の近くで、いくらか凍えながらおびえながら滞在していることを、十分によく知っています。

先日わたくしに或る人が、〈国民社会主義《ナチズム》に反対してこれ以上なにかを言うことはやめたほうがよい、ナチズムはもろもろの民族が共有する歴史的運命の一片だったのだから〉、と書いてよこしました。わたくしにはこう返事するほかありませんでした、――〈わたしたちはそんなに安易にかまえてはいけないんですよ〉、と。アメーリカ人たちには、とうの昔に、どれほどたっぷり不手際・苛酷さ・不正が、自分たちの陣営における「自動的拘留」と結ばれ、いわゆる非ナチ化のばかげた些事へのこだわりとも結ばれていたか、わかっていました。――この領域自体でいくつかのことがなされなければならなかったことを、多数のドイツ人たちはもはやきちんと承認しようとは思っていません。――アメーリカ人たちは言います、――「そんなこと、忘れなさいよ（Forget about it）」、と。しかしこれは無数の人びとにとってそんなに安易にはすまされないのです。

そしてだれがユダヤの人たちにそんなこと、「忘れなさいってば！（Vergeßt das doch!）」、と言う厚かましさを持っていたいでしょうか？　ヒトラーが死後に残したものは、それほどにも安価には――この語を道徳的な意味にも実利的な意味にも使って――返済されないのです。――この遺産を貫いてはたらき抜くことは非常にむずかしい問題です。なぜかと言うと、数多くの不幸から数多くの憎悪が産まれたからです。だれかこのことをいぶかしく思ったでしょうか？　わたくしは、いまこうした話にびっくりする人とはだれか、知っています。すこし前にひとりよがりについての話を聞いて自分のことも言われているのだということを忘れていた、あの人です。そしてこの人は、〈公共の福祉のためにきのうは憎悪に身を献げなければならなかったがきょうは沈黙しなければならない、特定のおかしな人たちがどうしても欠かせない〉という、一つのことを把握するつもりがないのです。憎悪はそれだけではいつまでも非常にわるい助言者のままです、それは昨日だけをもとに生きているのだからです……。そして、ここで言われていることは非常に具体的です。すなわち、集団暗示のなかではあの人は、個人的な博愛――ここではただの礼儀でありあそこでは自身に危険を及ぼす向こう見ずな行為であった博愛――を意識から押しのける傾向におちいりがちなのです。〔ヒトラーに奪われたものの〕回復と補償というむずかしい問題が、もろもろの「博愛的な」個人的行為でいっぱいです。こうした行為がかつては感謝の意を込めて歓迎され是認されていたのにいまではただ思い出のなかで沈むだけ、ということがあってはなりません。と言うのは、ここからは心の——そして心のだけではない——辛苦があらためて生まれるしかないからです。

不安ともろもろの国家グループのあいだのもろもろの緊張ということの時代に、追放された人たちの社会的＝経済的な運命と年金生活者たちの辛苦という国内の諸問題がまだ解決されていないこの時代に、「博愛週間」を始めて博愛の意味について語る、ということをあえてする者はだれでも、多数の人たちには夢想家と見え、取り残された人、失望させられた人には厚顔無知の人と見えるかもしれません。その者はこれに甘んじなければなりますまい。しかし、もしこの試しが一つの意味を持ち一つの成功を手に入れることができるとしたら、それはただ、この者が、あちらこちらで人間のこころをつかんで他人の悲しみを自身の悲しみと感じ他人の喜びを自身の喜びと感じ、これを担ったり享受したりする、そのときにだけでしょう。そのときには、或る種の荘重で模範的な権利要求とともに告げられるもろもろの事柄が、まったく簡単になります。誇張されたもの・隠されたものが、すべて沈み去ります。終わりにはしかし、研究でも質問表でもわずらわすことのなかったことばだけが残るのです、——曰《いわ》く、「汝の隣人を汝自身のごとく愛せよ」、と。

16

警告のための記念碑

——一九五二年十一月ベルゲン・ベルゼンの絶滅収容所犠牲者追悼碑の除幕式で行なったスピーチ——

きょうここでこの機会にひとこと述べる用意があるかどうか尋ねられましたとき、わたくしは、長いあいだ考えることなしに〈はい〉とお答えしました。なぜかと言うと、おことわりや言いのがれなどしたら意気《く》地なし（Feigheit）だと自分に思えたからです。そしてわたしたちドイツ人は、真実と向きあって勇気を持とうと思い、勇気を持つことを学ばなければならない、ようにわたしには見えるのです。とりわけ、過度の人間的意気地なしに肥やしをやられ荒らされたこの土地において、です。と言うのも、カービン銃・ピストル・鞭で飾られたむき出しの暴力行為は、満腹させられ、無防備の貧困・病気・飢えのあいだをおびやかしながら思いやりなしにもったいぶって歩きまわったとき、最後の片隅ではいつも意気地なしだからです。

ここでドイツ人として語る者は、ここでドイツ人たちが犯した罪の残酷さ全体を認識する内心の自由を持っていなければなりません。この残酷さを言いつくろったり軽視しようと思ったり、それどころかいわゆる「国家理由（Staatsraison)」の思いちがいをした使用を盾に取って説明しようと思ったりする者は、ただ厚かましいだけでしょう。

さてしかしわたくしは、ここにおられるみなさまのうちいく人ものかたがたをびっくりさせるけれど—わたしの考えでは—信じてくださることを、ラジオをお聴きのいく人ものかたがたには信じていただけないことを、なにか言おう、と思うのです。すなわち、わたくしは、〈ベルゼン〉という語を一九四五年春にＢＢＣではじめて聞いたのです。そしてこの国の多数の人びとにとって似たようなことであったことを知っています。わたしたち——やはりわたくしでしょうか——は、〈ダッハオ〉、ヴァイマル近郊の〈ブーヘンヴァルト〉、〈オラーニエンブルク〉を知っていました。これは従来は楽しい思い出の名まえでしたが、いまではきたならしい褐色を塗られてしまいました。そこには友人たちがいました、親戚たちがいました。その話をしていました。それから早く、はじめにはいわば中立国の人びとによる視察のために整備されていた〈テレージェンシュタット〉という語をおぼえました。また〈ラーヴェンスブリュック〉を。或る悪い日にわたくしは、〈マウトハウゼン〉という名まえを耳にしました。そこでは、古くからの友人でユダヤ人全国代表団の高貴で重要な指導者であったオトー・ヒルシュが「清算」されたのです。わたくしは、「清算」されたというこの語〔"liquidiert"〕を——自分が支え助言しようと努めた——夫人の口から聞きました。〈ベルゼン〉は、わたくしの恐怖と恥かしく思う気持ちとのこのカタログには欠けていました。〈アウシュヴィッツ〉も。

このコメントは、〈われわれはなにも知らなかった〉と好んで言う人たちのための松葉杖にしてもらっては困ります。わたしたちはもろもろの事情について知っていたのです。プロテスタント教会の監督たちおよびカトリック教会の司教たち——人びとに通じる自分たちの秘密の道を見つけた監督たち・司教たち——の文書をもとにして、ドイツのもろもろの医療施設の住人たちの組織的殺人についても、知っていました。人間的な感情とは金のかかるばかな感傷のことだと言ったこの国家は、ここでも空白な書板（Tabula rasa）—「清浄無垢なテーブル」—をつくるつもりでした。そしてこの清浄無垢なテーブルは血痕と灰の残りとを載せていました、——それが国家となんの関係があるのか？　市民的＝クリスト教的な伝統をもとに養われたわたしたちの想像力は、この冷酷で痛ましい絶滅を含んでいなかったのです。

このベンゼンとこの碑とは、一つの歴史運命の代理です。この運命には、よその国ぐにの息子たち娘たちがかかわっています、ユダヤ系ドイツ人たちと外国のユダヤ人たちとがかかわっています。ドイツ国民もかかわっていまして、この地面にも掘って埋められたドイツ人たちがかかわっているだけではありません。

わたくしは、〈この碑は必要だったのか〉となん人かの人たちが思っていることを知っています。畝《うね》がここを走り地球の永久に若返らせる生産性の恵みが、起きたことを赦したほうがよかったのではないか？　数世紀のちには、無気味なできごとについてのぼやけた伝説がこの場所に貼りつけられることになるのかもしれません。よろしい、そのことについては沈思黙考すればよいでしょう。そして、このオベリスクが、時の流れが癒すはずの傷の、回復という目標を達成することをゆるさないとげになりえよう、という心配の論拠にはこと欠きません。

わたしたちは、これについては完全に率直に語ろうと思います。自分たちの同胞がここで共同墓穴にはいっていることがわかっている諸国民は、かれらを追想します。とりわけ、ヒトラーによっていやでも自分たちがユダヤ人であることを意識させられたユダヤ人たちがそうします。かれらは、自分たちに加えられたことをけっして忘れないでしょう、忘れることができないでしょう。ドイツ人たちは、自分たちと同じ国民の仲間である人たちについてこの恥多い年どしに起こったことを、けっして忘れてはなりません。

さて、わたくしには異議が耳にはいります、——〈ほかの国ぐにはどうなの？　お前は一九四五／四六年の抑留民収容所について、そこでの連中の残酷な行為について、連中の不正について、なにも知らないのか？　外国人勾留における犠牲者たちについて、こんにちまだドイツ人たちが支配されている形式的で残酷な司法の〔もとでの〕悲しみについて、なにも知らないのか？　ソヴィエト占領地区における——ヴァルトハイム、トールガウ、バウツェンにおける——収容所虐待・収容所死亡が存続していることについて、なにも知らないのか？　標識だけがそこでは替わったのだ〉、と。

わたくしは知っていますし、それについて語ることをけっしてためらわずにきました。しかし、他の諸国民の不正と残忍さとを引き合いに出して自身を正当化するのは、アメーリカ人であれドイツ人であれフランス人などなどであれ、すべての国民のなかにいる、道徳的に求めるところのない人びとのやりかたです。ほかよりもよい国民はいません、どの国民のなかにもそういった人びとがいます。アメーリカは、「神自身の国（Gods own country）」ではありません。そして、お人好しのエマニュエル・ガイベルは、〈ドイツ的本性でもういちど世界は健康を回復するであろう〉ということばで、いくつか下位の狼籍をひき起こしたのです。

そしてユダヤ人たちは、悲しみと苦しみとを受けるように選び出されたのではなかったにせよ、「選び出された国民」でしたか？　わたくしには、諸民族が自分自身を気軽にするのに使う道徳定価表は傷みやすくて月並みな事柄に見えます。この表は、意識して自分の歴史のなかに立っている者すべてを担うであろう明確なまじめな祖国感情を危険にさらします。

この感情は、偉大な事物が見える者に誇りと確信とを与えるかもしれませんが、だからと言ってしかしこの者を偽善的な自己確信という恥溺へ惑わし導いてはならないのです。

　暴力行為と不正とは、交互的な補償のために用いてはならない・用いることが許されていない・事物です。なぜかと言うと、この相互補償は、心的な意識のなかで累積されるという悪質な危険を含んでいるからです。その重みは、個々の運命における最悪の重荷となり、国民また諸国民の運命のなかではなおのこと邪悪となるのです。すべての民族は、その復讐の詩人を持っています。あるいは、かれらが倦《う》んでいるとき、目的とするジャーナリストたちを控えに持っています。

　いくつもの民族の同胞たちがここに眠っています。銘は多言語的です、ヨーロッパの運命の悲劇的なゆがみの一記録です。ここにはテロの多数のドイツ人犠牲者も眠っています。そして、他のもろもろの収容所の縁《ふち》ではどれほど多数が眠っていることか？　しかし、ナフム・ゴルトマン〔訳注〕がここですべての犠牲者たちのために語った、ということには或る深い意味があります。なぜかと言うと、このベルゼンでまさにユダヤ人たち――まだどこかで捕らえられたユダヤ人たち――こそ、完全に餓死するか悪疫の犠牲になるかした、のだからです。

〔訳注〕ナフム・ゴルトマン（1895–1982）は、ユダヤ人政治家。一九三五–四〇年、国際連盟のユダヤ人エイジェンシー代表。四〇年、アメーリカ合州国へ渡り、戦後は国連代表としてパレスチナ分割プランづくりに関与する、などしました。世会ユダヤ人会議の創設者また会長を務めもしました。
一九五二年十一月の記念碑除幕式で、ホイスに先立ってスピーチしました。

　ゴルトマンは、ユダヤ人の苦痛にみちた道と、歴史破局に頑強に抵抗するその力とについて語りました。一九三三年と一九四五年とのあいだに起こったことが、ユダヤ人たちが少数派宗徒居住地域において経験した歴史上この上なく恐ろしいことであった、ということは確実です。そのさいなにか新しいことが起こっていました。ゴルトマンはそのことについて語ったのです。過去はユダヤ人迫害をいくつものしかたで識っています。かつては、宗教的熱狂の子どもたちであったり、社会経済的競争感情の子どもたちであったり、しました。一九三三年以後には、宗教的熱狂は問題になりえませんでした。それは、旧い盟約および新しい盟約の書〔つまり、旧約聖書および新約聖書〕の軽視者たちとすべての宗教的束縛の敵たちとにとって、形而上学的問題がどれも考えられるかぎり縁遠かったからです。そして社会経済的なものは、ただ強盗殺人だけを考えるというのでなければ十分でないのです。

　しかし、それだけではありませんでした。結局のところなにか別なものが問題だったのです。生《なま》かじりの生物学的自然主義が突出して、殺人をまったく自動的な経過だとする杓子定規を――控え目の準道徳的尺度を求める必要・欲求ぬきに――生みだしたのです。これこそこの時代の最も深刻な堕落でした。そして、そのようなことが、レッシングとカントとが、ゲーテとシラーとが、そこから世界意識のなかへ足を踏み入れた、その民族史の空間のなかで行なわれた、ということ、これがわたしたちの恥なのです。この恥辱はだれもわたしたちから除いてくれません、――だれも、です。

わたくしの友人アルベルト・シュヴァイツァーは、その文化倫理学学説を「生にたいしての畏敬の念 (Ehrfurcht vor dem Leben)」という簡明な表現のもとへ据えました。この定式はたしかに正しいでしょう、――たとえこの語についての記憶が一万回も嘲けられた場所でどれほど逆説的に響こうとも。しかし、「死にたいしての畏敬の念 (Ehrfurcht vor dem Tode)」という補足を必要とするのではないでしょうか?

わたくしは、なん人ものユダヤ人たちにもなん人もの非ユダヤ人たちにも気に入られないかもしれない、小さな話を一つしよう、と思います。両側からかれらは言うでしょう、――〈ここではしないほうがよいのに!〉、と。

第一次世界大戦では、若いユダヤ教徒一万二〇〇〇人が祖国ドイツのために戦死しました。わたくしの故郷の町の顕彰記念碑には、かれらの名まえも金属製の文字でほかのすべての戦没者たちの名まえとともに、戦友が「自分の一部であるかのように」戦友と並んで、記載されていました。ところが、ナチ党の郡長がユダヤ人死者の名まえをひっかいて取らせて、空いた場所を或るなにかの戦場の名で埋めさせたのです。

わたくしがこの話をするのは、自分の青年時代の友人たちの名まえが拭き取られたからではありません。すでに新しい戦争のことが考えられていたのに、死にたいしての、ただの戦死にたいしての、畏敬の念が消え去ったこと、これがわたくしにとって最悪の認識であり恐怖だったのです。

戦争のなかで死ぬことは、当時、もろもろのこの上なく恐ろしい形を選びました。ここベルゼンという町でも、戦争が飢餓と疫病とを無料の助手として使って猛威を振るいました。冷笑的な態度を取る若者、粗暴な若造は、言うかもしれません、――〈主としてただユダヤ人・ポーランド人・ロシア人・フランス人・ベルギー人・ノルウェイ人・ギリシア人などなどだけのことだったのさ〉、と。〈ただ…だけ〉と言うのですか？ 君とぼくとのような人たちで、両親がいて子どもたちがいて夫たちがいて妻たちがいたんですよ！ 生き残った人たちの姿がこの上なく恐ろしい記録です。

戦争はこの土地にとっては一九四五年四月に終わりました。しかし飢餓と疫病との結果として死が続きました。イギリス人医師たちがそのさい命を落としました。しかしわたくしは、先日、卓越したユダヤ人の側から、〈まさしくこの時間に、このあとのことについて、ドイツ人医師たちとドイツ人看護士・看護婦たちとが一九四五年の春と初夏とに行った、死ぬように定められた人びとについて果たした救命業績について、やはり一言してほしい〉、と頼まれたのです。わたくしは、こうした事柄についてなにも知っていませんでした。しかし、当時、この悲惨を前にして献身にいたるまでの救援意志がどのように育ったのか、その話をさせました。医者〔および介護者〕としての義務感が、そのような任務を前にしてことわらないという恥じらいが、危険にさらされている人——まさに「隣人」なのです——に寄せるクリスト教的な姉妹のような献身が、どのように育ったのかを、です。

わたくしは、自分にこのことが言われこの頼みが表明されたことに、感謝しています。なぜかと言うと、直接に正しく良いことのこの実証のなかにやはり一つの慰めがあるのだからです。

イギリス人地域コミッショナーの話のなかで、〔ジャン・ジャック・〕ルソー（1712–78）が引き合いに出されました。ルソーは自分の書物の一つを断定的な声明で始めます、——「人間は善である」、と。ああ、わたしたちは、世界がお説教をする文士たちの諸命題よりも複雑であることを学んだのです。しかし、つぎのことも知っています、——人間という者、人間であること（*die* Menschheit）これは抽象的な仮定であり統計上の確認であり、しょっちゅう、拘束力のない慣用語にすぎません。しかし、人間的であること（*die Menschlichkeit*）は、個人的な振る舞い、他人——どんな宗教どんな人種どんな身分の人であろうと、この他人——に向きあっての単純な自己証明なのです。このことは、一つの慰めでしょう。

あそこにオベリスクが、あそこに多言語の銘文が刻まれた壁が、立っています。どちらも石、冷たい石、です。石たちは語ることができます（*Saxa loquuntur*）。君がかれらの言語を、かれらのこの特別な言語を、自分のために、わたしたちみんなのために、理解するかどうかは、個々人しだい、君しだい、なのです！

ゲルント・アランツ
「第三帝国」（1934）

編集後記

■ずいぶん昔のことだが、『窓際のトットちゃん』がベストセラーとなったころ「どうしてこんな本が売れるのか分からない、どうしてなの？」と訊かれたことがあった。読んでないから分からないけど、あなたは買ったのかと問うと、評判だから買って読んだという。いつも評判にならない本ばかり作ってきた側からは、ベストセラーの多くは評判によって作られることを再認識した思いだった。評判はまれに「社会現象」と言われるまで増殖することがあり、それは本だけにはとどまらない。この評判→現象は流行を形づくり、流行が習慣となってある種の文化を形づくるのはさらにまれで、ほとんど移ろいやすく消えていく。かつて評判は口づてによって広まったが、今やスマホやメディアによって一挙にこの国の隅々行きつく。昨年は『鬼滅の刃』というコミックが社会現象となり、年齢をこえて読まれているらしい。どんな本なのだろうと評判を気にして求めれば、たちまち何千万人の一人となって版元の売り上げに貢献する。書店では店頭にワゴンを出してこの本を積み上げ、店員さんは売り込みに大わらわだ。冷え込んだ出版界にとって、このカンフル剤は有難いことに違いないが、コミックに依存している大手版元は次のカンフル剤の「開発」を一丸となっていそしむのは明らかだ。

この一事をもって日本社会を云々するのは乱暴のそしりはまぬがれないとしても、評判が一夜にして伝播し、たちまち忘れ去られていくのは、毎年くり返される「今年の流行語大賞」という催しをみれば、移ろいやすさを加速させる「この国の現在」を考えさせられる。

■こうした流れに多少とも抗って生きるようとすれば、どうしても「後ろ向きに進む」ことが求められるのではあるまいか。本誌ははからずも、その自覚をもった執筆者によって支えられ、43号の富田恵子さんやハンス・ブリンクマンさん他の作品にそれを見ることが出来る。

■本誌16号から欠かさず書き続けてくださった三宅中子さんは、現在、50万字に及ぶその連載を単行本化する作業に努められている。A５判５００頁をこえる『三宅中子著作集全一巻』（仮題）は今春刊行予定。「あとらす」が母体となる濃密でラディカルな本書の誕生を心待ちにしたい。

（N・H）

あとらす43号

2021年１月25日初版第１刷発行

編　　集　あとらす編集室

発 行 人　日高徳迪

（編集顧問）熊谷文雄・川本卓史

発行所　株式会社 西田書店

〒101-0051東京都千代田区神田神保町2-34　山本ビル

Tel 03-3261-4509　Fax 03-3262-4643

e-mail : nishi-da@f6.dion.ne.jp

印刷・製本　神戸軽印刷社

あとらす43号執筆者（50音順）

秋間　実（神奈川県逗子市）
浅川泰一（兵庫県宝塚市）
岩井希文（大阪府茨木市）
大河内健次（東京都世田谷区）
岡田多喜男（千葉県我孫子市）
隠岐都万（京都府京都市）
恩田統夫（東京都渋谷区）
川本卓史（東京都世田谷区）
熊谷文雄（兵庫県伊丹市）
桑名靖生（茨城県鹿嶋市）
近藤英子（兵庫県西宮市）
摘　今日子（兵庫県神戸市）
富田恵子（東京都小平市）
Ｈ・ブリンクマン（福岡県福岡市）
船本マチ（神奈川県横浜市）
松原和音（東京都練馬区）
村井睦男（神奈川県藤沢市）
山根タカ子（兵庫県明石市）
（コラム）
茅野太郎（長野県茅野市）
斉田睦子（東京都港区）
根本欣司（千葉県香取市）

「あとらす」次号（44号）のお知らせ

[発行日]	２０２１年７月２５日
[原稿締切り]	２０２１年４月３０日（必着） 締切り以降の到着分は次号掲載になります。
[原稿状態]	ワード形式（出力紙付き）を郵送、またはメール送信。 ワープロ原稿、手書き原稿の場合は入力します（入力代が必要です）
[原稿枚数]	１頁　２７字×２３行×２段組で５頁以上２５頁以内。 見出し８～１０行（俳句と短歌は例外とします） ・原則として初校で責任校了
[投稿料]	下記編集室へ問合せ下さい。
[問合せ先]	東京都千代田区神田神保町２－３４山本ビル 西田書店「あとらす」編集室　担当者　日高・関根 TEL 03-3261-4509　FAX 03-3262-4643 e-mail : nishi-da@f6.dion.ne.jp

読者各位
本誌への感想や要望などは、上記、西田書店「あとらす」編集室へお寄せ下さい。各作品に関する感想や批評も同様です。

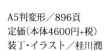

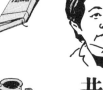

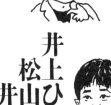

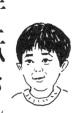

9784888666558
1920095010007
ISBN978-4-88866-655-8
C0095 ¥1000E
定価（本体1000円+税）
西田書店

[投稿についてのお問い合せ]
〒101-0051 東京都千代田区神田神保町2-34 山本ビル
Phone：03-3261-4509 Fax：03-3262-4643 e-mail：nishi-da@f6.dion.ne.jp
西田書店「あとらす」編集室